Aus Freude am Lesen

Buch

Im Bahnhof von Bern steht eine wundersam gekleidete Frau und spielt auf ihrer Geige eine Partita von Johann Sebastian Bach. Ein achtjähriges Mädchen, das mit seinem Vater unterwegs ist, fühlt sich von dieser Musik magisch angezogen und hört ihr gebannt zu. Von einem Moment auf den anderen weiß Lea van Vliet, daß sie das Geigenspiel lernen muß. Nach dem Tod ihrer Mutter hatte sich Lea gegenüber ihrer Umwelt verschlossen. Ihr Vater ist überglücklich, als seine Tochter nun endlich aus dieser Starre erwacht. Doch damit beginnt ein tragisches Verhängnis, das sich am Ende zu einer Katastrophe auswächst. Schon nach wenigen Wochen zeigt Lea eine außerordentliche musikalische Begabung, nach ein paar Jahren eilt sie von Erfolg zu Erfolg. Ihren Vater aber treibt es immer tiefer in die Einsamkeit. Und bei seinem letzten verzweifelten Versuch, die Liebe und die Nähe seiner Tochter zurückzugewinnen, verstrickt er sich in ein Verbrechen, das nicht nur seine bürgerliche Existenz ruinieren wird.

Autor

Pascal Mercier, 1944 in Bern geboren, lebt in Berlin. Nach seinen vielbeachteten Romanen »Perlmanns Schweigen« und »Der Klavierstimmer« wurde »Nachtzug nach Lissabon« einer der großen Bestseller der vergangenen Jahre. 2006 wurde Pascal Mercier mit dem Marie-Luise-Kaschnitz-Preis ausgezeichnet, 2007 in Italien mit dem Premio Grinzane Cavour für den besten ausländischen Roman geehrt. »Lea« wurde in Frankreich mit dem Prix Michel Tournier ausgezeichnet.

Pascal Mercier bei btb
Perlmanns Schweigen. Roman (72 135)
Der Klavierstimmer. Roman (72 654)
Nachtzug nach Lissabon. Roman (73 436)

Pascal Mercier

Lea
Novelle

btb

Verlagsgruppe Random House FSC® N001967
Das für dieses Buch verwendete
FSC®-zertifizierte Papier *Lux Cream*
liefert Stora Enso, Finnland.

5. Auflage
Genehmigte Taschenbuchausgabe August 2009,
btb Verlag in der Verlagsgruppe Random House GmbH, München
Copyright © der Originalausgabe 2007 by Carl Hanser Verlag
München
Lizenzausgabe mit freundlicher Genehmigung des
Carl Hanser Verlages
Umschlaggestaltung: semper smile, München, nach einem Cover-
entwurf von El Aleph Editores, Barcelona
Umschlagillustration: Lou Jones / Getty Images
Druck und Einband: CPI – Clausen & Bosse, Leck
UB · Herstellung: SK
Printed in Germany
ISBN 978-3-442-73746-8

www.btb-verlag.de

Lea
Novelle

ՄԵՔ ԱՐԿԱՆԵՄՔ ՉՍՏՈՒԵՐՍ ՉԳԱՅՄԱՆՑ ՄԵՐՈՑ Ի ՎԵՐԱՅ ԱՅԼՈՑ
ԵՒ ՆՈՔԱ ԻՐԵԱՆՑՆ Ի ՎԵՐԱՅ ՄԵՐ

ԵՐԲԵՄՆ ԹՈՒԻ ՄԵՋ ՉԻ ԿԱՐԵՄՔ ՀԵՂՉՆՈՒԼ Ի ՆԵՐՔՈՑ ԴՈՑԱ

ՍԱԿԱՅՆ ԵՒ ԱՌԱՆՑ ԱՅՆՈՑԻԿ ՈՉ ԲՆԱՎ ԼԻՆԵՐ
ԼՈՒՅՍ Ի ԿԵԱՆՍ ՄԵՐ

WIR WERFEN DIE SCHATTEN UNSERER GEFÜHLE
AUF DIE ANDEREN UND SIE DIE IHREN AUF UNS

MANCHMAL DROHEN WIR DARAN ZU ERSTICKEN

DOCH OHNE SIE GÄBE ES KEIN LICHT
IN UNSEREM LEBEN

Altarmenische Grabinschrift

1

WIR SIND UNS an einem hellen, windigen Morgen in der Provence begegnet. Ich saß vor einem Café in Saint-Rémy und betrachtete die Stämme der kahlen Platanen im bleichen Licht. Der Kellner, der mir den Kaffee gebracht hatte, stand unter der Tür. In seiner abgetragenen roten Weste sah er aus, als sei er das ganze Leben lang Kellner gewesen. Ab und zu zog er an der Zigarette. Einmal winkte er einem Mädchen zu, das quer auf dem Rücksitz einer knatternden Vespa saß, wie in einem alten Film aus meiner Schulzeit. Nachdem die Vespa verschwunden war, blieb das Lächeln noch eine Weile auf seinem Gesicht. Ich dachte an die Klinik, in der es nun schon die dritte Woche ohne mich weiterging. Dann sah ich wieder zu dem Kellner hinüber. Sein Gesicht war jetzt verschlossen und der Blick leer. Ich fragte mich, wie es gewesen wäre, sein Leben zu leben statt des meinen.

Martijn van Vliet war zuerst ein grauer Haarschopf in einem roten Peugeot mit Berner Kennzeichen. Er versuchte einzuparken und stellte sich, obwohl Platz genug war, ungeschickt an. Die Unsicherheit beim Einparken wollte nicht zu dem großen Mann passen, der nun ausstieg, sich mit sicherem Schritt den Weg durch den Verkehr bahnte und auf das Café zukam. Er streifte mich mit einem skeptischen Blick aus dunklen Augen und ging hinein.

Tom Courtenay, dachte ich, Tom Courtenay im Film *The Loneliness of the Long Distance Runner*. An ihn erinnerte mich der Mann. Dabei sah er ihm gar nicht ähnlich. Es waren der Gang und der Blick, in denen sich die beiden Männer glichen – die Art und Weise, in der sie in der Welt und bei sich selbst zu sein schienen. Der Direktor des Colleges haßt Tom Courtenay, den schlaksigen Jungen mit dem verschlagenen Grinsen, doch er braucht ihn, um gegen das andere College mit seinem neuen Starläufer zu gewinnen. Und so darf er während der Unterrichtszeit laufen. Er läuft und läuft durch das farbige Herbstlaub, die Kamera auf dem Gesicht mit dem glücklichen Lächeln. Der Tag kommt, Tom Courtenay läuft allen davon, der Rivale sieht aus wie gelähmt, Courtenay biegt in die Zielgerade ein, Großaufnahme des Direktors mit dem feisten Gesicht, das im vorweggenommenen Triumph glänzt, noch hundert Meter bis zum Ziel, noch fünfzig, da wird Courtenay aufreizend langsam, bremst ab, bleibt stehen, Ungläubigkeit auf dem Gesicht des Direktors, jetzt erkennt er die Absicht, der Junge hat ihn in der Hand, das ist seine Rache für all die Schikanen, er setzt sich auf die Erde, schüttelt die Beine aus, die noch lange weitergelaufen wären, der Rivale läuft durchs Ziel, Courtenays Gesicht verzieht sich zu einem triumphierenden Grinsen. Dieses Grinsen, ich mußte es immer wieder sehen, in der Mittagsvorstellung, nachmittags, abends und samstags in der Spätvorstellung.

Ein solches Grinsen könnte auch auf dem Gesicht dieses Mannes liegen, dachte ich, als Van Vliet herauskam und sich an den Nebentisch setzte. Er steckte sich eine Zigarette zwischen die Lippen und schirmte die Flamme des Feuerzeugs mit der Hand gegen den Wind ab. Den Rauch behielt er lange in der Lunge. Beim Ausatmen warf er mir einen Blick zu, und ich war erstaunt, wie sanft diese Augen blicken konnten.

»*Froid*«, sagte er und zog die Jacke zu. »*Le vent.*« Er sagte es mit dem gleichen Akzent, mit dem auch ich es sagen würde.

»Ja«, sagte ich in Berner Mundart, »das hätte ich hier nicht erwartet. Nicht einmal im Januar.«

Etwas in seinem Blick veränderte sich. Es war keine angenehme Überraschung für ihn, hier einem Schweizer zu begegnen. Ich kam mir aufdringlich vor.

»Oh, doch«, sagte er jetzt, auch in Mundart, »so ist es oft.« Er ließ den Blick über die Straße gleiten. »Ich sehe kein Schweizer Kennzeichen.«

»Ich bin mit einem Mietwagen hier«, sagte ich. »Fahre morgen mit der Bahn nach Bern zurück.«

Der Kellner brachte ihm einen Pernod. Eine Weile sagte keiner von uns etwas. Die knatternde Vespa mit dem Mädchen auf dem Rücksitz fuhr vorbei. Der Kellner winkte.

Ich legte das Geld für den Kaffee auf den Tisch und schickte mich an zu gehen.

»Ich fahre morgen auch zurück«, sagte Van Vliet jetzt. »Wir könnten zusammen fahren.«

Das war das letzte, was ich erwartet hatte. Er sah es.

»Nur so eine Idee«, sagte er, und ein sonderbar trauriges, um Vergebung bittendes Lächeln huschte über seine Züge; jetzt war er wieder der Mann, der so ungeschickt eingeparkt hatte. Vor dem Einschlafen dachte ich, daß auch Tom Courtenay so lächeln könnte, und im Traum tat er es dann auch. Er näherte sich mit den Lippen dem Mund eines Mädchens, das erschrocken zurückwich. »*Just an idea, you know*«, sagte Courtenay, »*and not much of an idea, either.*«

»Ja, warum nicht«, sagte ich jetzt.

Van Vliet rief den Kellner und bestellte zwei Pernod. Ich winkte ab. Ein Chirurg trinkt morgens nicht; auch nicht, nachdem er aufgehört hat. Ich setzte mich an seinen Tisch.

»Van Vliet«, sagte er, »Martijn van Vliet«. Ich gab ihm die Hand. »Herzog, Adrian Herzog.«

Er habe hier für ein paar Tage gewohnt, sagte er, und nach

einer Pause, in der sein Gesicht älter und dunkler zu werden schien, fügte er hinzu: »in Erinnerung an … an früher«.

Irgendwann auf unserer Fahrt würde er mir die Geschichte erzählen. Es würde eine traurige Geschichte sein, eine Geschichte, die weh tat. Ich hatte das Gefühl, ihr nicht gewachsen zu sein. Ich hatte genug mit mir selbst zu tun.

Ich blickte die Platanenallee entlang, die aus dem Ort hinausführte, und betrachtete die matten, sanften Farben der winterlichen Provence. Ich war hierher gefahren, um meine Tochter zu besuchen, die an der Klinik in Avignon arbeitete. Meine Tochter, die mich nicht mehr brauchte, schon lange nicht mehr. »Frühzeitig aufgehört? Du?« hatte sie gesagt. Ich hatte gehofft, sie würde mehr wissen wollen. Doch dann war der Junge von der Schule nach Hause gekommen, Leslie ärgerte sich über die Verspätung des Kindermädchens, denn sie hatte Nachtdienst, und dann standen wir auf der Straße wie zwei Menschen, die sich getroffen hatten, ohne sich zu begegnen.

Sie sah, daß ich enttäuscht war. »Ich besuche dich«, sagte sie, »jetzt hast du ja Zeit!« Wir wußten beide, daß sie es nicht tun würde. Sie ist seit vielen Jahren nicht mehr in Bern gewesen und weiß nicht, wie ich lebe. Überhaupt wissen wir nur wenig voneinander, meine Tochter und ich.

Am Bahnhof von Avignon hatte ich einen Wagen gemietet und war aufs Geratewohl losgefahren, drei Tage auf kleinen Straßen, Übernachtung in ländlichen Gasthöfen, einen halben Tag am Golf von Aigues Mortes, immer wieder Sandwich und Kaffee, abends Somerset Maugham bei schummrigem Licht. Manchmal konnte ich den Jungen, der damals plötzlich vor dem Auto aufgetaucht war, vergessen, aber nie länger als einen halben Tag. Ich schreckte aus dem Schlaf auf, weil mir der Angstschweiß über die Augen lief und ich hinter dem Mundschutz zu ersticken drohte.

»Mach du es, Paul«, hatte ich zum Oberarzt gesagt und ihm das Skalpell gereicht.

Als ich nun im Schrittempo durch die Dörfer fuhr und froh war, wenn wieder freie Strecke kam, sah ich manchmal Pauls helle Augen über dem Mundschutz, der Blick ungläubig, fassungslos.

Ich wollte Martijn van Vliets Geschichte nicht hören.

»Ich will heute noch in die Camargue, nach Saintes-Maries-de-la-Mer«, sagte er jetzt.

Ich sah ihn an. Wenn ich noch länger zögerte, würde sein Blick hart werden wie der von Tom Courtenay, wenn er vor dem Direktor stand.

»Ich fahre mit«, sagte ich.

Als wir losfuhren, hatte der Wind aufgehört, und hinter der Scheibe wurde es warm. »*La Camargue, c'est le bout du monde*«, sagte Van Vliet, als wir hinter Arles nach Süden abbogen. »Das pflegte Cécile zu sagen, meine Frau.«

2

BEIM ERSTEN MAL habe ich mir nichts dabei gedacht. Als Van Vliet die Hände das zweite Mal vom Steuer nahm und sie wenige Zentimeter davon entfernt hielt, fand ich es merkwürdig, denn wieder tat er es, als ein Lastwagen entgegenkam. Doch erst beim dritten Mal war ich sicher: Es war ein Sicherheitsabstand. Er sollte die Hände davor bewahren, das Falsche zu tun.

Für eine Weile kamen keine Lastwagen mehr. Rechts und

links Reisfelder und Wasser, in dem sich die ziehenden Wolken spiegelten. Die ebene Landschaft ließ das Gefühl einer befreienden Weite entstehen, es erinnerte mich an die Zeit in Amerika, als ich bei den besten Chirurgen das Operieren lernte. Sie gaben mir Selbstvertrauen und lehrten mich, der Angst Herr zu werden, die hervorzubrechen drohte, wenn der erste Schnitt durch die unversehrte Haut zu legen war. Als ich mit Ende dreißig in die Schweiz zurückkehrte, hatte ich halsbrecherische Operationen hinter mir, ich war für die anderen der Inbegriff ärztlicher Ruhe und Zuversicht, ein Mann, der nie die Nerven verlor, undenkbar, daß ich meinen Händen eines Morgens das Skalpell nicht mehr zutrauen würde.

In der Ferne war ein herankommender Lastwagen zu erkennen. Van Vliet bremste scharf und fuhr von der Straße hinunter auf ein Gelände mit Hotel und einer Koppel mit weißen Pferden. PROMENADE À CHEVAL stand am Eingang.

Eine Weile blieb er mit geschlossenen Augen sitzen. Die Lider zuckten, und auf der Stirn waren feine Schweißperlen. Dann stieg er wortlos aus und ging langsam hinüber zum Zaun der Koppel. Ich trat neben ihn und wartete.

»Würde es Ihnen etwas ausmachen, das Steuer zu übernehmen?« fragte er heiser. »Ich … mir ist nicht besonders.«

An der Bar des Hotels trank er zwei Pernod. »Jetzt geht es wieder«, sagte er danach. Es sollte tapfer klingen, doch es war eine fadenscheinige Tapferkeit.

Statt zum Auto ging er noch einmal zur Koppel. Eines der Pferde stand am Zaun. Van Vliet streichelte ihm den Kopf. Die Hand zitterte.

»Lea liebte Tiere, und das spürten sie. Sie hatte einfach keine Angst vor ihnen. Noch die wütendsten Hunde wurden friedlich, wenn sie kam. ›Papa, sieh bloß, er mag mich!‹ rief sie dann aus. Als bräuchte sie die Zuneigung der Tiere, weil sie sonst keine erfuhr. Und sie sagte es zu *mir*. Ausgerechnet zu mir. Sie streichelte die Tiere, ließ sich die Hände lecken. Was hatte ich für eine Angst, wenn ich das sah! Ihre kostbaren, ihre so schrecklich kostbaren Hände. Später, auf meinen heimlichen Fahrten nach Saint-Rémy, stand ich oft hier und stellte mir vor, sie würde die Pferde streicheln. Es hätte ihr gutgetan. Ich bin ganz sicher, das hätte es. Aber ich durfte sie ja nicht mitnehmen. Der Maghrebiner, der verdammte Maghrebiner, er verbot es, er verbot es mir einfach.«

Ich hatte immer noch Angst vor der Geschichte, jetzt sogar noch mehr; trotzdem war ich nicht mehr sicher, daß ich sie nicht hören wollte. Van Vliets zitternde Hand am Pferdekopf, sie hatte die Dinge verändert. Ich überlegte, ob ich Fragen stellen sollte. Doch es wäre falsch gewesen. Ich hatte ein Zuhörer zu sein, nichts weiter als ein Zuhörer, der sich still den Weg in die Welt seiner Gedanken bahnte.

Stumm reichte er mir den Autoschlüssel. Die Hand zitterte immer noch.

Ich fuhr langsam. Wenn wir einen Lastwagen kreuzten, blickte Van Vliet weit nach rechts hinaus. Bei der Ortseinfahrt dirigierte er mich zum Strand. Wir hielten hinter der Düne, gingen die Böschung hinauf und traten auf den Sand hinaus. Hier war es windig, die glitzernden Wellen brachen sich, und für einen Moment dachte ich an Cape Cod und Susan, meine damalige Freundin.

Wir gingen mit Abstand nebeneinander her. Ich wußte nicht, was er hier wollte. Oder doch: nun, da Lea, von der er in der Vergangenheitsform gesprochen hatte, nicht mehr lebte, wollte er noch einmal den Strand entlanggehen, den er damals, als der Maghrebiner ihm den Zugang zu seiner Tochter verwehrt hatte, allein hatte entlanggehen müssen. Jetzt ging er auf das Wasser zu, und einen Augenblick lang hatte ich die Vorstellung, er würde einfach hineingehen, mit geradem, festem Schritt, durch nichts aufzuhalten, immer weiter hinaus, bis die Wellen über seinem Kopf zusammenschlügen.

Auf dem feuchten Sand blieb er stehen und zog einen Flachmann aus der Jacke. Er schraubte ihn auf und warf mir einen Blick zu. Er zögerte, dann warf er den Kopf zurück, hob den Arm und goß den Schnaps in sich hinein. Ich holte die Kamera hervor und schoß ein paar Bilder. Sie zeigen ihn als Schattenriß im Gegenlicht. Eines davon steht hier vor mir, an die Lampe gelehnt. Ich liebe es. Ein Mann, der unter dem Blick eines anderen, der vorhin keinen Pernod wollte, trotzig trinkt. *Je m'en fous*, sagt die Haltung dieses großen, schweren Mannes mit dem wirren Haar. Wie Tom Courtenay, der nach einer verweigerten Entschuldigung in den Arrest abmarschiert.

Van Vliet ging noch eine Weile auf dem feuchten Sand weiter. Von Zeit zu Zeit blieb er stehen, legte, wie vorhin beim Trinken, den Kopf in den Nacken und hielt das Gesicht in die Sonne. Ein gebräunter Mann, der Ende fünfzig sein mochte, Spuren des Alkohols unter den Augen, sonst aber mit dem Aussehen eines gesunden, kräftigen Mannes, dem man Sport zugetraut hätte, dahinter Trauer und Verzweiflung, die jederzeit in Wut und Haß umschlagen konnte, in Haß auch gegen sich selbst, ein Mann, der seinen Händen nicht mehr traute, wenn er die hohe, herandonnernde Front eines Lastwagens vor sich sah.

Jetzt kam er langsam auf mich zu und blieb vor mir stehen.

Die Art, wie es aus ihm herausbrach, bewies, wie sehr die Erinnerung in ihm gewütet hatte, als er am Wasser stand.

»Meridjen heißt er, der Maghrebiner, Dr. Meridjen. *Jetzt geht es vor allem um Ihre Tochter; daran werden Sie sich gewöhnen müssen.* Stellen Sie sich vor: Das wagte mir der Mann zu sagen. Mir! *C'est de votre fille qu'il s'agit.* Als sei das nicht siebenundzwanzig Jahre lang der Leitsatz meines Lebens gewesen! Die Worte verfolgten mich wie ein nicht enden wollendes Echo. Er sagte sie am Ende unseres ersten Gesprächs, bevor er hinter dem Schreibtisch aufstand, um mich zur Tür des Sprechzimmers zu begleiten. Er hatte hauptsächlich zugehört, ab und zu war die dunkle Hand mit dem silbernen Stift über das Papier geflogen. An der Decke drehten sich träge die riesigen Blätter eines Ventilators, in den Gesprächspausen hörte ich das leise Summen des Motors. Nach meinem langen Bericht fühlte ich mich wie ausgeleert, und wenn er mir über die Gläser der Halbbrille hinweg einen seiner schwarzen, arabischen Blicke zuwarf, kam ich mir vor, als säße ich schuldig vor einem Richter.

Sie ziehen nicht nach Saint-Rémy, sagte er unter der Tür zu mir. Es war ein vernichtender Satz. Die wenigen Worte ließen es so aussehen, als sei meine Hingabe an das, was ich für Leas Glück hielt, nichts weiter als eine Orgie väterlichen Ehrgeizes gewesen und der verzweifelte Versuch, sie an mich zu binden. Als müsse man meine Tochter vor allem vor mir beschützen. Wo ich doch für Lea nur diesen einen Wunsch hatte, diesen einen, alles verdrängenden Wunsch: daß die Trauer und Verzweiflung über Céciles Tod für immer vorbei sein möchten. Natürlich hatte dieser Wunsch auch mit *mir* zu tun. *Natürlich* hatte er das. Doch wer will mir das vorwerfen? *Wer?*«

In seinen Augen standen Tränen. Am liebsten wäre ich ihm mit der Hand über das windzerzauste Haar gefahren. Wie denn alles gekommen sei, fragte ich, nachdem wir uns an der Böschung in den Sand gesetzt hatten.

3

»ICH KANN AUF DEN TAG, ja die Stunde genau sagen, wann alles begann. Es war an einem Dienstag vor achtzehn Jahren, dem einzigen Wochentag, an dem Lea auch nachmittags Schule hatte. Ein Tag im Mai, tiefblau, überall blühende Bäume und Sträucher. Lea kam aus der Schule, neben sich Caroline, ihre Freundin seit den ersten Schultagen. Es tat weh zu sehen, wie traurig und erstarrt Lea neben der hüpfenden Caroline die wenigen Stufen zum Schulhof hinunterging. Es war der gleiche schleppende Gang wie vor einem Jahr, als wir zusammen aus der Klinik gekommen waren, in der Cécile den Kampf gegen die Leukämie verloren hatte. An diesem Tag, beim Abschied vom stillen Gesicht der Mutter, hatte Lea nicht mehr geweint. Die Tränen waren aufgebraucht. In den letzten Wochen vorher hatte sie immer weniger gesprochen, und mit jedem Tag, so schien es mir, waren ihre Bewegungen langsamer und eckiger geworden. Nichts hatte diese Erstarrung zu lösen vermocht: nichts, was ich mit ihr zusammen unternommen hatte; keines von den vielen Geschenken, die ich gekauft hatte, wenn mir schien, ich könne ihr einen Wunsch vom Gesicht ablesen; keiner meiner verkrampften Scherze, die ich der eigenen Erstarrung abtrotzte; auch nicht der Schuleintritt mit all den neuen Eindrücken; und ebensowenig die Mühe, die sich Caroline vom ersten Tag an gegeben hatte, sie zum Lachen zu bringen.

›Adieu‹, sagte Caroline am Tor zu Lea und legte ihr den Arm um die Schulter. Für ein achtjähriges Mädchen war das eine ungewöhnliche Geste: als sei es die erwachsene Schwester, die der jüngeren Schutz und Trost mit auf den Weg gab. Lea hielt den Blick wie immer zu Boden gesenkt und erwiderte nichts. Wortlos legte sie ihre Hand in die meine und ging neben mir her, als wate sie durch Blei.

Wir waren eben am Hotel SCHWEIZERHOF vorbeigegangen und näherten uns der Rolltreppe, die in die Bahnhofshalle hinunterführt, als Lea mitten im Strom der Leute stehenblieb. Ich war in Gedanken bereits bei der schwierigen Sitzung, die ich bald zu leiten hatte, und zog ungeduldig an ihrer Hand. Da entwand sie sich mit einer plötzlichen Bewegung, blieb noch einige Augenblicke mit gesenktem Kopf stehen und lief dann in Richtung Rolltreppe. Noch heute sehe ich sie laufen, es war ein Slalomlauf durch die eilige Menge, der breite Schultornister auf ihrem schmalen Rücken verfing sich mehr als einmal in fremden Kleidern. Als ich sie einholte, stand sie mit vorgerecktem Hals oben an der Rolltreppe, unbekümmert um die Leute, denen sie im Weg stand. ›*Écoute!*‹ sagte sie, als ich zu ihr trat. Sie sagte es in dem gleichen Tonfall wie Cécile, die diese Aufforderung auch stets auf französisch geäußert hatte, selbst wenn wir sonst deutsch sprachen. Für jemanden wie mich, dessen Kehle nicht für die hellen französischen Laute gemacht ist, hatte das spitze Wort einen befehlshaberischen, diktatorischen Klang, der mich einschüchterte, selbst wenn es um etwas Harmloses ging. Und so zügelte ich meine Ungeduld und horchte gehorsam in die Bahnhofshalle hinunter. Nun hörte auch ich, was Lea vorhin hatte innehalten lassen: die Klänge einer Geige. Zögernd ließ ich mich von ihr auf die Rolltreppe ziehen, und nun glitten wir, eigentlich gegen meinen Willen, in die Halle des Berner Bahnhofs hinunter.

Wie oft habe ich mich gefragt, was aus meiner Tochter geworden wäre, wenn wir es nicht getan hätten! Wenn uns kein Zufall diese Klänge zugespielt hätte. Wenn ich meiner Ungeduld und Anspannung der bevorstehenden Sitzung wegen nachgegeben und Lea mit mir fortgezogen hätte. Wäre sie der Faszination durch den Geigenklang bei anderer Gelegenheit, in anderer Gestalt erlegen? Was sonst hätte sie eines Tages aus ihrer lähmenden Trauer erlöst? Wäre ihr Talent auch so ans Licht gekommen? Oder wäre sie ein ganz gewöhnliches Schulmädchen mit einem ganz gewöhnlichen Berufswunsch geworden? Und ich? Wo stünde ich heute, wenn ich mich nicht der ungeheuren Herausforderung durch Leas Begabung gegenübergesehen hätte, der ich in keiner Weise gewachsen war?

Ich war, als wir an jenem Nachmittag den Fuß auf die Rolltreppe setzten, ein vierzigjähriger Biokybernetiker, das jüngste Mitglied der Fakultät und ein aufsteigender Stern am Himmel dieser neuen Disziplin, wie die Leute sagten. Céciles Agonie und ihr früher Tod hatten mich erschüttert, mehr, als ich wahrhaben wollte. Aber ich hatte der Erschütterung äußerlich gesehen standgehalten und es durch akribische Planung geschafft, den Beruf mit meiner Rolle als Vater, der nun allein verantwortlich war, zu verbinden. Nachts, wenn ich am Rechner saß, hörte ich aus dem Nebenzimmer, wie Lea sich hin und her wälzte, und ich bin selbst kein einziges Mal schlafen gegangen, bevor sie zur Ruhe gekommen war, gleichgültig, wie spät es wurde. Die Müdigkeit, die anwuchs wie ein schleichendes Gift, bekämpfte ich mit Kaffee, und manchmal war ich kurz davor, wieder mit dem Rauchen anzufangen. Aber Lea sollte nicht mit einem süchtigen Vater in einer verrauchten Wohnung aufwachsen.«

Van Vliet holte die Zigaretten aus der Jacke und steckte sich eine an. Wie heute morgen im Café schirmte er die Flamme mit seiner großen Hand gegen den Wind ab. Jetzt, aus größerer Nähe, sah ich das Nikotin an den Fingern.

»Alles in allem hatte ich die Situation unter Kontrolle, wie mir schien; nur die Ringe unter den Augen wurden größer und dunkler. Es hätte, denke ich, alles gut werden können, wenn wir beide damals nicht die Rolltreppe betreten hätten. Aber Lea war mit dem einen Fuß bereits auf dem gleitenden Metall, und sie hatte doch solche Angst vor Rolltreppen, sie hatte diese Angst von Cécile übernommen, so vieles war von der vergötterten Mutter in sie eingedrungen wie durch Osmose. Die Musik war in jenem Moment stärker als die Angst, deshalb hatte sie den ersten Schritt getan, und nun konnte ich sie unmöglich allein lassen und strich ihr beruhigend übers Haar, bis wir unten angekommen waren und in die Menge von atemlos lauschenden Menschen eintauchten, die der Geigerin verzaubert zuhörten.«

Van Vliet warf die halb gerauchte Zigarette in den Sand und verbarg das Gesicht in den Händen. Er stand neben seiner kleinen Tochter im Bahnhof. Es gab mir einen Stich. Ich dachte an meinen Besuch bei Leslie in Avignon. Was Lea für Martijn van Vliet gewesen war, war Leslie für mich nie gewesen. Es war nüchterner zugegangen zwischen uns. Nicht lieblos, aber spröder. War es, weil ich in den Jahren nach ihrer Geburt fast nur gearbeitet hatte und aus der Bostoner Klinik oft tagelang nicht herausgekommen war?

So stellte es Joanne dar. *As a father you're a failure.*

Wir hatten kein einziges Mal richtig Urlaub gemacht; wenn ich verreiste, dann zu Kongressen, auf denen neue Operationstechniken vorgestellt wurden. Leslie war neun, als wir in die Schweiz zurückkamen, sie sprach ein Mélange aus Joannes Amerikanisch und meinem Berndeutsch, die Spannungen zwischen den Eltern machten sie verschlossen, sie suchte sich Freunde, die wir nicht kannten, und als Joanne für immer nach Amerika zurückging, kam sie in ein Internat, ein gutes, aber ein Internat. Sie war nicht unglücklich, glaube ich, aber sie entglitt mir noch mehr, und wenn ich sie sah, war es mehr wie die Begegnung zwischen zwei guten Bekannten als zwischen Vater und Tochter.

Van Vliets Geschichte würde die Geschichte eines Unglücks sein, das war klar; aber dieses Unglück war aus einem Glück herausgewachsen, wie ich es nicht gekannt hatte, warum auch immer.

»Sie war keine große Frau«, sagte er in meine Gedanken hinein, »aber sie stand auf einem Podest und überragte die Menge mit dem Oberkörper. Und bei Gott, man konnte sich auf der Stelle in sie verlieben! Etwa so, wie einer sich in eine überwältigende Statue verlieben mag, nur leichter, schneller und viel, viel heftiger. Das erste, was meinen Blick gefangennahm, war ein Schwall von schwarzglänzendem Haar, das bei jeder Bewegung des Kopfs von neuem unter dem hellen Dreispitzhut hervorzuströmen und sich auf die gepolsterten Schultern ihres Gehrocks zu ergießen schien. Und was für ein märchenhafter Gehrock das war! Ausgeblichenes Hellrosa und verwaschenes Gelb, Farben wie an einem verfallenen Palazzo. Davon hoben sich, wie auf einem Gobelin, vielfach gewundene Drachenfiguren ab, rotgoldener Faden und rote

Glassplitter, die wie kostbare Rubine schimmerten. Es war viel geheimnisvoller Orient in dieser Jacke, die der Frau bis fast zu den Knien reichte. Sie trug sie offen, man sah eine beige Kniebundhose, die oben von einer ockerfarbenen Schärpe zusammengehalten wurde und unten in weiße Seidenstrümpfe überging, die in schwarzen Lackschuhen steckten. Über der Schärpe trug sie ein rüschenverziertes Hemd aus weißem Satin, das den weiten Stehkragen des Gehrocks mit einem eigenen Kragen ausfüllte. Ein Stück des weichen, weißen Stoffs hatte sie über den Stehkragen gezogen, und darauf preßte das energische Kinn die Geige. Und zuoberst der ausladende Hut mit den drei Ecken, im Stoff ähnlich dem Gehrock, aber in der Wirkung schwerer, denn die Ränder waren eingefaßt in schwarzen Samt. Wir haben zusammen unzählige Zeichnungen von ihr gemacht, Lea und ich, und über einige der Einzelheiten konnten wir uns nie einigen.« Van Vliet schluckte. »In der Küche war das, am großen Tisch, den Cécile in die Ehe gebracht hatte.«

Er stand ohne Erklärung auf und ging ans Wasser. Eine Welle überspülte seine Schuhe, er schien es nicht zu bemerken.

»Ganz richtig ist es nicht«, fuhr er fort, als er wieder neben mir saß, Tang an den Schuhen, »daß es das lange, wallende Haar war, das mich an dieser märchenhaften Geigerin als erstes fesselte. Noch mehr waren es die Augen, oder eigentlich nicht die Augen, sondern die weiße Augenmaske, die fast bruchlos in das weiß gepuderte Gesicht überging. Je länger ich dort stand, desto mehr schlug mich das maskierte Gesicht in seinen Bann. Zuerst waren es die Unbeweglichkeit und schiere Stofflichkeit der Maske, die mich frappierten, weil sie in schreiendem Gegensatz zu der seelenvollen Musik standen. Wie konnte eine steife Maske so etwas hervorbringen! Nach und nach dann begann ich die Augen hinter den kleinen Schlitzen zu ahnen und dann zu sehen. Meist waren sie geschlossen, dann wirkte das gepuderte Gesicht versiegelt und tot. Fast schienen die Töne dann wie aus dem Jenseits zu kommen und sich ihres blicklosen Körpers zu bedienen wie eines Mediums. Besonders an langsamen, lyrischen Stellen, wenn sich das Instrument kaum bewegte und der Arm mit dem Bogen nur langsam durch den Raum glitt. Ein bißchen war es, als spräche Gottes wortlose Stimme zu den atemlos lauschenden Reisenden, die ihre Koffer, Rucksäcke und Taschen neben sich auf den Boden gestellt hatten und die überwältigende Musik in sich aufnahmen wie eine Offenbarung. Die übrigen Geräusche des Bahnhofs schienen neben der Musik keine Wirklichkeit zu besitzen. Was da an Klängen aus der dunkel glänzenden Violine kam, besaß eine eigene Wirklichkeit, die, so ging es mir durch den Kopf, selbst von einer Explosion nicht hätte erschüttert werden können.

Ab und zu öffnete die Frau die Augen. Dann wurde ich an Filmbilder von Banküberfällen erinnert, die in mir stets die brennende Frage entstehen lassen, wie das Gesicht aussieht, das zu den Augen gehört. Die ganze Zeit über nahm ich der Geigerin in Gedanken die Maske ab und dichtete ihr Blicke und ganze Gesichter an. Ich fragte mich, wie es wäre, solchen Augen und einem solchen Gesicht beim Essen gegenüberzusitzen oder bei einem Gespräch. Daß sie stumm war, diese geheimnisvolle Violinprinzessin, erfuhr ich erst aus der Zeitung. Lea verschwieg ich es. Auch von dem Gerücht, daß die Frau eine Maske trug, weil ihr Gesicht durch Verbrennungen entstellt war, erfuhr sie nichts. Nur ihren angeblichen Namen verriet ich ihr: LOYOLA DE COLÓN. Danach mußte ich ihr alles über Ignácio de Loyola und über Columbus erzählen. Sie vergaß es bald, es war nur um den Namen gegangen. Später kaufte ich ihr eine schöne Ausgabe der OBRAS COMPLETAS von San Ignácio. Sie stellte sie so hin, daß sie den Namen vom Bett aus sehen konnte; gelesen hat sie das Buch nie.

Loyola – so nannten wir sie später, es war dann, als sei sie eine alte Freundin – spielte die Partita in E-Dur von Bach. Damals wußte ich das nicht, Musik war bis dahin nichts gewesen, womit ich mich ernsthaft beschäftigt hatte. Ab und zu hatte mich Cécile in ein Konzert geschleppt, aber ich benahm mich wie die Karikatur eines Fachidioten und Kunstbanausen. Erst meine kleine Tochter führte mich in das Universum der Musik ein, und mit meinem methodisch tikkenden Verstand, meinem Wissenschaftlerverstand, lernte ich alles darüber, ohne zu wissen, ob ich die Musik, die sie spielte, liebte, weil sie mir gefiel, oder ob es nur war, weil sie zu Leas Glück zu gehören schien. Die Partita von Bach, die sie später einmal mit soviel Brillanz und Tiefe spielen sollte wie niemand sonst – sicher nur für meine Ohren, ich weiß –, kenne ich heute so gut, als hätte ich sie selbst geschrieben. Könnte ich sie nur aus meinem Gedächtnis löschen!

Ich weiß nicht mehr, wie gut Loyolas Geige war. Darüber hatte ich damals kein Urteil, zum Experten für Violinklang wurde ich erst auf meiner verrückten Reise nach Cremona, viele Jahre später. Doch in der Erinnerung, die bald durch die Einbildungskraft überlagert und verwandelt wurde, hatte dieses schicksalhafte Instrument einen warmen, voluminösen Klang, der trunken und süchtig machte. Dieser Klang, der so gut zu der Aura der maskierten Frau paßte und zu ihren Augen, wie ich sie mir erträumte, hatte mich Lea für eine Weile fast vergessen lassen, obwohl ihre Hand die ganze Zeit in der meinen gelegen hatte wie immer, wenn sie von vielen Menschen umgeben war. Jetzt spürte ich, wie sich die Hand der meinen entwand, und ich war erstaunt, wie feucht sie war.

Ihre feuchten Hände und überhaupt die Sorge um ihre Hände: Wie sehr sollte das die Zukunft bestimmen und zeitweise verdunkeln!

Noch hatte ich davon keine Ahnung, als ich nun zu ihr hinunterblickte und ihre Augen sah, mit denen etwas Unglaubliches geschehen war. Lea hielt den Kopf zur Seite geneigt, offenbar, um durch eine schmale Gasse in der Menge eine bessere Sicht auf die Geigerin zu haben. Die Sehnen am Hals waren bis zum Zerreißen gespannt, sie war nur noch Blick. Und die Augen leuchteten!

In der langen Zeit unserer Spitalbesuche bei Cécile waren sie erloschen und hatten den Glanz verloren, den wir an ihnen so geliebt hatten. Mit gesenktem Blick und hängenden Schultern hatte sie still am Grab gestanden, als sich der Sarg in die Erde senkte. Als ich damals spürte, wie mir der Atem stockte und wie die Augen zu brennen begannen, hätte ich nicht zu sagen gewußt, ob es mehr wegen Cécile war oder wegen der entsetzlich stummen Trauer und Verlassenheit, die aus Leas matten Augen sprachen. Und jetzt, mehr als ein Jahr danach, war der Glanz zurückgekehrt!

Ungläubig sah ich noch einmal hin, und noch einmal. Doch der neue Glanz war tatsächlich da, er war wirklich, und er ließ es so aussehen, als habe sich für meine Tochter plötzlich der Himmel geöffnet. Ihr Körper, der ganze Körper, war bis zum Zerbersten angespannt, und die Knöchel ihrer Fäuste hoben sich gegen die restliche Haut ab als kleine weiße Hügel. Es war, als müsse sie ihre ganze Kraft aufbieten, um der verzaubernden Macht der Musik standhalten zu können. Im Rückblick will es mir auch vorkommen, als habe sie sich mit dieser Anspannung auf ihr neues Leben vorbereitet, das ohne ihr Wissen in jenen Minuten begann – als sei sie angespannt gewesen wie eine Läuferin vor dem Sprintlauf, dem Lauf ihres Lebens.

Und dann, ganz plötzlich, löste sich diese Anspannung, die Schultern sanken, und die Arme hingen an ihr herunter – vergessene, gefühllose Anhängsel. Einen Moment lang meinte ich, es sei das Erlöschen ihres Interesses, das sich in der plötzlichen Erschlaffung ausdrückte, und befürchtete, sie sei aus der Verzauberung herausgefallen, zurück in die verzweifelte Ermattung des vergangenen Jahres. Doch dann sah ich einen Ausdruck in ihren Augen, der nicht dazu paßte, sondern in die entgegengesetzte Richtung wies. Es war immer noch Glanz, aber es war ihm etwas beigemischt, über das ich, ohne es zu verstehen, erschrak: Hier hatte sich etwas in Leas Seele entschieden, das die Regie über ihr Leben übernehmen würde. Und ich spürte in einer Mischung aus Beklommenheit und Glück, daß auch mein eigenes Leben in den Bann dieser geheimnisvollen Regie geraten und nie mehr so sein würde wie vorher.

Hatte Lea vorher, während der Anspannung, in unregelmäßigen Stößen geatmet, die an ein Fieber denken ließen, zu dem die roten Flecke auf den Wangen paßten, so schien sie jetzt überhaupt nicht mehr zu atmen, und ihr erschlafftes Gesicht war von einer marmornen, totengleichen Blässe überzogen. Hatten ihre Lider vorher in unregelmäßigem Staccato hektisch gezuckt, so schienen sie jetzt gelähmt. Zugleich lag auch konzentrierte Absicht in ihrer Unbeweglichkeit – als wolle Lea ihnen nicht gestatten, den Blick auf die spielende Göttin zu unterbrechen, auch wenn es nur Unterbrechungen von Hundertstelsekunden wären, die sie zudem gar nicht bemerken würde.

Im Lichte dessen, was später geschah und was ich heute weiß, würde ich sagen: Meine Tochter verlor sich in jener Bahnhofshalle.

Ich würde es sagen, auch wenn es in den nächsten Jahren aussah, als habe sich das genaue Gegenteil ereignet: als habe sie in jenem Moment unversehens den Weg zu sich selbst angetreten, und das mit einer Hingabe, Inbrunst und Energie, wie sie nur wenigen gelingt. Erschöpfung lag auf den bleichen Zügen des kindlichen Gesichts, und wenn ich manchmal von dieser Erschöpfung träumte, dann war es die Erschöpfung, die noch vor ihr lag auf ihrem entsagungsvollen Weg durch die Welt der Töne, den sie in einem verzehrenden Fieber entlanggehen würde.

Das Spiel der Frau ging mit einem schwungvollen, etwas pathetisch geratenen Bogenstrich zu Ende. Stille, die allen Bahnhofslärm verschluckte. Dann donnernder Applaus. Die Verbeugungen der Frau waren tief und dauerten ungewöhnlich lange. Geige und Bogen hielt sie weit vom Körper weg, wie um sie vor den eigenen, ungestümen Bewegungen zu schützen. Der Hut mußte befestigt sein, denn er blieb, wo er war, während die Woge des schwarzen Haars sich nach vorne ergoß und das Gesicht unter sich begrub. Richtete sie sich auf, flog das Haar wie in einem Sturm nach hinten, die Hand mit dem Bogen strich die Strähnen aus dem Gesicht, und nun schockierte einen das weiße Gesicht mit der Maske regelrecht, obwohl man es die ganze Zeit über vor sich gehabt hatte. Man wollte Freude auf dem Gesicht sehen, oder Erschöpfung, jedenfalls irgendeine Regung; statt dessen prallte der Blick an der gespenstischen Maske und am Puder ab. Trotzdem, der Beifall wollte nicht enden. Ganz langsam nur geriet die Menge in Bewegung und teilte sich in diejenigen, die es eilig hatten, und die anderen, die Schlange standen, um etwas in den Geigenkasten neben dem Podest zu werfen. Einige warfen einen erstaunten Blick auf ihre Armbanduhr und schienen sich zu fragen, wo die Zeit geblieben war.

Lea blieb, wo sie war. Nichts an ihr hatte sich verändert, ihre Trance dauerte an, und immer noch war es, als versagten die Augenlider unter dem überwältigenden Eindruck des Gesehenen den Dienst. Es lag etwas unendlich Rührendes in ihrer Weigerung zu glauben, daß es vorbei war. Der Wunsch, es möge weitergehen, für immer weitergehen, war so stark, daß sie auch dann nicht aufwachte, als sie von einem eiligen Reisenden angerempelt wurde. Sie blieb mit der bewußtlosen Sicherheit einer Schlafwandlerin in der neuen Stellung, den Blick unverwandt auf Loyola gerichtet, als sei diese eine Marionette ihres Blicks, der sie zum Weiterspielen zwingen könnte. Darin, in der Unbeirrtheit dieses Blicks, kündigte sich Leas unerhörte und am Ende zerstörerische Festigkeit des Willens an, die in den nächsten Jahren immer deutlicher ans Licht treten sollte.

Loyola, das zeigte sich jetzt, war nicht allein. Ein großer, dunkelhäutiger Mann übernahm mit einemmal die Regie. Er nahm ihr Geige und Bogen ab, reichte ihr die Hand, als sie vom Podest herabstieg, und dann räumte er alles mit einer Geschicklichkeit und Schnelligkeit zusammen, die nicht nur mich verblüffte. Es schienen kaum mehr als zwei, drei Minuten vergangen zu sein, nachdem das letzte Geldstück in den Kasten gefallen war, da strebte Loyola mit ihrem Begleiter schon der Rolltreppe zu. Jetzt, wo sie nicht mehr auf einem Podest stand, wirkte sie klein, die magische Geigerin, und nicht nur klein, sondern entzaubert, fast ein bißchen schäbig. Sie zog das eine Bein nach, und ich schämte mich meiner Enttäuschung darüber, daß sie wirklich und unvollkommen war, statt sich mit demselben Glanz und derselben märchenhaften Perfektion durch die Welt zu bewegen, die ihrem Spiel angehaftet hatten. Ich war froh und unglücklich zugleich, als die nach oben gleitenden Treppenstufen sie aus unserem Gesichtsfeld hinaustrugen.

Ich trat zu Lea und zog sie sanft an mich, es war die gleiche Bewegung wie immer, wenn es galt, sie zu trösten und zu beschützen. Sie pflegte dann die Wange an meine Hüfte zu schmiegen, und wenn es besonders schlimm war, versuchte sie, ihr Gesicht in mir zu vergraben. Jetzt jedoch kam es anders, und wenn es auch nur um eine kleine Bewegung, eine bloße Nuance des Reagierens ging, die kein Außenstehender hätte bemerken können, so veränderte sie doch die Welt. Langsam kehrte Lea unter dem sanften Druck meiner Hand in die Wirklichkeit zurück. Im ersten Moment überließ sie sich, wie sonst, meiner beschützenden Bewegung. Doch dann, einen winzigen Augenblick, bevor die Wange wie üblich mein Bein berührt hätte, hielt sie abrupt inne und begann, sich gegen meinen Druck zu sträuben.

Ich spürte, und es traf mich wie ein elektrischer Schlag: Während ihrer Versunkenheit hatte sich ein neuer Wille gebildet, und es war eine neue Selbständigkeit entstanden, von der sie noch nichts wußte.

Erschrocken zog ich meine Hand zurück, ängstlich abwartend, was nun geschehen würde. Lea hatte mich seit ihrem Erwachen noch nicht angeblickt. Als sich unsere Blicke jetzt trafen, war es für einen Augenblick, den ich mit übergroßer Wachheit erlebte, wie die Begegnung zwischen zwei Erwachsenen mit ebenbürtigem Willen. Da stand nicht mehr eine kleine, schutzbedürftige Tochter ihrem großen, beschützenden Vater gegenüber, sondern eine junge Frau, die von einem Willen und einer Zukunft ausgefüllt wurde, für die sie unbedingten Respekt forderte.

In jenem Augenblick spürte ich, daß zwischen uns eine neue Zeitrechnung begann.

Doch so neu und deutlich diese Empfindung auch war – verstanden habe ich sie offenbar weder damals noch später. *C'est de votre fille qu'il s'agit.* Was können diese schrecklichen Worte des Maghrebiners anderes bedeuten als den Vorwurf, es sei mir in den dreizehn Jahren seit Loyolas Auftritt im Bahnhof von Bern nie wirklich um Lea gegangen, sondern immer nur um mich selbst? In den ersten Tagen und Wochen weigerte ich mich mit Ingrimm und Verbitterung, diesen Vorwurf auch nur einen Moment lang ernsthaft in Erwägung zu ziehen. Aber die Worte des Arztes kreisten und kreisten, sie vergifteten das Einschlafen und das Aufwachen, bis ich des Widerstands müde wurde und mit der ganzen Nüchternheit meines Verstandes versuchte, mir ganz von außen, wie einem Fremden gegenüberzutreten. War ich vielleicht wirklich unfähig gewesen anzuerkennen, daß Lea einen eigenen Willen hatte, der auch ein anderer Wille sein konnte als derjenige, den ich mir für sie erträumte?

Ich bin nie selbst auf den Gedanken gekommen, daß ich in einer derart verheerenden Unfähigkeit befangen sein könnte; denn wenn sie mich beherrscht haben sollte, dann durch eine tückische Unauffälligkeit und trügerische Wandelbarkeit, die sie dem erkennenden Blick entzog und hinter einer täuschenden Fassade der Fürsorglichkeit verbarg. Für den Betrachter nämlich sah es keineswegs aus, als nähme ich keine Rücksicht darauf, was Lea sich wünschte. Ganz im Gegenteil: Von außen betrachtet muß es so ausgesehen haben, als würde ich von Monat zu Monat, von Jahr zu Jahr mehr zum Diener, ja Sklaven ihrer Wünsche. Der eine oder andere Blick meiner Kollegen und Mitarbeiter ließ mich wissen, daß sie das Ausmaß bedenklich fanden, in dem ich mir von Leas Lebensrhythmus, von ihren künstlerischen Fortschritten und Rückfällen, ihren Höhenflügen und Abstürzen, ihrer Euphorie und Niedergeschlagenheit, ihren Launen und Krankheiten die Form meines Lebens diktieren ließ. Und wie könnte man einem Vater, der um des Glücks seiner Tochter willen sogar auf die schiefe Bahn gerät, die Fähigkeit absprechen, ihren Willen anzuerkennen? Willig fügte ich mich der Tyrannei ihrer Begabung. Wie also konnte der Maghrebiner meine Bereitschaft in Frage stellen, Lea als eigene Person anzuerkennen? Und wie konnte er mir auf seine sanft diktatorische Art zu verstehen geben, daß es diese Unfähigkeit war, die sie zu seiner Patientin gemacht hatte? *Sie ziehen nicht nach Saint-Rémy.* Mein Gott!«

4

VAN VLIET WAR WIEDER AUFGESTANDEN und schickte sich an, von neuem zum Wasser zu gehen. Man konnte die geballten Fäuste in der Jackentasche erkennen. Ich ging mit. Er holte den Flachmann hervor, zögerte und warf mir einen Blick zu. Ich fing den Blick auf und hielt ihn fest. Sein Daumen rieb am Flachmann.

»Ich möchte aber noch mehr von der Geschichte hören«, sagte ich.

Auf seinem Gesicht erschien ein schiefes Lächeln. Für Tom Courtenay hatte es keinen Anlaß zu einem solchen Lächeln gegeben, aber es wäre auch für sein Gesicht ein mögliches Lächeln gewesen.

»Okay«, sagte Van Vliet und steckte den Flachmann zurück in die Tasche.

Ein Mann mit einem Neufundländer kam auf uns zu. Der Hund lief voraus und blieb hechelnd vor uns stehen. Van Vliet streichelte ihm den Kopf und ließ sich die Hand lecken. Wir sahen uns nicht an, aber wir wußten beide, daß wir an Lea und die Tiere dachten. Die Art, wie sich unsere Gedanken in diesem Augenblick verschränkten: Hatte ich das mit Joanne jemals erlebt, oder mit Leslie? Und ich kannte Martijn van Vliet noch keinen halben Tag.

Der Hund lief weg, und Van Vliet rieb die Hand an der Hose ab. Wir gingen bis zum Wasser. Der Wind hatte nachgelassen, die Wellen plätscherten nur noch leise.

»Lea liebte es, wenn das Meer spiegelglatt war. Es erinnerte sie an das Bimmeln der Glocke in einem japanischen Kloster, frühmorgens. Sie mochte solche Filme. Und solche Vergleiche. Einmal, während der Olympiade in Seoul, schaltete ich spätnachts das Fernsehen ein. Die Koreaner würden ihr Land *das Land der Morgenstille* nennen, sagte der Reporter. Lea war lautlos, auf bloßen Füßen, hinter mich getreten, schlaflos nach dem vielen Üben. ›Wie schön‹, sagte sie. Wir guckten uns die Ruderboote an, die durch das glatte Wasser schnitten. Das war wenige Monate nach Loyolas Auftritt im Bahnhof.«

Er nahm einen schnellen Schluck aus dem Flachmann.

Die Bewegungen waren mechanisch, ohne sein Zutun, er hatte sich hinter ihnen bereits wieder dem Strom des Erinnerns hingegeben.

»Lea blickte zur Rolltreppe, auf der die Geigerin verschwunden war, begann zu gehen und knickte mit dem Fuß ein. Es war, als habe sie mit dem Gehen begonnen, bevor der Körper nach ihrer träumerischen Abwesenheit wieder ganz in ihrem Besitz war. Sie humpelte und verzog vor Schmerz das Gesicht, aber es geschah nicht trotzig und verbissen wie in der letzten Zeit, wenn ihr etwas weh getan hatte; eher war es ein zerstreuter Ausdruck, der den Schmerz mehr als etwas Lästiges denn als etwas erscheinen ließ, das Aufmerksamkeit verdiente. Ich habe von diesem Einknicken geträumt, ich hielt Leas Bein wie ein Arzt, aber auch wie einer, der an dem Mißgeschick schuld war. Der Traum hielt sich viel länger als die harmlose Zerrung am Fußgelenk, die rasch verheilte. Doch schließlich, als Lea aufblühte, verlor er sich. Mit meinen verstohlenen Besuchen in den Hospizgärten von Saint-Rémy kehrte er wieder. Ich tue darin nichts, ich sehe Lea nur in einiger Entfernung vorbeihumpeln, ihr Alter ist vage, ihr Gesicht ist fremd, und ich erwache mit dem Gefühl, Zeuge einer tiefen Beschädigung ihres Lebens geworden zu sein. *Elle est brisée dans son âme*, sagte der Maghrebiner.

Wie anders sah es an jenem Abend nach Loyolas Konzert aus! Wir gingen zusammen durch die Stadt. So waren wir noch nie zusammen durch Bern gegangen. Es war, als gingen wir außerhalb der Zeit, vom Stein der Arkaden und der übrigen Wirklichkeit durch eine Lücke getrennt, einen winzigen Hiat, der es aussehen ließ, als gingen uns die tausend vertrauten Dinge nicht das geringste an. Das einzige, was zählte, war, daß Lea ging, wie sie schon lange nicht mehr gegangen war, befreit und zielstrebig, und daß sie dadurch die Hoffnung in mir entfachte, ihre Seele sei durch die Musik im Bahnhof wiedererweckt und verflüssigt worden.

Sie humpelte, schien aber keinerlei Notiz davon zu nehmen. Die fortwährende Mißachtung des Schmerzes gab ihrem Gang eine Bestimmtheit, die keinen Zweifel daran ließ, daß sie es war, die entschied, wohin wir gingen. Lange Zeit sprachen wir kein Wort. Stumm führte sie mich durch Straßen und Gassen, durch die ich seit Jahren nicht mehr gegangen war. Eine geheimnisvolle, unerschöpfliche Kraft schien sie anzutreiben, und ihr aufs Pflaster gesenkter Blick hielt mich davon ab, mich nach dem Ziel zu erkundigen. Ein einziges Mal nur fragte ich: ›Wohin gehen wir?‹ Sie blickte mich nicht an, sondern sagte wie aus tiefster Konzentration heraus: ›*Viens!*‹ Es klang wie die Aufforderung von jemandem, der dem anderen das Wissen um etwas Großes voraushat, ohne es erklären zu wollen.

Eine Flut von Gelegenheiten ging mir durch den Kopf, bei denen auch Cécile mit sanfter, bezwingender Ungeduld ein solches ›*Viens!*‹ zu mir gesagt hatte. Wie sehr hatte ich es am Anfang genossen, wenn sie es tat! Daß mich jemand an der Hand nahm und mit sich zog – wie ungewohnt und befreiend war es für einen Menschen gewesen, der als Schlüsselkind viel zu früh gezwungen wurde, sich in der Schule und auf der Gasse allein durchzuschlagen, verbissen in seine verschlagene Intelligenz, die das einzige war, dem er traute.

Unser gespenstischer Spaziergang, der durch Leas ungeduldige Energie manchmal beinahe zum Marsch wurde, dauerte schon über eine Stunde, und als mein Blick eine Kirchturmuhr streifte, fiel mir siedend heiß die Sitzung ein, die ich hätte leiten sollen. Es war ein entscheidendes Treffen mit Geldgebern und der Universitätsleitung, die Zukunft meines Labors hing davon ab; undenkbar also, daß ich fehlte. Der Gedanke an die Mitarbeiter, die voller Ratlosigkeit fragende Blicke aushalten mußten, ließ mich aus meiner selbstverlorenen Gegenwart aufschrecken, die ausschließlich darin bestanden hatte, Leas Gefährte zu sein. Ich sah eine Telefonzelle und suchte in der Jackentasche nach Münzen. Doch dann spürte ich wieder Leas rätselhafte Energie neben mir, und nun traf ich eine Entscheidung, wie ich sie in den kommenden Jahren immer wieder treffen sollte: Ich räumte meiner Tochter Vorrang ein vor meinen beruflichen Verpflichtungen und verschloß die Augen vor den Konsequenzen, die von Mal zu Mal bedrohlicher wurden. Ihr Wille, wohin er uns beide auch treiben würde, galt mir mehr als alles andere. Ihr Leben war wichtiger als das meine. Davon weiß der Maghrebiner nichts. *Nichts.*

Ich war hinter Lea zurückgefallen und holte sie jetzt wieder ein. Wir begannen, uns im Kreise zu drehen, und allmählich begriff ich, daß sie gar kein Ziel hatte, oder besser: daß ihr Ziel keines war, das man erlaufen konnte. Sie ging neben mir her, als ob sie eigentlich ganz woanders hingehen möchte, aber nicht wisse, wohin, und mehr noch: als ob sie sich lieber in einem ganz anderen, bedeutungsvolleren Raum bewegt hätte als dem, den die Altstadt Berns zur Verfügung stellte.

Jetzt kamen wir an der Musikalienhandlung Krompholz vorbei. Lea – das verwundert mich heute noch – warf keinen einzigen Blick in das Schaufenster, wo stets einige Geigen ausgestellt waren. Achtlos ging sie daran vorbei, obgleich sich, wie ich bald danach erfahren sollte, in ihrer Seele etwas vorbereitete, das solchen Instrumenten eine lebensbestimmende Bedeutung zumessen würde. Mein eigener Blick streifte die Geigen und brachte sie mit der Frau vom Bahnhof in Verbindung – auf die Art und Weise, wie sich unsere Vorstellungen gewöhnlich verbinden. Noch hatte ich keine Ahnung, was Geigen für unser beider Leben bedeuten würden. Daß sie alles verändern würden.

Mit einemmal dann schien alle Energie aus Lea zu weichen. Der Schmerz im Fußgelenk mußte immer stärker geworden sein, und wenn sie mich vorher in stummer, diktatorischer Bestimmtheit angetrieben hatte, so war sie jetzt nur noch ein müdes kleines Mädchen, dem der Fuß weh tat und das nach Hause wollte.

Es war anders als sonst, in die Wohnung zu kommen. Ein bißchen ging es mir wie nach einer langen Reise: Es überraschte mich, was da alles an Möbeln stand, ihre Zweckmäßigkeit schien mir zweifelhaft, das sorgfältig ausgeklügelte Licht der vielen Lampen paßte plötzlich nicht mehr zu meinen Erwartungen, und es roch nach Staub und abgestandener Luft. Die vielen Dinge, die an Cécile erinnerten, schienen wie durch einen unmerklichen Stoß ein Stück weiter in die Vergangenheit gerückt worden zu sein. Ich machte Lea einen Druckverband um das angeschwollene Gelenk. Sie aß nichts, stocherte mit abwesendem Blick in dem Reis mit Safran, ihrem Lieblingsgericht. Dann, auf einmal, hob sie den Blick und sah mich an, wie man jemanden anblickt, den man gleich etwas Lebenswichtiges fragen wird.

›Ist eine Geige teuer?‹

Diese vier Worte, gesprochen im kindlichen Tonfall ihrer hellen Stimme – ich werde sie bis ans Ende meines Lebens hören. Mit einem Schlag war mir klar, was in ihr geschehen war und was die Unruhe unseres sonderbaren, undurchsichtigen Gangs durch die Stadt hervorgerufen hatte: Sie hatte gespürt, daß sie das, was die Geigerin im märchenhaften Kostüm konnte, auch können wollte. Die Ziellosigkeit, von der ihre Trauer um die tote Mutter begleitet gewesen war, hatte ein Ende. Sie hatte wieder einen *Willen*! Und was mich überglücklich machte: Ich konnte etwas *tun*. Die Zeit des hilflosen Zusehens war vorbei.

›Es gibt sehr teure Geigen, die sich nur reiche Leute leisten können‹, sagte ich, ›aber es gibt auch andere. Möchtest du eine haben?‹

Ich blieb im Wohnzimmer sitzen, bis ich Leas ruhigen Atem hörte. Und während ich dort saß, ereignete sich etwas, das meinem Gedächtnis später für lange Zeit entglitt, um an dem Tag wieder aufzutauchen, als Lea abgeholt und in die Klinik nach Saint-Rémy gebracht wurde, zum Maghrebiner, weit weg von der Schweiz und ihrer zudringlichen Presse. Die Empfindung, die sich damals im nächtlichen Wohnzimmer plötzlich Bahn brach, war das Gefühl, Cécile zu verlieren. So grausam es auch klingen mag: Es war Leas bleierne Trauer gewesen, die mir geholfen hatte, sie bei mir zu behalten. Die Mutter war in der Trauer der Tochter nachdrücklicher gegenwärtig gewesen als manchmal im Leben. An diesem Abend nun, nach einigen wenigen Stunden, in denen die Trauer in Lea begonnen hatte, einer neuen, zukunftsoffenen Gemütsverfassung zu weichen, begann auch Céciles Gegenwart zu verblassen. Darüber erschrak ich. Hatte meine Frau zuletzt nur noch als Leas Mutter Gegenwart besessen?

Ich stand auf, ging durch die Räume und berührte die Dinge, die an sie erinnerten. Am längsten blieb ich in ihrem Zimmer, das mit all den Figuren und bemalten Scherben einer Archäologin hätte gehören können. Doch das war nur Liebhaberei gewesen – ihre verträumte Seite, die man an ihr nicht vermutet hätte, wenn man sie als resolute Krankenschwester kannte. Lea und ich, wir hatten hier nichts angerührt seit ihrem Tod. Hinter verschlossener Tür war ein zeitloses Jahr verstrichen, in dem es keine Zukunft gegeben hatte, die von einer Gegenwart in die Vergangenheit hätte gedrängt werden können. Leas Frage nach der Geige bedrohte dieses Sanktuarium. So jedenfalls schien es mir, als ich wieder auf dem Sofa saß.

Ich sollte recht behalten: Nicht lange, nachdem sich die Wohnung mit noch unbeholfenen, kratzenden Geigentönen zu füllen begann, machten wir Céciles Zimmer zum Musikzimmer, *la chambre de musique*, wie Lea mit stolz und kokett gespitzten Lippen sagte. Wir richteten es hell und auf antiquierte Weise vornehm ein, es sollte an die französischen und russischen Salons erinnern, in denen begabte junge Musiker vor Adligen debütierten, deren steife und pompöse Kleidung – wie wir lachend sagten – an Loyola de Colóns Kostüm erinnerten. Es war wunderbar, auf diese Weise Leas Zukunft zu möblieren.

Doch manchmal lag ich wach, und es würgte mich Trauer darüber, daß Cécile mit jedem Fortschritt, den ihre Tochter mit der Geige machte, immer mehr Vergangenheit wurde, und in die Trauer mischte sich ein unvernünftiger, unsichtbarer Groll gegen Lea, die mir meine Frau wegnahm, ohne die ich viel früher schon entgleist wäre.

Lea war vom Schmerz im Fuß aufgewacht, ich erneuerte den Verband, und dann sprachen wir über das Konzert im Bahnhof. Da lernte ich, was ich in den folgenden Jahren stets von neuem lernen mußte, wie weh es auch tat: daß ich von vielem, und gerade dem Wichtigsten, das in meiner Tochter vorging, keine Ahnung hatte. Daß dasjenige, was ich zu wissen meinte, nur der Schatten war, den meine eigenen Vorstellungen auf sie warfen.

Lea nämlich hatte, während ich ihr eine beinahe mystische Versunkenheit angedichtet hatte, über ganz praktische Dinge nachgedacht: wie Loyola wissen konnte, wo sie Halt machen mußte, wenn sie mit der Hand den Geigenhals hinauf- und hinunterrutschte, und: warum der schmale Steg das Holz nicht eindrückte, wo darunter doch nur Hohlraum lag und die Saiten so fest angespannt waren. Wir lösten keines der beiden Rätsel. Über dem Klang der legendären Namen von Stradivari, Amati und Guarneri, die ich beisteuerte, als wir über Geigen im allgemeinen sprachen, schlief sie schließlich wieder ein. Damals waren es bloß strahlende mythische Namen. Wäre es nur dabei geblieben! Warum bloß holte ich sie herein in unser Leben?

Im unruhigen Halbschlaf jener Nacht stritt ich mit zwei Frauengestalten, die sich überlagerten, verformten und vermischten. Die eine von ihnen, die bedrohliche Macht über mich und mein Schicksal zu haben schien, war Ruth Adamek, meine langjährige Assistentin und die stellvertretende Leiterin unseres Labors. ›*Vergessen?*‹ hatte sie ungläubig gefragt, als ich ihr am Telefon erklärte, warum ich die Sitzung versäumt und nicht einmal angerufen hatte. ›So versteh doch‹, sagte ich, ›Lea hatte einen Unfall, und ich konnte an nichts anderes denken.‹ ›Ist sie im Spital?‹ Nein, hatte ich geantwortet, sie sei bei mir. Als sei das ein Eingeständnis von Schuld, hatte Ruth eine Weile geschwiegen. ›War denn kein Telefon in der Nähe? Kannst du dir vorstellen, wie das für uns war: mit diesen hohen Tieren einfach dazusitzen und nichts zu deiner Abwesenheit sagen zu können?‹ So war es in Wirklichkeit gewesen. Im Traum sagte sie etwas anderes: ›Warum rufst du nie an? Interessiert es dich überhaupt nicht mehr, was ich mache?‹ Heute sitzt sie hinter meinem Schreibtisch, ehrgeizig, kompetent und mit einer Brille von Cartier auf der Nase. Im Traum damals warf ich ihr vor, daß sie mir eine Geige verkauft hatte, deren Steg beim ersten Bogenstrich alles zum Einsturz brachte. Meine Empörung machte, daß ich die zornigen Worte mühsam herauswürgte. Ruth ließ mich einfach stehen und wandte sich dem nächsten Kunden zu. Sie bediente jetzt bei Krompholz und lachte das gellende Lachen der Putzfrau, die im Labor saubermachte.«

5

BEIM ESSEN LACHTEN WIR über den Traum. Zum ersten Mal lachten wir zusammen. Van Vliets Lachen kam zögernd, wie mit ungläubigem Anlauf, und später, als es flüssiger geworden war, war ich sicher: Er hatte das Gefühl überwinden müssen, das Recht auf Lachen verwirkt zu haben. Wir saßen draußen, in einem geschützten Innenhof des Restaurants, umgeben von Mauern, deren frisches Weiß in der provençalischen Sonne so hell leuchtete, daß es weh tat. Saintes-Maries-de-la-Mer – das ist für mich der Ort dieser hellen Mauern, in denen ich Van Vliet lachen sah.

Hätte ein solches Lachen auch zu Tom Courtenay gepaßt? Jahre, nachdem ich den Film gesehen hatte, sah ich ihn in London auf der Bühne. Eine Komödie. Er war gut, aber so wollte ich ihn nicht, und in der Pause ging ich. Van Vliet wollte ich so, von diesem Lachen hätte ich mir noch viel mehr gewünscht. Es zeigte, daß er außer Leas Vater und dem Opfer ihres Unglücks noch ein anderer war, ein Mann von Charme und blitzender Intelligenz. Ich wünschte, ich könnte neben das Foto, das ihn trinkend im Gegenlicht zeigt, eines mit seinem lachenden Gesicht stellen.

Er hatte sich zusammengenommen und Mineralwasser bestellt, nur zum Kaffee ließ er sich einen Grappa bringen. Ob ich Frau und Kinder habe, wollte er wissen. Fast hätte man die distanzierte Art, in der er fragte, für förmliche Höflichkeit halten können, und einen Moment lang war ich verletzt. Doch dann begriff ich, was es war: vorweggenommene Abwehr. Er fürchtete sich vor einer Antwort, die ihm einen Mann zeigen würde, der mehr Glück gehabt und es mit Frau und Kindern besser gemacht hatte.

Ich sagte etwas von meiner Scheidung und vom Internat, fand sonst aber die Worte nicht, um ihm zu erklären, wie es mit Joanne gewesen war und wie es mit Leslie war. Und so erzählte ich von dem Jungen, der aus der Ausfahrt geschossen kam und plötzlich vor meinem Wagen stand. Nur Zentimeter hatten gefehlt. Das Herz hämmerte auf der ganzen Fahrt nach Hause und hörte auch auf dem Sofa nicht auf. Ich rannte ins Bad und übergab mich. Eine schlaflose Nacht mit Kamillentee. Am Sonntag hatte ich frei, döste durch den Tag, ließ den Fernseher laufen, versuchte mich abzulenken. Bohrender Kopfschmerz, wie ich ihn aus der Zeit vor dem Staatsexamen kannte. Und dann der Montag morgen im Operationssaal.

»Ich habe meinen Händen nicht mehr getraut, dem motorischen Gedächtnis. Was war nach dem ersten Schnitt zu tun? Wohin mit dem vielen Blut? Wortlos reichte mir die Schwester das Skalpell. Sekunden verrannen. Ich spürte die Blicke der anderen auf mir. Pauls fassungslose Augen über dem Mundschutz. Der bohrende Kopfschmerz auf dem Weg nach

Hause. Auf langen Spaziergängen bin ich oft stehengeblieben, habe die Augen geschlossen und bin in Gedanken an den Operationstisch getreten. Die Angst vor dem Blut ging nicht weg, es lief und lief, die Patienten verbluteten.

›Ist ja auch ein Wunder, daß die euch nicht verbluten‹, sagte der Schulkamerad, der Psychiater geworden war. ›Warum hörst du nicht einfach auf? Wolltest du nicht einmal Fotograf werden oder Kameramann? Irgendwann verlieren wir die natürliche Selbstverständlichkeit des Lebens. Das Alter. Nimm es als Zeichen.‹

Eine Woche später ließ ich mich in den vorzeitigen Ruhestand versetzen. Die Blumen von der Abschiedsfeier warf ich auf meinem letzten Gang nach Hause in die Mülltonne. Aufwachen tue ich immer noch so früh wie ein Chirurg.«

Was ich nicht erzählte: wie ich die Fotos von mir aus Boston hervorholte, Bilder eines Mannes, der den Dingen gewachsen war, dazu die Videos meiner Vorlesungen und Operationen; wie ich mein Gesicht erforschte auf der Suche nach der damaligen Sicherheit; wie ich voller Neid meine sicheren und flinken Hände betrachtete, denen das Blut nichts ausmachte; wie ich plötzlich das Gefühl hatte, die jetzige Erschütterung bringe auch alles Frühere zum Einsturz, die Dominosteine der Vergangenheit fielen um, einer nach dem anderen, alles war Täuschung gewesen, nicht Lüge, aber Täuschung. Und auch das verschwieg ich: wie ich nach der telefonischen Reservierung des Hotels in Avignon in Panik geriet, weil ich plötzlich nicht mehr zu wissen meinte, wie man in einem Hotel ein- und auscheckt; wie ich Sätze ausprobierte, die zu sagen wären; und wie ich dann ungläubig auf dem Bett lag und an all die Luxuskästen dachte, in denen ich auf Kongressen in Indien und Hongkong gewohnt hatte. Selbstvertrauen: Warum ist es derart launisch? Warum ist es blind den Tatsachen gegenüber? Ein Leben lang haben wir uns angestrengt, es aufzubauen, zu sichern und zu befestigen, wissend, daß es das kostbarste Gut ist und unverzichtbar für Glück. Plötzlich dann und mit tückischer Lautlosigkeit öffnet sich eine Falltür, wir fallen ins Bodenlose, und alles, was war, wird zur Fata Morgana.

Wie es sei, eine Tochter im Internat zu haben, fragte Van Vliet. Ob man dann überhaupt noch das Gefühl habe, sie aufwachsen zu sehen. »Entschuldigung, ich versuche es mir einfach vorzustellen.« Wie oft ich sie besucht hätte. Ob ich ihre erste Liebe miterlebt hätte, ihren ersten Liebeskummer. Das Chaos der Gefühle bei der Berufswahl.

Ich saß mit Leslie im Café neben dem Internat. »André – das ist vorbei«, hatte sie gesagt und war sich mit dem Taschentuch über die Augen gefahren. »Ich hatte es mir schöner vorgestellt; das erste Mal, meine ich.« Wie war's damals bei dir? wollte sie fragen, ich sah es. Doch dazu reichte es zwischen uns nicht. »Ärztin«, sagte sie ein anderes Mal und grinste. »Nein«, sagte ich. »Doch«, sagte sie. Ich glaube, das war das erste Mal, daß wir uns beim Abschied umarmten, und das letzte.

Ich hatte geschwiegen. »Entschuldigung«, sagte Van Vliet. Um mich zurückzuholen, trug er ein Detail aus seinem Traum nach: Immer wenn Ruth Adamek eine Geige anfaßte, schrumpfte sie, so daß man bei Krompholz fortan nur noch winzige Achtelgeigen kaufen konnte. Van Vliet mochte es, wenn sie sich dafür schämte und nervös an ihrem Minirock zog. Ich wußte: Er hatte das nicht geträumt; er hatte es gerade eben erfunden, um wiedergutzumachen, daß er mich nach Leslie gefragt hatte.

»Die wirkliche Verkäuferin bei Krompholz«, fuhr er fort, »war ganz anders als Ruth Adamek; und während Ruth von Jahr zu Jahr mehr zu meiner Gegenspielerin im Institut wurde, gewann ich in Katharina Walther, der zweiten Frauengestalt in jenem Traum, eine Art Freundin, mit der ich in Gedanken oft Zwiesprache hielt, wenn es um Lea ging. Als ich am Morgen nach Loyolas Konzert als erster Kunde das Geschäft betrat, kam sie auf mich zu – eine Frau in den Fünfzigern, an der vor allem die Gelassenheit auffiel, mit der sie sich bewegte und die auch in ihrem ruhigen, hellgrauen Blick zum Ausdruck kam. Ein achtjähriges Mädchen, sagte sie, müßte noch mit einer halben Geige beginnen, mit zehn etwa käme die Dreiviertelgeige, und ab dreizehn oder vierzehn würde man zu einer ganzen übergehen. Als ich mich über die Ausdrücke ›halbe Geige‹ und ›Dreiviertelgeige‹ verblüfft zeigte, sah ich an ihr zum ersten Mal das zurückhaltende Lächeln, das so gut zu dem graumelierten Haar und der strengen Frisur mit dem Knoten im Nacken paßte. Manche Schallplatte habe ich später nur gekauft, um dieses Lächeln zu sehen.

Die kleine Geige, die sie aus dem Lager brachte und vor mich hinlegte, war aus hellem Holz mit feiner, unruhiger Maserung. Ich nahm sie so vorsichtig in die Hand, als könnte sie durch eine energische Bewegung zu Staub zerfallen. ›Möchten Sie nicht Ihre Tochter mitbringen, damit wir sicher sind, daß sie von der Größe her damit zurechtkommt?‹ Diese Frau kannte mich gerade mal eine halbe Stunde, und schon traf sie ins Schwarze. Gut, es war auch eine ganz natürliche, praktische Frage. Aber im Rückblick will es mir scheinen, als ob sie spürte, daß ich dabei war, einen Fehler zu machen, der weit über alles Praktische hinausging. Ich sehe noch heute, wie sie die Augenbrauen hob, als ich zögerte. Es wäre alles anders gekommen, wenn ich die Lektion begriffen hätte, die mir diese lebenskluge Frau an jenem Morgen in dem leeren Geschäft erteilte. Statt dessen sagte ich, und es muß fast entschuldigend geklungen haben: ›Ich will Lea überraschen‹. Dann zahlte ich die erste Miete für die Geige. ›Wenn irgend etwas ist, kommen Sie einfach mit Lea vorbei‹, sagte die Frau und gab mir ihre Karte.

Die Tatsache, daß sie von Lea mit Namen gesprochen hatte, hallte in mir nach. Als ich mit dem kleinen Geigenkasten aus dem Geschäft trat, hatte ich das Gefühl, noch nie etwas so Kostbares in Händen gehalten zu haben. Ich erschrak, als sich ein Passant an dem Kasten stieß, und hielt ihn für den Rest des Weges ängstlich vor die Brust.

In dieser Haltung betrat ich das Institut. Niemand schenkte der Geige die geringste Beachtung. Wie sollten die Mitarbeiter wissen können, daß sie das Symbol für Leas Wiedererweckung zum Leben war? Trotzdem – ich nahm es ihnen übel, daß sie zu dem kostbaren Gegenstand keine einzige Frage stellten und keine einzige Bemerkung machten, sondern stumm dasaßen und auf eine Erklärung für mein unentschuldbares Fehlen vom Vortag warteten. Dieses Schweigen machte sie zu meinen Gegnern.

Freiwillig würden sie von mir keine Erklärung und keine Entschuldigung hören. Das entschied ich, als ich in meinem Büro saß und über die Stadt hinweg auf die Alpenkette blickte. Die schneebedeckten, majestätischen Berge ragten in den gleichen tiefblauen Himmel hinein wie die hellgrünen Weiden, die ich gestern vor Leas Schule betrachtet hatte. Seitdem waren noch keine vierundzwanzig Stunden vergangen, und doch hatte sich die Welt verändert.

Vor mir lag eine Notiz meiner Sekretärin über einen Anruf des Rektors, der mich zu sich zitierte. Kurze Zeit später saß ich in einem chromblitzenden Universitätsbüro voller Elektronik und verwandelte mich in den renitenten Schüler zurück, der ich einst gewesen war, einen Schüler, der sich durch keine Drohungen einschüchtern ließ, der allen Warnungen zum Trotz während des Unterrichts das Taschenschach hervorholte und den man trotzdem nicht loswurde, weil er jeden Rückstand, in den er durch Schwänzen geriet, blitzschnell aufholte um bei den entscheidenden Klausuren doch wieder vorne zu liegen. Damals log ich wie gedruckt, und es war wie beim Schach: Man mußte den anderen stets einen Schritt voraus sein. Das würde ich auch jetzt sein, wenn es darum ging, Lea gegen die anderen zu verteidigen. Darauf konnten sie sich verlassen.

Der Rektor konnte nicht wissen, daß er einen Kollegen vor sich hatte, in dem der kaltblütig lügende Gassenjunge von einst wiedererwacht war. Ich glaube, er wunderte sich über die Kürze und Trockenheit meiner erfundenen Geschichte von Leas Unfall und darüber, wie wenig sie nach einer Entschuldigung klang. Aber er hatte keine andere Wahl, als mir zu glauben, und am Ende setzten wir einen Termin für ein neues Treffen mit den Geldgebern fest.

Mein Versäumnis geriet in Vergessenheit. Was blieb, war eine gewisse Kühle zwischen den Mitarbeitern und mir. Hin und wieder versuchte Ruth, mir am Zeug zu flicken; aber ich war auf der Hut und ihrer Ranküne stets einen Schritt voraus. Wie gesagt: Sie konnten sich darauf verlassen.«

6

»LEAS VERWANDLUNG glich einer lautlosen Explosion. Als sie am Abend jenes Tages vor dem Geigenkasten stand, den ich, bevor ich sie von der Schule abholte, offen auf ihr Bett gelegt hatte, gab es keine Ausrufe der Überraschung, keine Äußerungen des Entzückens, keine Luftsprünge, keinen Freudentaumel. Eigentlich geschah gar nichts. Lea nahm die Geige und begann zu spielen.

Natürlich war es nicht wirklich so. Aber wenn ich die atemberaubende Selbstverständlichkeit, mit der sie alles tat, was mit dem Instrument zusammenhing, beschreiben soll, finde ich keine besseren Worte als diese: Sie nahm es und begann zu spielen. Ganz so, als hätte sie die ganze Zeit darauf gewartet, daß man ihr endlich das Instrument bringe, für das sie geboren worden war. ›Von dem Mädchen geht eine solche *Autorität* aus‹, sagte Katharina Walther, als sie sie beim ersten öffentlichen Auftritt in der Schule sah. Und genau das war es, was sie ausstrahlte, wenn sie die Geige in die Hand nahm: Autorität. Autorität und Anmut.

Wo ist sie geblieben, diese natürliche Autorität, die aus jeder ihrer spielenden Bewegungen sprach? Wohin ist sie erloschen?«

Van Vliet verschluckte sich am Rauch, der Adamsapfel bewegte sich hektisch. Ich betrachtete sein Gesicht vor der weißen Wand: Hinter dem gesunden, sportlichen Braun wurde eine Ruine sichtbar. Er wischte sich mit dem Ärmel die Hustentränen aus den Augen, bevor er fortfuhr.

»Noch etwas anderes geschah mit Lea: Beinahe über Nacht wurde aus dem bisher so fügsamen Mädchen eine kleine Erwachsene voller Eigensinn. Zum ersten Mal erlebte ich diese Verwandlung, als wir auf die Suche nach einer Violinlehrerin gingen.

Für Lea kam nur eine Frau in Frage, das war schon am nächsten Morgen klar. Nach der Schule fuhren wir zu den drei Adressen, die mir das Konservatorium gegeben hatte. Lea lehnte die drei Frauen rundweg ab, und sie tat es stets auf die gleiche Weise: Kaum hatte das Gespräch begonnen, stand sie unvermittelt auf und ging wortlos zur Tür. Jedesmal fuhr ich zusammen, stammelte Worte der Entschuldigung und machte hilflose Handbewegungen zum Zeichen meiner Ratlosigkeit. Wenn ich sie nachher auf der Straße fragte, erhielt ich zur Antwort keine Erklärung, sondern nur ein hartnäckiges, obstinates Kopfschütteln, das von einem trotzigen Beschleunigen des Schritts begleitet wurde. Da bekam ich eine erste Ahnung, was es hieß, eine Tochter mit eigenem Willen zu haben.

MARIE PASTEUR. Dieser Name sollte für uns beide wie ein Leuchtfeuer werden, das alles in eine nie gekannte Helligkeit tauchte, uns blendete und in unserem Leben schließlich untilgbare Brandspuren hinterließ. Dabei entging er mir fast, als wir an jenem Tag auf dem Heimweg an der Messingtafel vorbeifuhren, in die er mit schwarzglänzenden Buchstaben eingraviert war, zusammen mit dem Wort VIOLINUNTERRICHT. Das Haus steht an einer Kreuzung, die ich bereits überfahren hatte, als mir bewußt wurde, was ich gesehen hatte. Ich trat so heftig auf die Bremse, daß Lea aufschrie und ich um ein Haar einen Auffahrunfall verursachte. Ich fuhr um den Block und parkte direkt vor dem Haus. Die Messingtafel hing an dem schmiedeeisernen Tor, durch das man in den Vorgarten trat, und sie wurde jetzt, wo die Nacht hereinbrach, von den beiden Lichtkugeln beleuchtet, die knapp über den Torpfosten zu schweben schienen.

›Jetzt versuchen wir es noch mit *ihr*‹, sagte ich zu Lea und deutete auf den Namen.

Während wir den Vorgarten durchschritten und auf die schwarze Tür mit den Messingbeschlägen zugingen, sah ich Hans Lüthi vor mir, den Biologielehrer, dem ich es verdanke, daß ich die Maturität schließlich doch noch machte. Wir trafen uns im Souterrain der Buchhandlung Francke, wo die Bücher über Schach standen. Es war am Vormittag eines gewöhnlichen Wochentags, und ich hatte Lüthis Stunde geschwänzt. Ich gab mich abgebrüht und nonchalant, aber es war mir peinlich.

›Es wird eng, Martijn‹, sagte Lüthi und sah mich mit ruhigem, stetem Blick an. ›Ich weiß nicht, ob ich in der nächsten Konferenz noch etwas für dich tun kann.‹

Ich machte eine lässige Bewegung mit der Schulter und wandte mich ab.

Doch seine Worte hatten mich berührt. Nicht, weil sie von meinem drohenden Rausschmiß aus dem Gymnasium handelten, den ich schon lange kommen sah, sondern weil Trauer darin gelegen hatte und Sorge um mich, den widerborstigen, trotzigen Jungen, der aus disziplinarischen Gründen seit längerem nicht mehr tragbar war. Wirklich und wahrhaftig: Es hatte *Sorge* in seinen Worten und seinem Blick gelegen. Es war so lange her, daß sich jemand meinetwegen Sorgen gemacht hatte, daß es mich jetzt geradezu verstörte.

Die gesammelten Partien von Capablanca in der Hand, stand ich blicklos vor dem Regal, als Lüthi mich an der Schulter berührte. ›Die sind für dich‹, sagte er und gab mir zwei Bücher. Ich habe mich, glaube ich, mit keinem Wort bedankt, so überrascht war ich. Hans Lüthi, der Mann mit dem biederen Namen, den ewig ausgebeulten Kordhosen und dem ungekämmten roten Haar, war schon auf dem Weg nach oben, als mir klar wurde, was ich in Händen hielt. Es waren zwei Biographien, eine über Louis Pasteur und eine über Marie Curie.

Es sollten die wichtigsten Bücher meines Lebens werden. Ich verschlang sie, las sie wieder und wieder. In der Oberprima fehlte ich keine einzige Stunde mehr, und meine naturwissenschaftlichen Klausuren waren fehlerlos. Lüthi hatte ins Schwarze getroffen.

Ich habe nie die Worte gefunden ihm zu sagen, was er für mich getan hatte. Dafür bin ich nicht begabt.

Und nun gingen wir also zu einer Frau, die Marie Pasteur hieß. Ich war aufgeregt wie beim ersten Rendez-vous, als ich klingelte, die Tür aufsprang und wir auf einem roten Läufer zwei Stockwerke hinaufstiegen.

Die Frau, die uns auf dem Treppenabsatz erwartete, trug eine geblümte Küchenschürze, hatte einen Kochlöffel in der Hand und sah uns mit hochgezogenen Augenbrauen entgegen. Ich bin nicht leicht einzuschüchtern, aber Marie schaffte es, damals wie auch später. Und schon damals fand ich dagegen nur ein einziges Mittel: Ich fiel mit der Tür ins Haus.

›Meine Tochter hier‹, sagte ich noch auf der Treppe, ›möchte bei Ihnen Geigenunterricht nehmen.‹

›Du hast mich gar nicht gefragt‹, sagte Lea später. Und Marie meinte, ich hätte es in einem Ton gesagt, als *müsse* sie diesem Wunsch entsprechen; als habe sie nicht die Wahl, Lea abzulehnen.

Sie war nicht erbaut über den unerwarteten Besuch. Nur zögernd ließ sie uns eintreten, führte uns ins Musikzimmer und verschwand dann für eine Weile in der Küche. An der Art, wie Leas Blick den hohen, weiten Raum langsam, fast methodisch abtastete, konnte ich erkennen, daß es ihr hier gefiel. Dafür sprach auch, daß sie mit der Hand liebkosend über die vielen Sofakissen aus glattem, glänzendem Chintz fuhr. Als sie dann aufstand und zu dem Flügel in der Ecke ging, war ich sicher, daß sie nachher nicht wieder wortlos verschwinden würde.

Es war kein Wunder, daß ihr der Raum gefiel. Sparsam, aber mit erlesenem Geschmack möbliert, war er ein Ort der Stille. Auf unerklärliche Weise verloren die Geräusche der Straße ihre Macht und Aufdringlichkeit und hörten sich an, als seien sie nur ein fernes Echo ihrer selbst. Ocker, Beige und ein aufgehelltes, verwässertes Weinrot waren die dominierenden Farben, und nach einer Weile merkte ich, daß sie auf vage, sanfte Weise die Erinnerung an den Gehrock von Loyola de Colón wachriefen. Glänzendes Parkett. Ein Kronleuchter aus der Zeit des Jugendstils. Große Photographien berühmter Geiger an den Wänden. Und Chintz, viel Chintz, eine ganze Wand war mit dem glatten, verführerischen Stoff bespannt. Am liebsten würde sie in Chintz baden, sagte Lea nach der ersten Woche Unterricht.

Und dann betrat Marie Pasteur den Raum, die Frau, die Leas Begabung in unglaublichem, atemlosem, verrücktem Tempo zur Entfaltung bringen würde; die Frau, bei der Lea lachen, weinen, toben und außer sich sein konnte wie bei niemandem sonst; die Frau, an die sich mein Kind mit einer einzigartigen, aberwitzigen, lebensgefährlichen Liebe klammern würde; die Frau, in die ich mich noch an diesem Abend verlieben sollte, ohne es zu merken; die Frau, der ich eine unmögliche Liebe entgegenbrachte, denn Lea duldete in ihrer überbordenden, rücksichtslosen Liebe niemanden neben sich, und es war zu jeder Zeit vollkommen klar, daß wir, hätte ich mich von dem Sog meiner eigenen Liebe fortreißen lassen, darüber zu Gegnern, ja Feinden geworden wären, meine Tochter und ich.

All das stand uns bevor, als Marie hereinkam. Sie trug ein knöchellanges Kleid aus Batikstoff, wie sie Dutzende besaß, in der Erinnerung sehe ich sie stets in einem dieser Kleider, mit Hausschuhen aus weichem Leder, die wie eine zweite Haut waren. Mit ihren erstaunlich kleinen Füßen ging sie darin lautlos durch die großen Räume, und so war es auch an jenem Abend, als sie quer durch das Zimmer zu uns kam und sich auf der Seitenlehne eines Sessels niederließ. Die eine Hand lag im Schoß, mit der anderen stützte sie sich auf die Rückenlehne. Der Anblick ihrer Hände ließ mich meine eigenen Hände spüren: Die meinen fühlten sich viel zu groß und schrecklich plump an im Vergleich zu den ihren, in denen sich, wie ich bald sehen sollte, schlanke Eleganz und große Kraft vereinten, eine Kraft, die keine Spur von Gewalt an sich hatte. Als ihre Hand beim Abschied in der meinen lag, hätte ich sie am liebsten nicht mehr losgelassen, so sehr gefiel es mir, die Kraft ihres Händedrucks zu spüren.

Denn das war es, was Marie Pasteur auch sonst ausstrahlte und was mir an diesem ersten Abend ihr ganzes Wesen auszumachen schien: eine enorme Kraft ohne die Spur von Gewalt. Auch in ihren Augen konnte man sie erkennen, diese Kraft, als sie den Blick nun auf Lea richtete, die Lippen in einem flüchtigen Akt spielerischer Ironie einen Augenblick lang zu einem Lächeln büschelte, um dann eine Frage von verblüffender Einfachheit zu stellen: ›Und warum glaubst du, daß die Geige das richtige Instrument für dich ist?‹

Das war Marie. Die Frau, die stets Klarheit suchte. Nicht die Art Klarheit, wie ich sie aus der Wissenschaft kannte, und auch nicht die Klarheit des Schachs. Eine Klarheit, die sich schwerer fassen ließ und die mir in ihrer Ungreifbarkeit unheimlich war. Was sie wissen wollte, war, warum die Leute taten, was sie taten. Will das nicht jeder wissen? Ja, aber Marie wollte *genau* wissen, warum sie es taten. Und wie es ihnen dabei erging. Wie *genau* es ihnen dabei erging. Bei sich selbst wollte sie es nicht weniger genau wissen als bei den anderen; sie war hartnäckig und unnachgiebig, wenn es darum ging, sich selbst zu verstehen. Und so lernte ich eine Leidenschaft des Verstehens kennen, die am Anfang alles – selbst das Vertrauteste – reizvoller und reicher erscheinen ließ, um mich schließlich in eine Dunkelheit des Unverständnisses zu stürzen, die ich ohne Maries Vorstellung von Klarheit nie kennengelernt hätte.

Lea zögerte keinen Moment mit der Antwort auf Maries Frage. ›Ich spüre es‹, sagte sie einfach, und es lag etwas Endgültiges in den wenigen Worten, die sie mit der Selbstverständlichkeit eines Atemzugs aussprach.

›Du spürst es‹, wiederholte Marie zögernd, rutschte auf der Sessellehne nach vorn und verschränkte die Hände im Schoß. Eine Locke aus der aschblonden Mähne fiel ihr in die Stirn. Sie sah hinunter auf das glänzende Parkett. Ihre Lippen bewegten sich, als wolle sie den Lippenstift neu verteilen. Ich hatte damals den Eindruck, sie wisse nicht, wie das Gespräch fortzusetzen sei. Später erfuhr ich, daß es ganz anders gewesen war: Die Bestimmtheit in Leas Antwort hatte Marie blitzschnell zu dem Entschluß gebracht, sie als Schülerin anzunehmen. ›Ich wußte, daß es richtig war; aber ich brauchte einige Augenblicke, um mich darauf einzustellen. Es würde etwas Großes und Schwieriges werden, das spürte ich. Und es sollte eine Entscheidung sein, die ich mit besonderer Wachheit traf. Ich hätte sie lieber nicht am Ende eines langen Tages gefällt, sondern morgens.‹ Sie lächelte. ›So gegen halb elf vielleicht.‹

›Spielst du mir etwas vor?‹ fragte Lea in die Stille hinein. Ich vergaß zu atmen. Zwar war sie noch in einem Alter, in dem Kinder alle duzen. Aber bei Lea war es anders. Sie hatte den Unterschied zwischen *du* und *Sie* sehr früh gelernt, sie machte damit Furore und genoß es. Wenn sie über Cécile oder mich erzürnt war, redete sie uns mit *vous* an, und dann klang es wie in der französischen Gesellschaft des neunzehnten Jahrhunderts. Wenn sie einen Hund ausnahmsweise nicht mochte, sagte sie *Sie* zu ihm, und dann gab es im Bus schallendes Gelächter. Es war also nicht Zufall, Achtlosigkeit oder kindliche Gewohnheit, daß Lea Marie geduzt hatte.

Doch mehr noch als das Duzen alarmierte mich die Frage selbst. Sie klang ja, als sei Lea die Lehrerin, bei der Marie eine Prüfung zu bestehen hatte. Natürlich, es konnte einfach eine ungeschickte Wortwahl sein und mangelndes Gespür für die Nuance. Aber meine Anspannung, die wuchs und wuchs und die meinen Empfindungen für Marie nicht weniger galt als denjenigen für Lea, machte mich, wie sich zeigen sollte, hellsichtig. Sie ließ mich an Lea etwas erahnen, das in den kommenden Jahren immer deutlicher hervortreten sollte, ohne daß ich je das treffende Wort dafür gefunden hätte. Es war nicht Arroganz, dafür fehlte das Herrische. Auch Überheblichkeit war es nicht, oder Hochnäsigkeit, dazu trat Lea zu unscheinbar auf. Vielleicht könnte man sagen, daß ein ungeheurer, beinahe sinnlich erfahrbarer *Anspruch* von ihr ausging, ein Anspruch, den sie vor allem an sich selbst richtete, der aber auch einen Schatten auf die anderen warf, die klein wurden, wenn er auf sie fiel.

Vor allem galt dieser Anspruch dem Geigenspiel, der heiligen Messe der gestrichenen Töne, die sie zu zelebrieren verstand wie eine Hohepriesterin. Es wurde kühler im Raum, wenn diese Priesterin, wie Konkurrenten sie hinter ihrem Rücken nannten, hereinkam. Doch der selbstkasteiende Anspruch, der ihr diese Aura der Unnahbarkeit und Überforderung verlieh, wucherte über die Musik hinaus und vergiftete so manches andere, vor allem die Dinge, auf die sich Lea in atemlosem, exaltiertem Eifer stürzte, wenn sie etwas Neues brauchte, das ihr die wenigen Pausen zwischen Üben und Hausaufgaben füllen sollte. In Windeseile wurde sie zur Expertin für Tee, für Porzellan, für alte Münzen, und alle, die den Bannkreis des gerade aktuellen Themas zu betreten wagten, wurden Opfer ihrer scharfrichterlichen Ungeduld, die sich nie in harschen Worten äußerte und überhaupt nicht in Worten, sondern darin, daß ihre sonst so lebendigen Gesichtszüge eckig und schemenhaft wurden, bis nur noch ein Lächeln von steinerner Höflichkeit darin Platz fand.

Irgendwann sollte Marie sich gegen Leas Vereinnahmung zur Wehr setzen, die an jenem Abend begann und keine Grenzen kannte, überhaupt keine. Doch zu Beginn fand sie, die keine Kinder hatte, die Tyrannei einer Achtjährigen amüsant, und so ging sie zum Flügel hinüber, auf dem ihre Geige lag. Aus der Tasche des Batikkleids zog sie ein Band aus schwarzem Samt, mit dem sie das Haar zusammenraffte, damit es sie beim Spielen nicht störe. Mit wenigen knappen Bogenstrichen vergewisserte sie sich, daß es nichts zu stimmen gab, und dann begann Marie Pasteur, die mit ihrem Aussehen und ihrem Klang einst das Berner Konservatorium in

Aufruhr versetzt hatte, einen Satz aus einer Sonate von Bach zu spielen. *Johann Sebastian Bach*: Sie sprach den Namen aus, als sei er der Name eines Heiligen.

Ich habe in den Jahren danach viel Violinmusik gehört. Doch nichts – so sagt es mir die Erinnerung, der ich freilich zu mißtrauen lernte, mit jedem Jahr und jedem Schmerz mehr – reichte an das heran, was ich damals hörte. Ich bin überzeugt, Cécile hätte gesagt: *hallucinant*. Und es wäre das treffende Wort gewesen, denn Maries Spiel besaß eine Klarheit und Präzision, eine Intensität und Tiefe, die alles, was es in der Welt der Töne sonst noch geben mochte, vollkommen unwirklich erscheinen ließ. Loyola de Colón – wie weit lag das zurück, und wie unvollkommen war es gewesen!

Lea hörte regungslos zu, doch ihre jetzige Reglosigkeit war etwas anderes als die Trance im Bahnhof. Sie hörte der Frau zu, die ihre Lehrerin sein würde, und sie tat es mit der überwachen Konzentration, mit der sie für viele Jahre jedes Wort in sich aufnehmen würde, das Marie sagte. Ich hatte keine Mühe, diese ausschließliche, verzehrende Aufmerksamkeit in mir nachzubilden. Nicht nur war Marie Pasteur eine Schönheit, die alles durcheinanderbringen konnte; nicht nur besaß sie diese gewaltlose Stärke in ihrem Spiel und ihren Entscheidungen; darüber hinaus konnte sie sich in eine heilige Leidenschaft hineinspielen, die einem den Atem verschlug. Das wäre der Griff nach den Sternen, dachte ich, während mein Blick die Linien ihres Gesichts entlang glitt. Und diese Worte irrlichterten nachher durch meinen Schlaf: *nach den Sternen greifen*.

Als Marie geendet hatte, ging Lea zu ihr und berührte die Geige wie einen magischen, metaphysischen Gegenstand. Marie strich ihr übers Haar. ›Wann ist die Schule am Montag aus?‹ fragte sie, und dann wurde die erste Stunde festgelegt.

So nüchtern und unspektakulär begann, was sich zu einem wahren Ausbruch an Talent, Hingabe und leidenschaftlichem Willen steigerte.

Ich gab Marie die Hand. ›Merci‹ war alles, was ich herausbrachte. ›Ja‹, gab sie zurück, und ihr Lächeln verriet, daß sie mit dem einen Wort meine Wortkargheit parodierend nachahmte. Jahre später, kurz vor dem Ende, waren es ein paar Worte mehr: ›Danke, daß du mir Lea gebracht hast‹.«

Die letzten Worte gingen in Tränen unter. Van Vliet warf die Zigarette weg und schlug die Hände vors Gesicht. Seine Schultern zuckten.

»Komm, wir gehen ans Wasser«, sagte er nachher. Ich denke gern an diesen Satz zurück, und wenn ich in Gedanken mit dem Mann auf dem Foto rede, der im Gegenlicht den Flachmann hebt, duze ich ihn auch. Martijn, sage ich dann, warum hast du mich nicht wenigstens noch einmal angerufen. Wenn es denn wirklich so war, wie ich denke.

Doch damals empfanden wir, denke ich, beide dasselbe: Wir waren dabei, uns in einer Weise füreinander zu öffnen, die, was die Anrede anging, ein festes Gerüst brauchte, einige Verstrebungen wenigstens, die halten würden, was immer es sein mochte, das noch kam. Damit wir nicht ineinander stürzten. Und so blieb es beim *Sie*. Nur ein einziges Mal noch, sehr viel später, sagte er *du*. Und da war es wie der letzte Hilfeschrei eines Mannes vor dem Ertrinken.

»An jenem Abend vergaßen wir zu essen«, fuhr Van Vliet am Wasser fort. »Auch gesprochen haben wir kaum. Lea fuhr mit dem Bogen kratzend über die Saiten, und ich saß an meinem Schreibtisch und betrachtete das Foto von Marie Curie.

Es störte mich, daß sie, gemessen an der Eleganz von Marie Pasteur, bieder aussah. Ich nahm es ihr übel. Es war, als ließe sie mich im Stich. Nur die Augen hielten den Vergleich aus. Zwar hatten Madame Curies Augen nicht die Leuchtkraft und den quecksilbrigen Schalk, die Marie Pasteurs grünen Blick so unwiderstehlich machten. Dafür lag eine unerhörte Sanftheit und Güte in den Augen der Frau, die als einzige zwei naturwissenschaftliche Nobelpreise bekommen hatte. Ich hatte ihr Foto aus dem Buch ausgeschnitten, mit dem mich Hans Lüthi überrumpelt und gerettet hatte. Diese Augen, die die Augen einer Nonne hätten sein können, waren lange Zeit meine Zuflucht gewesen, wenn ich als Student nicht mehr weiter wußte und kurz davor war, alles hinzuschmeißen und mich zu Aljechin zu flüchten, zu Capablanca und Emanuel Lasker.

Das einzige Geheimnis meines Erfolgs war meine Hartnäckigkeit. Der Satz war nicht von Madame Curie, sondern von Louis Pasteur, aber ich schrieb ihn der großen, nonnenhaften Forscherin zu, denn die beiden waren ohnehin ein und dieselbe Person. Cécile war stets ein bißchen eifersüchtig auf sie gewesen, und zweimal während unserer Ehe war das Bild heruntergefallen und mußte neu gerahmt werden. Madame Curie hatte studieren dürfen, sie nicht. Zwar leitete sie jetzt die Schwesternausbildung, und manch junger Arzt holte sich Rat bei ihr. Doch das half wenig gegen die bittere Überzeugung, daß auch sie eine gute Ärztin und Forscherin hätte werden können, wenn der Vater nicht das ganze Geld verspielt und versoffen hätte, so daß sie so schnell wie möglich einen Beruf erlernen mußte, zudem einen, der ihr half, die bettlägrige Mutter zu pflegen. In den dunkleren Zeiten unseres gemeinsamen Lebens wandte sich ihre Bitterkeit auch gegen mich. ›Gut, deine Eltern waren nie da‹, pflegte sie dann zu sagen, ›aber du weißt gar nicht, was du damit für ein Glück gehabt hast.‹

Lea war verzweifelt, daß sie es nicht schaffte, den Bogen richtig zu halten, und stampfte vor Ungeduld auf. Wir versuchten gemeinsam, uns an die Namen der Geiger zu erinnern, deren Portraits bei Marie im Musikzimmer hingen. Bevor ich einschlief, sah ich meine Tochter noch einmal vor mir, wie sie Marie aufgefordert hatte, ihr etwas vorzuspielen. Ich sah ihren fordernden Blick und die Art, wie sie sich dabei mit einem Stolz aufgerichtet hatte, den sie sich noch würde verdienen müssen. Dann dachte ich zurück an den bleiernen Schritt und den gesenkten Blick, mit dem sie neben Caroline aus der Schule gekommen war. Es waren gerade mal zwei Tage vergangen.«

7

VAN VLIET SCHLIEF, als wir nach Saint-Rémy zurückfuhren. Ich war froh darüber, es kamen uns viele Lastwagen entgegen. Kurz vor der Einfahrt in die Stadt, als ich scharf bremsen mußte, schreckte er auf und rieb sich die Augen. »Ich möchte Ihnen etwas zeigen«, sagte er und dirigierte mich zu der Klinik, die einmal ein Kloster gewesen war.

»Hier«, sagte er, nachdem wir durch den Park gegangen waren. »Hier habe ich mit dem Fernglas gestanden, damals, und habe gewartet, bis sie heraustrat, in den Garten, so um zwei, drei. Ich hab's einfach nicht mehr ausgehalten. Ich wußte ja, ich durfte sie nicht besuchen – der Maghrebiner –, aber ich mußte sie wenigstens aus der Ferne sehen, und so bin ich in Bern ins Auto gestiegen und losgefahren, oft nachts, ich kenne die Strecke in- und auswendig. Ich habe Bach gehört und …« Er schluckte. »Im Hotel begrüßten sie mich mittlerweile wie einen alten Bekannten. Beim ersten Mal hatte ich den Fehler gemacht, etwas von Lea zu sagen, und nun empfingen Sie mich immer mit ›Ah, le père de Léonie …‹ Es war eine Tortur.

Ich habe mit einer Geige das Leben meiner Tochter zerstört. Das ist es, was ich dachte, wenn ich wieder abfuhr. Wie oft habe ich gesehen, wie sie regungslos auf der Mauer dort drüben saß, die Arme um die Knie geschlungen; oder wie sie zögernd und ziellos mit der Harke eine Furche entlangfuhr; einmal auch, wie sie still am Fenster ihres Zimmers stand und ins Land hinausblickte wie jemand, der sich ganz und gar fremd fühlt auf diesem Planeten.

Das schlimmste Bild aber war jenes, in dem sie die Kuppe des rechten, nach hinten gebogenen Zeigefingers mit dem linken Daumen entlangfuhr, es war eine sanfte, kreisende Bewegung, die sie hin und wieder unterbrach, um den Finger zu den Lippen zu führen und ihn mit der Zungenspitze zu benetzen. Wie oft hatte ich sie diese Bewegung früher vollführen sehen, wenn sie an einem Stück mit viel Pizzicato arbeitete! Ihr Blick war stets sehr konzentriert gewesen, und selbst wenn sie beim Befeuchten die Augen schloß, spürte man die Aufmerksamkeit hinter den geschlossenen Lidern, die Aufmerksamkeit eines Mädchens, das ganz bei der Sache war und ganz in ihrem Handwerk aufging. Wie anders, wie schrecklich anders war es jetzt! Ich hatte sie lange suchen müssen und schließlich auf einer Bank hinter aufgestapeltem Brennholz entdeckt. Sie saß dort mit gebeugtem Rücken und fuhr sich über die Fingerkuppe wie früher. Ihr Blick war verloren, er kam von nirgendwo und ging nach nirgendwo, sie sah aus, als erinnere sie sich an die Bewegung und vielleicht auch an die vom Saitenzupfen wunde Stelle, habe aber vergessen, welche Bewandtnis es damit hatte, und so wurde die Bewegung nach einer Zeit der mechanischen Wiederholung immer langsamer und zielloser, um schließlich ganz zu verebben.

Das Bild von Leas verlorener Bewegung verfolgte mich danach bei allem, was ich tat. Immerfort mußte ich an dieses Bruchstück aus ihrem zerbrochenen Leben denken. Ich dachte: Wo ist dein Stolz geblieben, mein Kind? Deine Selbstsicherheit, die an Blasiertheit grenzen konnte? Die Selbstherrlichkeit deines gnadenlosen Übens, das mich kaum mehr schlafen ließ? Die aberwitzige Sehnsucht, den dritten Schritt vor dem ersten und zweiten zu tun? Der verrückte, selbst vor Marie verborgen gehaltene Vorsatz, die Capricci von Paganini noch vor dem zwanzigsten Geburtstag zu spielen? Wo ist all das geblieben? Wo? Warum richtest du dich nicht auf hinter dem verdammten Brennholz, streckst den Rücken, ziehst die Augenbrauen hoch in kritischem Erstaunen über die ungenügenden Leistungen der anderen und zeigst ihnen, was ein Ton ist, ein richtiger Ton? Damals, am ersten Abend bei Marie, bin ich erschrocken über den anmaßenden Beiklang, den deine Bitte, ja Forderung des Vorspielens hatte, und auch später fror ich manchmal, wenn du die anderen deine Überlegenheit spüren ließest, deine kühle Erhabenheit, die nichts anderes war als die Erschöpfung nach dem Erreichen der selbstgesteckten, viel zu hohen Ziele. Ich habe es dir nie gesagt: Auch mich hat sie manchmal verletzt, deine Ungeduld der Vollkommenen, dein vorschnelles Kopfschütteln, deine Langeweile, wenn du auf die anderen warten mußtest, die so viel langsamer waren. Wenn es schlimm kam, saß ich dir nachher im Traum beim Schach gegenüber und ließ dich gnadenlos in die Falle laufen, nur um nachher mit schlechtem Gewissen aufzuwachen. Es ist gut und der weisen Voraussicht unserer Gefühle zu verdanken, daß du in Wirklichkeit nie eine Schachfigur angerührt hast. Und trotzdem: Nichts wünschte ich mir mehr, als daß sich deine Züge wieder zu dem Gesicht meiner selbstsicheren, ungeduldigen, zum Fürchten anspruchsvollen Tochter zusammenfügten. Tausendmal würde ich jeden, auch den verletzendsten Ausdruck dem verlorenen Blick hinter dem verdammten Brennholz vorziehen.

Elle n'a pas pu avoir de jeunesse, sagte der Maghrebiner, und aus seinem schwarzen Blick kam mir ein Vorwurf entgegen, der nicht weniger finster war als eine Mordanklage. Was soll das heißen? Was weiß dieser Mann im weißen Kittel denn schon von dir? Hat er gesehen, wie du jeweils mit fieberheißen Wangen von Marie kamst? Wie du in der Küche im Stehen aßest, um schnell weiterüben zu können? Hat er die roten Flecke an deinem Hals gesehen, als dir beim ersten Auftritt in der Schule eine Welle von tosendem Beifall entgegenflutete? War er in Genf dabei, als die Leute vor Begeisterung stampften und pfiffen? Du warst glücklich, das kann ich beschwören, auch wenn Caroline und ihre Eltern von Jahr zu Jahr bedenklicher dreinblickten, wenn von deinem Erfolg die Rede war.

Sie durfte nicht jung sein. Es war ein regengehetzter Tag, als der Satz fiel, und ich war nachher naß bis auf die Haut, weil ich am Strand stundenlang dieselbe Blechbüchse vor mich her gekickt hatte, um an den Worten nicht zu ersticken. Jahr für Jahr hatte ich dich vergeblich zu überreden versucht, wenigstens am Tag des Zwiebelmarkts einmal zum Karussell zu gehen. ›Ich will lieber üben‹, sagtest du. *Ich will lieber üben.* Auch jetzt höre ich dich diese Worte sagen, und auch jetzt höre ich die Ungeduld und den leisen Vorwurf in der Stimme, die mir bedeuten sollten, daß ich meine ungewöhnliche Tochter doch kennen und es eigentlich besser wissen müßte. *Ich will lieber üben.* Wort für Wort möchte ich diesen Satz in den dunklen Blick des Maghrebiners hineinstoßen, um den Vorwurf, den ungeheuerlichen Vorwurf, daß ich dir die Jugend gestohlen und damit den Weg deiner Krankheit vorgezeichnet hätte, in seinen Augen immer weiter zurückzudrängen, immer weiter, bis er ganz hinten, dort, wo die Gedanken entstehen, in Bedrängnis geriete und unter dem Gewicht der Tatsachen, die nur ich allein kenne, schließlich erlöschen müßte.

Das Karussell. Auch die Episode mit dem Karussell macht nicht falsch, was ich sage, nein, auch sie belastet mich nicht. Eines Tages, es war Frühling und du warst schon dreizehn, waren sie wieder da, die Leute mit dem Karussell, und da wolltest du plötzlich. Es ging darum, wer nach den vielen silbernen Ringen den goldenen erhaschen konnte, wenn er an dem Gestell vorbeifuhr, in dem die Ringe darauf warteten, nach vorne zu gleiten und gezogen zu werden. Du warst bei weitem die Älteste, und eine verschämte Sekunde lang dachte ich, daß es ein bißchen lächerlich aussah, wie da eine bereits erwachsen wirkende junge Frau inmitten von Jahrmarktsmusik und Kinderjauchzen einem kindlichen Vergnügen aus einer versäumten Vergangenheit nachjagte. Auch jetzt hattest du rote Flecke am Hals, und der Blick war voller Hoffnung und Erwartung wie bei einer Fünfjährigen. Und der goldene Ring kam! Blitzschnell zogst du ihn, und als das Karussell kurz darauf zum Stehen kam, ranntest du mir entgegen, die Augen voller Tränen. Ich versuchte sie zu entziffern, diese Tränen, und konnte mich nicht entscheiden, ob es Tränen der Freude über den goldenen Ring waren oder Tränen der Trauer über versäumtes kindliches Glück. Du wischtest dir die vieldeutigen Tränen ab und legtest den Ring auf die flache Hand. Du wußtest, daß du ihn dem Mann mit dem Cowboyhut hättest zurückgeben sollen. Aber das scherte dich nicht. ›Ich werde ihn Marie schenken‹, sagtest du und zogst mich mit dir fort. Am Ende hat ihn dir Marie zurückgeschickt. Es war das Grausamste, was sie tun konnte.«

Ein Rudel Touristen mit Fotoapparaten kam vorbei, als wir einstiegen. Van Vliet schnaubte verächtlich.

»Van Gogh. Man kann hier sein Zimmer sehen. Postumer Voyeurismus. Als reichte es nicht, daß er in diesem Loch wohnen und sich das Ohr abschneiden mußte. Als *reichte* das nicht!«

Er faßte sich mit beiden Händen an den Hemdkragen, riß ihn auf und zog ihn zu, daß der Hals weiß wurde, auf und zu, immer wieder. Ich hatte bedauert, daß Tom Courtenay dem Direktor nicht die Fresse polierte. Immer wieder hatte ich es bedauert, von der Mittags- bis zur Spätvorstellung. Ich war richtig sauer auf ihn, daß er das nicht gebracht hatte, richtig sauer.

Wir hielten vor Van Vliets Hotel. Er blieb sitzen. Er war mit den Gedanken noch in der Klinik.

»Es fing ganz unauffällig an. Hier ein unpassendes Wort, dort ein verrutschter Satz, eine merkwürdige Logik. Große Abstände dazwischen, so daß man es wieder vergaß. Stutzig gemacht haben mich Dinge wie: ›Marie litt unter Lampenfieber, sie war ja so erfolgreich‹, ›Die Zaugg will die Kreide fürs Reck an meinen Händen sehen, sie glaubt dem Kolophonium nicht‹, und einmal, da fuhr ich so zusammen, daß sie es merkte: ›Als Musiker war Niccolò der beste Geiger, wegen dieser Wahnsinnsspanne‹. Sie nannte Paganini stets beim Vornamen, wie einen guten Freund.

Dann wieder wochenlang nichts Auffälliges. Aber ich fing an aufzuschreiben. Das Notizbuch versteckte ich ganz unten im Schreibtisch, wie vor mir selbst. Ich hatte Angst, eine Wahnsinnsangst. Aber erst zehn Jahre später fing ich an, in der Verwandtschaft von Cécile nach Leuten zu forschen, denen die Dinge auch verrutscht waren. Nichts Klares, alles so lange her, sagten sie.«

Ich sagte, ich wolle in mein Hotel, mich ausruhen.

»Aber Sie kommen wieder?« Es war ein ängstlicher Blick, der Blick eines Jungen, der sich vor der Dunkelheit fürchtet.

Ja, sagte ich, ich käme zum Abendessen wieder.

8

ICH LAG AUF DEM BETT. Ich sah Van Vliet im Gegenlicht. Ich sah ihn lachen. Ich sah ihn am Hemdkragen reißen. Ich sah ihn mit Fernglas am Zaun der Klinik. Wann war das letzte Mal gewesen, daß mich jemand so berührt hatte?

Ich dachte an Cape Cod und Susan, die Frau vor Joanne. *»Adrian, is there anything that can upset you? Anything at all? Are you ever* shaken?« Ich arbeitete damals als Unfallchirurg, die Hände von morgens bis abends in Wunden und an zerschmetterten Gliedmaßen. Man dürfe das nicht an sich herankommen lassen, sagte ich; sonst sei man nicht mehr gut. *»Yes, but it seems to leave your* soul *untouched.«* Am Morgen nach diesen Worten stand ich früh auf wie für eine Operation und lief in der Morgendämmerung den Strand entlang. In der Nacht darauf schlief ich auf dem Sofa. Man kann nicht neben jemandem liegen, der einen für ein Monster hält. Am nächsten Morgen reisten wir ab. »Hi«, sagten wir beim Abschied und hoben die Hand. In der Erinnerung klang das Wort hell und grausam, als ob man ein Skalpell zum Klingen gebracht hätte.

Ich schlief ein. Als ich aufwachte, schlug es vom Kirchturm sieben. Es war dunkel. Leslie hatte auf meinem Mobiltelefon angerufen. Ich hätte die Uhr in ihrem Bad liegenlassen.

»Ich weiß«, sagte ich, »aber eigentlich habe ich sie gar nicht vermißt.«

»Dir geht's richtig gut, nicht?«

»Keine Ahnung«, sagte ich, »keine Ahnung, wie's mir geht.«

»Irgendwas ist mit dir geschehen; oder ist dabei zu geschehen.«

»Wie war's eigentlich damals im Internat? Für dich, meine ich. Wie war's für dich?«

»*Mon Dieu*, was soll ich denn jetzt am Telefon dazu sagen? Ich weiß nicht … manchmal denke ich, ich bin mit dem Jungen jetzt wieder allein, weil … weil …«

»Weil wir keine richtige Familie waren? Weil du es da nicht lernen konntest? Ist es das, was du denkst?«

»Ich weiß nicht, so klingt es nicht richtig. Ach, Adrian, ich weiß es doch auch nicht. So schlecht war's gar nicht im Internat. Man wurde selbständig. Nur abends manchmal … ach, *merde*.«

»Hättest du gern ein Instrument gespielt?«

»Du stellst heute Fragen! Keine Ahnung, ich glaube nicht, wir sind doch nicht musikalisch, oder?«

Ich lachte. »Auf Wiederhören, Les. Laß uns wieder telefonieren.«

»Ja, das machen wir. Adieu, Papa.«

Van Vliet wartete im leeren Speisesaal des Hotels. Er hatte eine Karaffe Rotwein vor sich stehen und eine Flasche Mineralwasser. Er hatte nur Wasser getrunken.

Ich erzählte von dem Gespräch mit Leslie.

»Internat«, sagte er, »Lea und Internat. Das wäre … das wäre undenkbar gewesen.« Jetzt goß er Rotwein ein und trank. »Obwohl … der Maghrebiner … vielleicht wäre sie dann nicht hier gelandet. Was wissen wir eigentlich über diese Dinge? *Merde*, was *wissen* wir darüber?«

Jetzt bestellte ich auch Rotwein. Er grinste.

»Céciles Bruder ist Legastheniker und hat auch mit dem Rechnen Mühe. Versteht die Idee der Menge nicht, verrückt, aber er versteht sie einfach nicht. Akalkulie nennt man das. Cécile vermochte ihre Angst, die Schwäche könnte sich auf Lea vererbt haben, nur dadurch zu bekämpfen, daß sie ihr das Lesen und Rechnen bereits mit vier beibrachte. So kam es, daß Lea mit sechs Agathe Christie las und beim Kopfrechnen alle ausstach. Ich hatte meine Zweifel, ob wir es richtig machten, war aber auch stolz auf meine Tochter, die mit solcher Leichtigkeit lernte. Die Jahre der Primarschule waren ein Spaziergang für sie, es gab nie einen Konflikt zwischen Hausaufgaben und Üben. Ich vermute, daß Caroline, die neben ihr saß, beim Rechnen abschrieb, was das Zeug hielt. Ich vermute auch, daß ihre Eltern das wußten, und daß die Häme, mit der sie beobachteten, wie Lea später ins Stolpern geriet und zu taumeln begann, darin ihren Ursprung hatte.

Lea war bald der hofierte, aber auch neidisch beäugte Star der Schule. Da sie nach dem Unterricht oft direkt zu Marie fuhr, sahen die anderen sie viel mit der Geige, und sie wurden auch dadurch an Leas zweites Leben erinnert, daß sie sich beim Turnen weigerte, irgend etwas zu tun, das ihre Hände in Gefahr bringen konnte. Mit Erika Zaugg, der Lehrerin, die sie einem vernichtenden Vergleich mit Marie unterzog, kam sie überhaupt nicht gut aus, die Frau machte keinen Hehl daraus, daß sie Lea für zickig und schlichtweg hysterisch hielt. Ganz anders der cholerische Lehrer, der in ihren Händen zu Wachs wurde. Ich horchte immer auf alarmierende Zwischentöne, wenn sie von ihm oder er von ihr sprach, aber er vergötterte sie aus ungefährlicher Distanz heraus, und es war rührend mitanzusehen, wie er alle Prinzipien der Gerechtigkeit und Gleichbehandlung mit Füßen trat, wenn es um Lea ging. Sie war, wie gesagt, ein Star, eine veritable *vedette*.

Auch mit der Geige zeichnete sich bald ab, daß sie ein Star werden könnte. In den ersten Jahren der Arbeit mit Marie gelang Lea einfach alles. Die Töne wurden von Woche zu Woche reiner und sicherer, das Vibrato verlor das anfängliche Flattern und wurde regelmäßiger, temperierter. Daß jemand nach so kurzer Zeit in allen Lagen zu Hause war, hatte Marie in den vielen Jahren des Unterrichtens noch nie erlebt, und Lea konnte Tränen lachen, wenn ich sie daran erinnerte, wie sehr es sie beschäftigt hatte, daß Loyola de Colón so genau wußte, wo sie beim Lagenwechsel mit dem Gleiten der Hand Halt machen mußte. Doppelgriffe, der Alptraum aller Anfänger, fielen natürlich auch Lea schwer. Aber rastloses Üben gab ihr bald die nötige Sicherheit, und je schwieriger etwas war, desto mehr wurde es zur Obsession; es war ganz ähnlich wie mit mir und dem Schach.»

Van Vliet ging auf die Toilette, und als er zurückkam, bestellten wir etwas zu essen. Er bestellte mechanisch dasselbe wie ich, er war nicht bei der Sache. Wie vorhin, als er allein am Wasser gewesen war, hatte ihn die Erinnerung in der Zwischenzeit gefangen genommen, eine Erinnerung, die weh tat.

»Noten«, sagte er, »Lea las sie, als wären sie die angeborenen Symbole ihres Geistes. Es war mir unerträglich, zu diesem Teil von ihr, der sich immer mehr als der wichtigste entpuppte, keinen Zugang zu haben. Ich mußte sie auch lesen können. Ich fragte, ob ich ihr beim Spielen über die Schulter blicken dürfe. Sie sagte nichts und begann zu spielen. Nach wenigen Takten brach sie ab. ›Es … es geht nicht, Papa‹, sagte sie. Eine hilflose Gereiztheit lag in den Worten, sie nahm es mir übel, daß ich sie in die Lage gebracht hatte, das sagen zu müssen. Ich besorgte ein zweites Exemplar der Noten und fragte, ob ich mich in der Ecke in den Sessel setzen dürfe, während sie spielte. Sie sagte nichts und sah zu Boden. Mit Marie ist doch auch jemand im Raum, wenn sie dort spielt, dachte ich. Aber eben: *Marie*, und mit Marie war es anders als mit mir; mit Marie war *alles* anders als mit mir.

Ich ging aus dem Zimmer und schloß die Tür. Es dauerte eine ganze Weile, bis Lea zu spielen begann. Ich verließ das Haus und ging zu Krompholz, wo ich ein Buch über Noten für Anfänger kaufte. Katharina Walther sah mich mit ihrem klugen, verschwiegenen Blick an. ›Keine Hexerei‹, sagte sie, als ich zu blättern begann. ›Lesen Sie es durch, und dann lesen Sie die Noten mit, wenn sie spielt. Im Nebenzimmer, vielleicht. Sie braucht es ja nicht zu sehen.‹ Unglaublich. Sie schien in mir – in uns – wie in einem Buch lesen zu können.«

Van Vliet schenkte ein und leerte sein Glas in einem Zug, als sei es Wasser. »Mein Gott, warum habe ich nicht öfter mit ihr geredet! Und warum habe ich später nicht auf sie gehört, als sie mich warnte!«

Er holte einen Kugelschreiber hervor, faltete die Papierserviette auf, zog fünf Linien und setzte Noten darauf. »Hier«, sagte er, »das ist der Anfang der Partita in E-Dur von Bach. Die Töne, die Loyola de Colón damals im Bahnhof spielte.« Er schluckte. »Und auch die Töne, die Lea als letzte spielte, bevor sie in der … der Verstörung versank.«

Langsam schloß sich seine Faust um die Serviette und zerdrückte die schicksalhaften Noten. Ich füllte sein Glas nach. Er trank, und nach einer Weile sprach er weiter, ruhig und klar.

»Ich habe es gemacht, wie Katharina Walther gesagt hatte: Ich habe im Nebenzimmer die Noten verfolgt, wenn Lea spielte. Doch sie blieben mir merkwürdig fremd, und es dauerte eine Weile, bis ich verstand, warum: Ich konnte die dazugehörigen Töne nicht erzeugen, die Noten blieben für mich selbst ohne Folgen, Symbole, mit denen ich nichts machen konnte und die deshalb mit mir nichts zu tun hatten. Und so blieb mir dieser Teil von Leas Geist trotz aller Anstrengung verschlossen.

Eines Tages, als sie in der Schule war, ging ich in ihr Zimmer, nahm die Geige aus dem Kasten, klemmte sie zwischen Schulter und Kinn, brachte die Finger in Stellung, wie ich es beobachtet hatte, und machte mit dem Bogen den ersten Strich. Natürlich war es ein kläglicher Ton, der da zustande kam, kaum mehr als ein Kratzen. Doch das war es nicht, was mich zusammenzucken ließ. Es war etwas, mit dem ich nicht gerechnet hatte: ein heftiger Anfall von schlechtem Gewissen, eine Art unsichtbarer Krampf und zugleich lähmend, begleitet von einem Gefühl der Kraftlosigkeit. Rasch und mit fahrigen Bewegungen legte ich die Geige zurück in den Kasten und vergewisserte mich, daß alles war wie vorher. Dann setzte ich mich in meinem Zimmer in den Sessel und wartete, bis das Herzklopfen abnahm. Draußen setzte die frühe Dämmerung ein. Es war dunkel, als ich endlich verstand: Es war nicht das gewöhnliche schlechte Gewissen gewesen, das man hat, wenn man in fremden Sachen wühlt. Es war um etwas viel Wichtigeres und Gefährlicheres gegangen: Indem ich das Geigenspiel an mir nachzubilden versuchte, hatte ich eine unsichtbare Linie überschritten, die Leas Leben von dem meinen trennte und trennen mußte, damit es ganz das *ihre* sein konnte. Ein Hauch dieses Gefühls, dachte ich jetzt, hatte damals auch in der Gereiztheit gelegen, mit der Lea mir erklärte, daß es nicht ging, wenn ich ihr beim Spielen über die Schulter blickte. Und nun kam mir auch der Widerstand in den Sinn, den mir das achtjährige Mädchen nach Loyolas Spiel entgegengesetzt hatte, damals im Bahnhof, als ich sie wie gewohnt an mich ziehen wollte.

Und Marie? dachte ich. Da gab es diese Linie nicht. Im Gegenteil, Lea versuchte in ihrem Spiel und auch sonst zu sein wie Marie. Gab es eine andere Linie, die ich bloß nicht sah?«

Van Vliet blickte mich an. Es war nicht klar, ob er auf eine Antwort hoffte – auf die Einsicht eines Unbeteiligten vielleicht –, oder ob er meinen Blick nur als einer suchte, der in seiner Unsicherheit und Not erkannt und angenommen werden wollte. Ich berührte ihn am Arm – wer weiß, warum, wer weiß, ob es eine passende Geste war, eine Geste, die seiner Zerbrechlichkeit zu entsprechen vermochte. Er hatte die brennende Zigarette im Aschenbecher vergessen und steckte eine neue an. Ich blickte an ihm vorbei zu dem großen Wandspiegel, der uns beide zeigte. Zwei Analphabeten, was Nähe und Ferne angeht, dachte ich, zwei Analphabeten der Vertrautheit und Fremdheit.

»Als Lea an jenem Abend zur Tür hereinkam«, fuhr Van Vliet fort, »stand sie neu vor mir: als eine, die nicht nur etwas *konnte*, was ich nie können würde, sondern eine, die etwas *war*, was ich nie sein würde: eine Musikerin, deren Leben immer mehr aus Noten und Tönen bestand. ›Was ist denn, was hast du?‹ fragte sie. ›Nichts‹, sagte ich, ›es ist nichts. Soll ich etwas kochen?‹ Doch sie war bereits am Kühlschrank, biß in eine kalte Wurst und schnappte sich ein Stück Brot. ›Danke, aber ich möchte lieber noch etwas üben, Marie ist da mit einer Stelle noch nicht zufrieden.‹ Sie verschwand in ihrem Zimmer und schloß die Tür.

Eine einzige Sache konnte ich beitragen: Ich erklärte ihr die Physik der Flageolettöne. Sie war süchtig nach ihrem gläsernen Klang und dem Versuch, sie bei der ersten Berührung zu treffen.

An technischen Problemen gab es nur ein einziges, mit dem sie bis zum Schluß zu kämpfen hatte: Triller. Sie hatten oft nicht die seidene Leichtigkeit und vor allem nicht die metronomische Regelmäßigkeit, die sie hätten haben sollen. Besonders wenn sie lange dauerten, schlichen sich Ermüdung und forcierte, trotzig klingende Schübe ein, die den Eindruck des Bemühten und der Überforderung hinterließen. Wütend massierte Lea die verkrampften Finger, hielt sie in warmes Wasser und knetete beim Fernsehen zur Stärkung einen Ball.

Aber sie war glücklich, meine Tochter. Verliebt in die Geige, verliebt in die Musik, verliebt in ihre Begabung und, ja, verliebt in Marie.

›Amoureuse?‹ Die dunkle Hand des Maghrebiners mit dem silbernen Stift hielt abrupt inne. ›Ouais‹, sagte ich und tat alles, um das Wort so ordinär klingen zu lassen, wie es meiner Vorstellung nach bei einem Delinquenten klänge, der den Kommissar beim Verhör gnadenlos auflaufen läßt. Sogar die Beine schlug ich übereinander wie der rotzige Ganove, der das letzte, winzige Quentchen Freiheit genießt, das darin liegt, dem Kommissar nicht ein einziges Wort zu schenken.

›Vous voulez dire …‹

›Non‹, gab ich zurück, und es war mehr ein Japsen und Schnappen als eine artikulierte Verneinung. Der Arzt ließ die Mine vor- und zurückschnellen, das Geräusch war laut, lauter als das Summen und Rauschen des Ventilators. Er brauchte Zeit, um seinen Ärger unter Kontrolle zu bringen.

›Alors, c'était quoi, cette relation?‹

Wie hätte ich es ihm erklären können? Wie könnte ich es *irgend* jemandem erklären?

Marie, da bin ich sicher, hatte eine Beschreibung für ihre Beziehung zu Lea. Doch ich habe sie nie danach gefragt. Und eigentlich *wollte* ich es auch nicht wissen. Ich weiß, was ich sah und hörte, und ich weiß nicht, ob es darüber hinaus noch etwas zu wissen gibt. Marie war nicht zu kritisieren, das begriff ich schnell. Es war besser, nicht nach Marie zu fragen. Es war ausgeschlossen, nicht mit voller Konzentration zuzuhören, wenn von Marie die Rede war. Ungläubigkeit erschien auf Leas Gesicht, wenn ich etwas vergaß, das Marie betraf, und sei es nur eine Kleinigkeit. Es war ärgerlich, wenn jemand anderes sich erdreistete, Marie zu heißen. Es war undenkbar, daß Marie krank wurde. Es kam nicht in Frage, daß sie Urlaub machte. Ich wartete jeden Tag darauf, daß Lea ein Kleid aus Batik wollte und Kissen aus Chintz. Aber so einfach war es zwischen den beiden dann doch nicht.

Überhaupt war es anders, als ich gedacht hatte. Wenn ich an späten Winternachmittagen manchmal vor Maries Haus stand und dem Schattenspiel hinter den Vorhängen zusah, das Marie und Lea aufführten, so fühlte ich mich ausgeschlossen und beneidete die beiden um den Kokon von Tönen, Worten und Gesten, in den sie mir eingesponnen schienen und in dem es keine Reibung und keine Gereiztheit gab, wie sie im Institut immer häufiger vorkamen, seit ich ohne viel Worte klargemacht hatte, daß es von nun an zuerst Lea geben würde, und dann noch einmal Lea, und erst dann das Labor.

Ganz am Anfang habe ich einmal den Fehler gemacht und bei Marie geklingelt. Es waren die letzten fünf Minuten der Stunde, die ich dasaß und zuhörte. Nie habe ich irgendwo so gestört wie dort. Im Traum verließen Marie und Lea das Musikzimmer, nicht wütend, nicht vorwurfsvoll, nur sehr bestimmt, ganz miteinander beschäftigt und ohne einen Blick zurückzuwerfen; als sei dort nur leerer Raum. Es mußte eine vollkommene Harmonie zwischen den beiden geben, dachte ich fast zwei Jahre lang, und es gab Momente brennender Eifersucht, in denen ich nicht wußte, was mehr weh tat: daß mir Marie Lea wegnahm, oder daß Lea eine Schranke vor Marie aufrichtete, die ich nie würde überwinden können.

So war es bis zu dem Tag, an dem Lea bei Krompholz die Dreiviertelgeige aussuchen sollte. Katharina Walther war nicht erbaut, daß Marie dabei war. ›Marie Pasteur. Ja, ja, Marie Pasteur‹, sagte sie bei meinem nächsten Besuch im

Geschäft. Darüber hinaus habe ich ihr nie ein Wort entlokken können. Sie haben mir nicht gefallen, diese Worte, sie hatten etwas Allwissendes und Päpstliches, und an diesem Tag war ich nicht mehr sicher, ob ich ihre strenge Frisur mit dem Knoten im Nacken mochte. Jetzt jedoch verhielt sie sich korrekt, überkorrekt sogar, mit Blicken wie mit Worten. Keine Einmischung, keine Komplizenschaft, nichts.

Lea probierte die drei Geigen nacheinander aus. Wie erwachsen und professionell sie wirkte im Vergleich mit unserem ersten Besuch hier! Als der erste Durchgang fertig war, begann der Prozeß der negativen Auslese. Die erste schied schnell aus. Lea tauschte einen Blick mit Marie, aber es wäre nicht nötig gewesen, wir alle hörten es. Die zweite klang gut, aber kein Vergleich mit der dritten. ›Erstaunlich für ein Instrument dieser Größe‹, sagte Marie. Es war unmöglich, daß Lea es nicht auch hörte, und tatsächlich hatte ihr Gesicht bei dem Klang, der soviel besser war als der ihres bisherigen Instruments, zu leuchten begonnen. Doch nun nahm sie noch einmal die zweite und spielte mehrere Minuten. Marie lehnte gegen den Ladentisch, die Arme verschränkt. Als ich die Szene später in Gedanken noch einmal durchging, war ich sicher, daß sie wußte, was kommen würde. ›Ich nehme diese‹, sagte Lea.

Katharina Walthers Lippen öffneten sich, als wolle sie protestieren, aber sie sagte nichts. Und dann geschah es. Nach einigen Sekunden, in denen sie zu Boden geblickt hatte, die Geige noch in der Hand, hob Lea den Blick und sah Marie herausfordernd an. Ich kannte diesen Blick und kannte ihn nicht. Sie konnte ein eigensinniger Trotzkopf sein, das hatten Cécile und ich oft genug erfahren. Aber hier stand doch Marie, die unkritisierbare Marie. Und es tat Marie Pasteur weh.

Es tat ihr so weh, daß sie mechanisch am Armreifen drehte und einmal zuviel schluckte.

Am folgenden Tag ging Lea allein zu Krompholz und tauschte die zweite gegen die dritte Geige. Viel habe sie nicht gesagt, berichtete Katharina Walther. Zerknirscht? Nein, so habe Lea eigentlich nicht gewirkt, sagte sie; eher verstört. Sie zögerte. ›Über sich selbst‹, fügte sie dann hinzu.

Wenige Tage danach brach das Ekzem aus und bescherte uns die schlimmsten drei Wochen seit Céciles Tod. Es begann damit, daß Leas Fingerkuppen heiß wurden. Alle paar Minuten ging sie ins Bad und hielt sie unter das kalte Wasser, und in der Nacht tat ich kein Auge zu, weil ich ständig das Wasser laufen hörte. Am Morgen saß sie bei mir auf dem Bettrand und zeigte mit weit aufgerissenen Augen auf die Haut, die sich zu verfärben und zu verhärten begann. Sie blieb zu Hause, und ich sagte meine Teilnahme an einer Konferenz ab. Stundenlang telefonierte ich früheren Studienkollegen hinterher, die Ärzte geworden waren, bis ich schließlich einen Termin bei einem bekam, der sich auf Haut verstand. Er betrachtete und betastete die Haut, die von Stunde zu Stunde gräulicher wurde und nun auch zu jucken begann. Ein Ekzem, hervorgerufen durch eine Allergie. Geige? Dann könne es das Kolophonium sein, sagte er. Mir fuhr ein Schrecken in die Glieder, als hätte er mir eine Krebsdiagnose gestellt. Lea liebte das schwarzbraune Harz, mit dem man den Bogen bestreicht und das golden schimmert, wenn man es gegen das Licht hält. Am Anfang hatte sie sogar heimlich daran geleckt. War das das Ende? Geigerin mit Kolophonium-Allergie? War das nicht eine Unmöglichkeit?

Mit einem Fanatismus, an den ich ungern zurückdenke, studierte ich die Literatur über Allergien und erfuhr, wie wenig man weiß. Berge von Salben türmten sich im Bad. Mein tägliches Telefonieren mit dem Arzt rief bei den Helferinnen Spott hervor, ich erkannte ihn am unvorsichtigen Kichern. Die Apothekerin hob erstaunt die Brauen, wenn ich zum dritten Mal am selben Tag erschien. Als sie von Streß sprach, von Psychosomatik und Homöopathie, wechselte ich die Apotheke. Ich glaube an Zellen, Mechanismen, Chemie, nicht an feinsinnige Märchen, die mit wissendem Ausdruck vorgetragen werden.

Mit unbarmherziger Akribie zwang ich Lea, sich an alles zu erinnern, womit sie in den vergangenen Tagen in Berührung gekommen war, besonders an alles Ungewohnte. Auch mit der Nase sollte sie sich erinnern. Es gab Tränen ob meiner Unnachgiebigkeit des Forschens.

Und dann hatte sie es plötzlich: Die Bänke im Klassenzimmer rochen anders als sonst. Wir fuhren hin, sprachen mit dem Hausmeister. Und tatsächlich: Er hatte ein neues Reinigungsmittel benutzt. Ich nahm eine Probe mit, und der Arzt machte einen Allergietest. Es war dieses Mittel, nicht das Kolophonium. Ich notierte die Zusammensetzung und klebte den Zettel an den Kühlschrank. Er hing dort, bis er gelb wurde.

Ich wollte die erlösende Nachricht feiern, und wir gingen fein essen. Aber Lea saß zusammengekauert vor dem Teller und rieb die rauhen, gefühllosen Fingerkuppen am Tischtuch. Noch jetzt meine ich das leise scheuernde Geräusch zu hören.

Eine Woche lang war es für sie, als trüge sie Handschuhe aus Sandpapier. Mehrmals am Tage griff sie zur Geige, aber es war hoffnungslos. Dann begann die Hautkruste aufzuplatzen, und darunter kam die neue Haut zum Vorschein, unter der es rot pulsierte und die noch keinerlei Berührung vertrug. Als die kranke Haut schließlich abfiel wie eine Kollektion zerborstener Fingerhüte, lief Lea durch die Wohnung, besänftigte die empfindlichen Kuppen durch Blasen und probierte jede Stunde aus, ob sie jetzt die Berührung mit einer Saite vertrügen. Tagelang lebten wir, so will es mir heute scheinen, wie in einem Gefängnis, dessen unsichtbare Mauern durch die in alle Ewigkeit vorweggenommene Angst gebildet wurde, so etwas könne jederzeit wieder passieren.

Und noch einen anderen Kerker gab es: Die Stunden mit Marie fielen aus. Mit erstickter Stimme, in der sich Wut und Tränen mischten, erzählte Lea, daß jemand anderes – jemand *anderes*! – zu ihren Zeiten – *ihren* Zeiten! – bei Marie im Musikzimmer war. Als es schließlich soweit war und ich sie bei Marie absetzte, sah ich, daß die Hände mit den unnatürlich roten Kuppen schweißnaß waren und der Hals mit den roten Flecken der Aufregung übersät war.

Ob jemals etwas mit Leas Händen gewesen sei, fragte der Maghrebiner. Die Frage nötigte mir Achtung ab, das kann ich nicht leugnen. Nein, sagte ich. Eine Weile schwieg er, und jetzt war das Geräusch des Ventilators wirklich aufdringlich. Nein, sagte ich noch einmal, gegen meinen Willen. Auch die Sache mit dem Karussell und dem goldenen Ring habe ich ihm verschwiegen.

Die Mitarbeiter nahmen es mir übel, daß ich wegen Leas Ekzem – wegen eines *Ekzems*! – nicht zu der Konferenz gefahren war, um unsere letzten Forschungsergebnisse vorzustellen. Und vor allem, daß ich abgesagt hatte, ohne Ruth Adamek an meiner Stelle hinzuschicken. ›Könnte es sein, daß du es wieder einmal *vergessen* hast?‹ fragte sie, und es lag eine Härte in der Stimme, die mir zeigte, daß ich immer mehr an Boden verlor.

Auch die Universitätsspitze zeigte sich enttäuscht. Doch eine wirkliche Gefahr war damals nicht zu erkennen. Solange ich nicht die silbernen Löffel stahl, konnte man mir nichts anhaben. Und von den verstörenden Geschehnissen, die mich dazu brachten, sie zu stehlen, konnte ich damals noch nichts wissen.«

9

»LEAS ERSTER ÖFFENTLICHER AUFTRITT fand an dem Tag statt, an dem die Primarschüler der vierten Klasse entlassen wurden. Der Schulleiter, ein griesgrämiger, gefürchteter Mann, hatte sie in sein Büro bitten lassen, die Sekretärin hatte ihr Tee und Biscuits angeboten, und dann hatte er sie gefragt, ob sie an jenem Tag etwas spielen würde. Sie muß so geschmeichelt gewesen sein, daß sie auf der Stelle zusagte. Aufgeregt, wie im Fieber, platzte sie in eine Besprechung in meinem Büro. Ich ging mit ihr im Korridor auf und ab, bis die flackernde Panik sich gelegt hatte. Dann schickte ich sie zu Marie, und als sie nach Hause kam, wußte sie, was sie spielen würde.

Lampenfieber kannte ich bis dahin kaum. Vor meinen ersten Vorträgen war ich eher aufgedreht als flattrig gewesen, und als ich zum ersten Mal in einem Hörsaal stand, fand ich das räumliche Arrangement, das ich als Student über viele Jahre von der anderen Seite aus erlebt hatte, eher lächerlich als beängstigend. Doch nun, wo es gar nicht um mich ging, sollte ich das Lampenfieber kennenlernen.

Ich lernte es hassen und fürchten, und ich lernte es auch lieben und vermissen, wenn es vorbei war. Es einte Lea und mich, und es trennte uns auch. Ihre feuchten Hände wurden auch meine feuchten Hände, ihre Zerstreutheit und Fahrigkeit wucherte auch in mich hinein. Es gab Momente, da vibrierten unsere Nerven wie die eines einzigen Wesens. Das durfte auch nicht anders sein; Lea fiel in einen Abgrund an Verlassenheit, wenn sie den Eindruck hatte, daß ich nicht mitfieberte. Und doch bestand sie auch darauf, daß *sie* es war, die Grund zur Angst hatte, nicht ich. Es war nicht mit Worten, daß sie darauf bestand; wir sprachen kaum über den allgegenwärtigen fiebrigen Wahn, der uns umfing. Aber sie ging sofort wieder aus dem Zimmer, wenn sie mich antraf, wie ich am Balkonfenster eine meiner seltenen Zigaretten rauchte. Sie ist trotz allem noch ein kleines Mädchen, sagte ich mir dann, was erwartest du.

In solchen Momenten spürte ich die Einsamkeit, die Cécile in mir zurückgelassen hatte. Ich spürte sie wie einen inneren Frost.

Als Lea am frühen Abend des Konzerts aus dem Bad kam, verschlug es mir den Atem. Das war kein Mädchen von elf Jahren. Das war eine junge Dame, eine Lady, die darauf wartete, daß die Scheinwerfer angingen. Das schlichte schwarze Kleid hatten wir zusammen ausgesucht. Aber wo hatte sie gelernt, sich so zu pudern und zu kämmen? Wo hatte sie den Lippenstift her? Sie genoß meine Verblüffung. Ich machte ein Foto von ihr, das ich in die Brieftasche steckte und nie gegen ein anderes austauschte.

Warum läßt sich die Zeit nicht anhalten? Warum konnte es nicht bleiben, wie es an jenem schwülen, gewittrigen Abend im Hochsommer war, eine Stunde, bevor mir Lea von den vielen Blicken und den vielen klatschenden Händen weggenommen wurde, entwendet direkt vor meinen Augen, ohne daß ich das geringste dagegen tun konnte?

Ich habe keine zusammenhängende Erinnerung an den Abend, es ist, als hätte ihn die Heftigkeit der Gefühle in Stükke gerissen und nur verstreute Splitter übriggelassen. Wir nahmen ein Taxi zur Schule, an diesem Abend durfte uns im Verkehr auf keinen Fall etwas zustoßen. Als wir am Bahnhof vorbeikamen, dachte ich: Noch keine drei Jahre ist es her, und jetzt gibt sie ihr erstes Konzert. Ob das auch Leas Gedanke war, weiß ich nicht, aber sie legte ihre Hand in die meine. Sie war feucht und fühlte sich gar nicht wie eine Hand an, die bald mit sicheren Griffen Bach und Mozart spielen würde. Als ich ihren Kopf an der Schulter spürte, dachte ich einen Moment lang, sie wolle umkehren. Es war ein erlösender Gedanke, der im unruhigen Schlaf der kommenden Nacht stets von neuem aufblitzte, begleitet von einem Gefühl der Ohnmacht und Vergeblichkeit.

Das nächste, was ich vor mir sehe, ist, wie Marie Pasteur Lea mit dem Daumen das Kreuz auf die Stirn zeichnete. Ich traute meinen Augen nicht und verlor vollends die Fassung, als sich Lea bekreuzigte. Meine Tochter war nie getauft worden und hatte, soweit ich wußte, nie eine Bibel in der Hand gehabt. Und nun bekreuzigte sie sich, und dazu mit einer Selbstverständlichkeit und Grazie, als habe sie das ihr Leben lang getan. Es hat lange gedauert, bis ich verstand, daß es nicht das war, was es zunächst schien: Maries Versuch, aus Lea eine Katholikin zu machen. Daß es einfach ein Ritual war, das die beiden verband, eine Geste, mit der sie sich einer Zuneigung und Verbundenheit versicherten, die ihnen größer vorkam als sie selbst. Und auch als ich es schließlich begriffen hatte, blieb eine leise Empfindung von Entfremdung und Verrat. An jenem Abend flackerte der Anblick immer wieder in mir auf, bevor er jeweils vom Geschehen auf der Bühne der Aula überdeckt wurde.

Lea stieg die paar Stufen empor, die Hand am Kleid, um nicht über den Saum zu stolpern. In der Mitte der Bühne, ein paar Schritte vom Flügel entfernt, blieb sie stehen und verbeugte sich mehrmals vor dem klatschenden Publikum. Das hatte ich noch nie gesehen, mein Blick hing an ihren anmutigen Bewegungen. Hatte ihr Marie das gezeigt? Oder hatte sie es einfach in sich?

Marie ließ ihr Zeit, es sollte Lea sein, ganz allein sie, die im Rampenlicht stand. Dann ging sie lautlos und unauffällig auf die Bühne und setzte sich an den Flügel. Sie trug ein nachtblaues, hochgeschlossenes Batikkleid, und weil sie auch bei unserer ersten Begegnung Batik getragen hatte, kam es mir einen Augenblick lang vor, als hätten die beiden das Musikzimmer von Maries Wohnung hierher mitgebracht. Es war ein schönes Gefühl, denn es bedeutete, daß Lea auch auf der Bühne bei Marie geborgen war, wie beim Üben in ihrer Wohnung. Doch es war flüchtig, dieses Gefühl, und wurde bald weggewischt von einem anderen: daß sie dort oben trotz Marie ganz allein war mit ihrer Geige und ihrem Können – ein Mädchen, das bei all seinem damenhaften Aussehen und Benehmen gerade mal elf Jahre auf der Welt war, und dem niemand würde helfen können, wenn es ins Straucheln geraten sollte.

Ich habe auf vielen Konferenzen vor vielen Koryphäen gesprochen, und auch bei Schachturnieren saß ich auf einer Bühne und mußte ganz allein für mich einstehen. Doch das war nichts im Vergleich zu der Aufgabe, Leas Einsamkeit dort oben auszuhalten. Besonders in den Sekunden, bevor sie zu spielen begann. Marie schlug den Kammerton an, Lea stimmte nach, eine kleine Pause, dann korrigierte sie die Bogenspannung, noch einmal eine Pause, um die Hand am Kleid abzuwischen, der Blick zu Marie, das Heben des Bogens, und dann endlich begann sie mit der Musik von Bach.

In genau jenem Augenblick fragte ich mich, ob ihr Gedächtnis der Belastung gewachsen wäre. Es gab nichts, auch nicht den kleinsten Anhaltspunkt, der dagegen sprach. Gedächtnis war nie ein Thema gewesen, ich hatte es als das Natürlichste der Welt betrachtet, daß Lea bestimmte Stücke auswendig konnte, es war mir so natürlich erschienen wie meine Fähigkeit, ganze Schachpartien im Kopf zu behalten und blind zu spielen. Woher also der plötzliche Zweifel?

An die Musik erinnere ich mich nicht mehr, die Erinnerung ist tonlos und ganz ausgefüllt von der angstvollen Bewunderung, mit der ich Leas energische Armbewegungen und die sicheren, zupackenden Griffe der Finger verfolgte, die Maries Griffen nachgebildet waren, wie ich sie vom ersten Abend her im Gedächtnis hatte. Ich hatte das alles ja schon tausendmal gesehen, und doch erschien es mir jetzt, da die vielen fremden Blicke darauf fielen, anders, bewunderungswürdiger und rätselhafter als sonst. Es war Lea, meine Tochter, die da spielte!

Rauschender Applaus. Am längsten klatschte der schmächtige Markus Gerber, sein Gesicht glühte, er hatte sich angezogen, als sei er es, der auf die Bühne müsse. Manchmal war Lea huldvoll, manchmal gereizt, wenn er sie zur Schule begleiten wollte. Er tat mir leid, bald würde sie ihn stehenlassen.

Marie blieb am Flügel sitzen, Lea verbeugte sich. Später, als ich wach lag, beschäftigte mich etwas, das schwer zu greifen war: Sie hatte sich verbeugt, als *stünde* ihr dieser Applaus *zu*. Als *müßte* ihr die Welt einfach zujubeln. Das hatte mich gestört, oder besser: verstört, mehr, als ich mir eingestehen mochte. Es war nicht – wie ich zunächst dachte –, weil darin Eitelkeit und Anmaßung gelegen hätten. Nein, es war umgekehrt: In ihrer Haltung, ihren Bewegungen und ihrem Blick kam eine Botschaft zum Ausdruck, von der sie noch nichts wußte und in gewissem Sinne bis zuletzt nie etwas wissen würde: daß man sie mit dem, was sie konnte und was sie sich mit grenzenloser Hingabe erarbeitete, auf keinen Fall allein lassen durfte; daß die anderen ihrem Spiel unter keinen Umständen mit Achtlosigkeit begegnen durften; daß es einer Katastrophe gleichkäme, wenn ihr die Zuhörer die Liebe und Bewunderung entzögen. Im Rückblick weiß ich: Was ich dort auf der Bühne sah und als etwas Unheilvolles spürte, war ein Vorbote, ein Vorbote all der Dramen, die sich in ihr noch ereignen würden, nachdem sie an diesem Abend den ersten Schritt in die Öffentlichkeit getan hatte.

Das zweite Stück war ein Rondo von Mozart. Und da passierte es: Lea spielte eine Schleife zuviel, das Motiv, das am häufigsten vorkommt, schlich sich ein, wo es nicht hingehörte. Es war ein ganz natürlicher Fehler, den niemand bemerkt hätte, wäre da nicht die Klavierbegleitung gewesen, die das von Mozart vorgesehene Orchester ersetzte. Maries und Leas Töne paßten nicht mehr zueinander, es entstanden Dissonanz und rhythmisches Chaos. Marie nahm die Hände von den Tasten und sah zu Lea hinüber, ihre Augen groß und dunkel. War es Bestürzung, die darin lag? Oder Vorwurf? Der Vorwurf, die Perfektion zu verraten, zu der sie Lea zu führen versuchte, Stunde für Stunde, Woche für Woche?

Ich mochte sie nicht, diese Augen. Bis jetzt war mein Blick öfter hinüber zu Marie geglitten, sie gefiel mir, wie sie dasaß in ihrem dunklen, geheimnisvollen Kleid, die schlanken, kraftvollen Hände in den Tasten, das Gesicht voller Konzentration auf das gemeinsame Spiel. Wie so oft stellte ich mir vor, wie es mit ihr wäre, mit ihr ganz allein, in einer Welt ohne Lea – nur um mit einer schneidenden Empfindung des Verrats in die Wirklichkeit zurückzukehren, wo meine kleine große Tochter debütierte, in der Aula einer Schule nur, aber immerhin. Nun aber stießen mich Maries Augen ab, in denen ich eine unsinnige Anklage las, eine Anklage einem elfjährigen Mädchen gegenüber, das sich in einem Musikstück vertan hatte. Oder war es gar keine Anklage? War Marie einfach nur verwirrt und suchte hinter ihrem dunklen Blick nach einer Möglichkeit, in Leas Spiel zurückzufinden? Lea selbst hatte nach einem angstvollen und ratlosen Blick zu Marie mit der überflüssigen Schleife weitergemacht, ja, das ist das treffende Wort: *weitergemacht*, so wie einer weitermacht, obwohl es keinen Sinn mehr hat – einfach deshalb, weil aufzuhören noch viel schlimmer wäre. In der Nacht dachte ich: *Nie, niemals wieder will ich meine Tochter so weitermachen sehen.* Stets von neuem dachte ich diesen Gedanken, die ganze Nacht lang, und er kehrte auch später immer wieder, bis zum Ende, und sogar heute überfällt er mich manchmal, ein nutzloser, gespenstischer Gedanke aus verlorener Zeit.

Plötzlich schien Marie zu verstehen, was geschehen war, es gab ein paar zögernde, noch unpassende Töne, und dann war der Gleichklang wiederhergestellt und blieb bis zum Ende. Lea spielte den Rest rein und fehlerlos, aber es lag Mattigkeit in ihren Tönen, als hätte das vorangehende Weitermachen ohne Marie ihre gesamte Kraft aufgebraucht. Vielleicht ist es auch nur Einbildung, wer weiß das schon.

Der Applaus war noch rauschender als nach dem ersten Stück, einige stampften sogar und pfiffen anerkennend. Ich horchte: War es ein angestrengtes, pflichtschuldigst absolviertes Klatschen? War es so stark und nachhaltig, um Lea zu trösten und ihr zu bedeuten: Das macht nichts, du warst trotzdem gut? Oder waren diese kleinen Jungen und Mädchen so natürlich und unbefangen in ihrem Urteil, daß Leas Versehen für sie einfach keinerlei Bedeutung hatte?

Lea verbeugte sich, zögernder und steifer als nach dem ersten Stück, und dann suchte sie meinen Blick. Wie begegnet man dem unsicheren, um Entschuldigung bittenden Blick der elfjährigen Tochter, der ihr erstes öffentliches Mißgeschick zugestoßen ist? Ich legte in den eigenen Blick alles hinein, was ich an Zuversicht, großzügigem Vertrauen und Stolz auf sie in mir trug. Mit Augen, die zu brennen begannen, forschte ich in ihrem Gesicht: War ihr klar, was geschehen war? Wie wurde sie damit fertig? Bedeuteten die zuckenden Lider, daß sie mit Enttäuschung und Wut über sich kämpfte? Dann kam Marie, stellte sich neben Lea und legte ihr den Arm um die Schulter. Jetzt mochte ich sie wieder.

Lea hatte auswendig gespielt, hatte aber die Noten bei sich. Ganz gegen ihre Gewohnheit legte sie das Heft auf den Küchentisch, als wir nach Hause kamen. Auf dem Heimweg hatte sie kein Wort gesprochen. Ich dachte daran, wie steif sie dagestanden hatte, als ihr Marie zum Abschied übers Haar gefahren war, und so hütete ich mich, sie zu berühren. Das erste Mal erlebte ich meine Tochter in einem Zustand, den ich fürchten lernte: als würde sie bei der leisesten Berührung, und sei es nur eine durch Worte, zerspringen.»

Van Vliet machte eine Pause, in der sein Blick schräg nach unten ging und in einer Art schneidender Leere alle Gegenstände zu durchdringen schien.

»Am Schluß, da zersprang sie dann wirklich, zersprang in tausend Stücke.«

Er trank in großen Schlucken. Ein Rinnsal von Rotwein lief aus dem Mundwinkel und tropfte auf den Hemdkragen. »Ich habe die Noten von Mozarts Rondo auf dem Küchentisch studiert, die ganze Nacht lang. Köchel-Verzeichnis 373. Werde ich nie vergessen, die Zahl; ist wie eingebrannt. Ich fand zwei Stellen, die für den Fehler, die überflüssige Schleife, in Frage kamen. Ich traute mich nicht zu fragen. Ich tat die Noten auf die Kommode im Flur, wo Lea Noten manchmal hinlegte, wenn sie nach Hause kam, um sie später ins Musikzimmer zu bringen. Sie hat sie liegenlassen. Als existierten sie nicht. Schließlich räumte ich sie weg. Es sind die einzigen Noten, die ich wegwarf, als ich in die kleine Wohnung zog.

Das Geschehnis bedeutete einen ersten, haarfeinen Riß in Leas Selbstvertrauen. Es dauerte Wochen, bis wir darüber sprechen konnten. Und da sagte sie es mir: Sie hatte nur mit Mühe dem Impuls widerstehen können, die Geige ins Publikum zu schleudern. Darüber erschrak ich viel mehr als über den Lapsus. War es nicht viel zu gefährlich, was mit meiner Tochter geschah? War der Ehrgeiz, den Marie in ihr entfacht hatte, nicht wie ein Brand, den man nicht mehr löschen konnte?«

»WIR NAHMEN DEN NACHTZUG nach Rom. Lea hatte stets staunend vor Zügen mit Schlafwagen gestanden. Daß es Züge mit Betten gab, in die man sich legte, um ganz woanders aufzuwachen – das erschien ihr wie Zauberei. Sie diese Zauberei am eigenen Leib erleben zu lassen, war das einzige Mittel, das mir einfiel, um die Lähmung zu überwinden, in die sie nach dem Fehler im Rondo verfallen war. Die ersten Tage war sie im Bett geblieben und hatte die Vorhänge zugezogen wie eine Schwerkranke. Nicht einmal mit Marie wollte sie sprechen, wenn sie anrief. Der Geigenkasten stand verbannt hinter dem Schrank.

Etwas hatte ich erwartet, aber nichts von solcher Heftigkeit. Sie hatte doch diesen rauschenden Applaus bekommen, auch die Eltern von Caroline hatten lange geklatscht. Der Schulleiter war auf die Bühne gekommen und hatte einen grotesk mißlungenen Handkuß versucht. Doch Leas Gesicht war immer mehr erstarrt und hatte eine maskenhafte Unbeweglichkeit angenommen. Schlaflos starrte ich in die Dunkelheit und versuchte, das Bild dieses leblosen, verbitterten Gesichts zu verscheuchen. In den elf Jahren, die ich dieses Gesicht kannte, war es mir keine Sekunde lang fremd erschienen, und ich hätte nicht für möglich gehalten, daß es einmal so kommen könnte. Als es nun geschah, verlor ich einen Moment lang den Boden unter den Füßen.

Das Gesicht war wieder ganz wie sonst, als wir im Speisewagen beim Frühstück saßen. Und je tiefer wir in den flimmernden italienischen Hochsommer hineinfuhren und uns von den Bauwerken, Plätzen und Wellen gefangennehmen ließen, desto mehr verblaßten die Spuren der Erschöpfung, die das rastlose Üben auf dem Gesicht hinterlassen hatte. Lea wirkte, fand ich, schon ziemlich erwachsen, und es gab anerkennende Pfiffe für ihr Aussehen. Wir sprachen kein einziges Mal über Musik und das Rondo.

Zu Beginn sagte ich ab und zu einen Satz über Marie, doch die Worte blieben ohne Antwort, wie nicht gesprochen. Kamen wir an einem Stand mit Postkarten vorbei, hoffte ich, Lea würde eine für Marie kaufen. Doch nichts geschah.

Es kam vor, daß sie etwas vergaß. Es waren lauter kleine Dinge, bei denen es nichts machte: den Namen unseres Hotels, die Nummer der Buslinie, die Bezeichnung für ein Getränk. Ich dachte mir nichts dabei. Nichts, was haften geblieben wäre. Es war wunderbar heiß, und Bern mit Ruth Adamek war wunderbar weit weg.

Die Kirche, aus der die Töne kamen, lag an einem kleinen, idyllischen Platz. Die Kirchentür stand offen, draußen auf den Stufen saßen Leute und hörten zu. Lea erkannte das Stück früher als ich: Es war die Musik von Bach, die Marie am Abend der ersten Begegnung gespielt hatte. Es war kein Zucken, das durch ihren Körper ging, eher eine Art Versteifung, ein blitzschneller Aufbau von Anspannung. Sie ließ mich stehen und verschwand in der Kirche.

Ich setzte mich draußen hin. Meine Gedanken gingen zu dem Moment zurück, in dem ich damals im Vorbeifahren die Messingtafel mit Marie Pasteurs Namen gesehen hatte. Ich wünschte, ich hätte sie nicht gesehen. Das hätte so leicht geschehen können, dachte ich: Ein Auto, das mich abgelenkt hätte, eine blinkende Leuchtreklame, ein auffälliger Passant – und die Tafel hätte sich nicht in mein Gesichtsfeld geschoben. Dann hätte mich Lea jetzt nicht stehenlassen.

Beim Herauskommen zuckte es in ihrem Gesicht, und als sie neben mir saß, brach es aus ihr hervor: die Angst, Marie enttäuscht zu haben; die Angst, ihre Zuneigung zu verlieren; die Angst vor dem nächsten Auftritt. Ich stand für Marie ein, und langsam verebbten die Tränen. Sie kaufte ein Dutzend Postkarten, wir gingen auf die Suche nach Briefmarken, und noch am selben Abend warf sie drei Karten an Marie in den Kasten. Sie versuchte anzurufen, um die Karten anzukündigen, aber es war niemand zu Hause. Ich buchte für den nächsten Tag einen Flug, und nach der Landung in Zürich rief Lea Marie an. Zu Hause holte sie die Geige hinter dem Schrank hervor und fuhr in die erste Stunde seit drei Wochen. Sie spielte die halbe Nacht. Das Fieber war zurück.«

Wir standen im Flur des Hotels, vor dem Aufzug. »Gute Nacht«, hatte ich gesagt, und Van Vliet hatte genickt. Die Tür des Aufzugs ging auf. Van Vliet stellte sich vor die Lichtschranke. Ich wartete, während er nach Worten suchte.

»Da saß ich damals in dieser Aula und hörte dem zu, was das Wichtigste in meinem Leben geworden war: Leas Spiel. Der erste Auftritt, von dem, ich ahnte es, so vieles abhing. Und just da bricht meine Phantasie aus und sucht sich eine Welt ohne Lea, eine Welt nur mit Marie. Kennen Sie das auch: daß die Phantasie im entscheidenden Augenblick abirrt und eigene, unbeherrschbare Wege geht, die verraten, daß man auch noch ein ganz anderer ist als der, für den man sich hielt? Gerade dann, wenn in der Seele alles geschehen darf, nur dieses eine nicht: Verrat durch die streunende Phantasie?«

11

SOMERSET MAUGHAM vermochte mich nicht zu fesseln. Ich legte das Buch weg, öffnete das Fenster und horchte im Dunkeln in die Nacht hinaus. Ich hatte auf Van Vliets Frage nichts zu sagen gewußt. Er hatte den Kopf zur Seite geneigt und mich aus halb geschlossenen Augen angeblickt, ironisch, komplizenhaft und traurig. Dann war er aus der Lichtschranke getreten, und die Tür des Aufzugs hatte sich geschlossen. War es nur, daß die Frage so unerwartet kam? Oder war es die verblüffende Intimität, die mir die Sprache verschlagen hatte, eine Intimität, die noch weit darüber hinausging, daß ich zu seinem Zuhörer geworden war?

Liliane. Liliane, die mir beim Operieren den Schweiß von der Stirn tupfte. Liliane, die stets wußte, welcher Handgriff als nächster kam, welches Instrument ich als nächstes brauchte. Liliane, die mit ihren Gedanken vorauseilte, so daß keine Worte nötig waren und unsere Zusammenarbeit in stummem Gleichklang verlief. Zwei, drei Monate waren so vergangen. Ihr heller, blauer Blick über dem Mundschutz, ihre flinken, ruhigen Hände, *grand*, der irische Akzent, Kopfnicken auf dem Flur, das Klappern ihrer Clogs, mein unnötiger Blick ins Schwesternzimmer, die Zigarette zwischen ihren vollen Lippen, der ironische Antwortblick, länger als nötig, ein einziger Besuch im Chefzimmer, das immer wieder überraschende *grand*, wie ich es in Dublin gehört hatte, beim Hinausgehen einen Augenblick zu lange an der Tür, die Hüftbewegung, unbewußt, unmerklich, ein sanftes, lautloses Schließen der Tür, das wie eine Hoffnung war und ein Versprechen.

Und dann die Notoperation in der Nacht von Leslies Geburt. Zuerst das erschöpfte Gesicht von Joanne, das schweißverklebte Haar, Leslies erster Schrei. Nachher zu Hause am offenen Fenster, Bostoner Schneeluft, unsichere Empfindungen, jetzt waren die Dinge unumkehrbar geworden. Dösen statt richtiger Schlaf. Dann der Anruf aus der Notaufnahme. Fünf Stunden mit Lilianes blauen Augen über dem Mundschutz. Ich weiß nicht, ob es Zufall war, daß sie beim Ausgang stand, als ich hinaustrat, ich habe sie nie gefragt. Ich kann durch keine Morgendämmerung gehen, ohne daran zu denken, wie wir zusammen zu ihrer Wohnung gingen, die zu meiner Überraschung nur zwei Straßen von der unseren entfernt war. Wir gingen schweigend, ab und zu ein Blickwechsel, ich hoffte, sie würde sich bei mir einhängen, statt dessen ihr Kinderhüpfen, Bordstein rauf, Bordstein runter, ihr entschuldigendes und herausforderndes Lächeln, ein Zahn unter dem Licht der Laterne etwas heller als die anderen. Als wir auf den Stufen vor ihrem Haus saßen, rückte sie näher und legte den Kopf an meine Schulter. Es konnte geteilte Erschöpfung sein und geteilte Zufriedenheit über den glücklichen Ausgang der Operation. Es konnte auch mehr sein. Unser weißer Atem, der verschmolz. »Ich mache gute Shakes«, sagte sie leise. »Tatsächlich mache ich die besten Shakes der Stadt. Vor allem meine Erdbeershakes sind legendär.« Das geteilte Lachen, das gemeinsame Schütteln der Körper. Im Treppenhaus blieb ich stehen und schloß die Augen, die Hände in den Manteltaschen zu Fäusten geballt. Ihre Stimme kam von oben: »Sie sind wirklich gut, meine Shakes.«

Sie hatte etwas von einer streunenden Katze, wie sie da auf dem Sofa saß, die Beine untergeschlagen, das helle Haar gelöst, den riesigen Becher mit dem Strohhalm an den Lippen.

Etwas Freies und Unstetes ging von ihr aus, etwas, das so ganz anders war als Joannes Zielstrebigkeit und Tüchtigkeit, die sie später zu einer erfolgreichen Geschäftsfrau machen sollten. Was lag in ihren unerhört konzentrierten blauen Augen? War es Hingabe? Ja, das war das treffende Wort: *Hingabe*. Aus dieser Hingabe flossen die konzentrierten Bewegungen bei der Arbeit, das Vorausahnen der Dinge, die ich als nächstes brauchen würde, und Hingabe sah ich auch, wenn sich unsere Blicke über dem Mundschutz kreuzten. *I cannot be awake, for nothing looks to me as it did before,/Or else I am awake for the first time, and all before has been/a mean sleep.* Sie kannte vieles von Walt Whitman auswendig, und ich vergaß Raum und Zeit, als sie ihn damals mit geschlossenen Augen rezitierte, Rauch in der Stimme, Melancholie und, ja, eben Hingabe. Ich habe mich nach dieser Hingabe gesehnt, während es hell wurde hinter den Vorhängen und immer häufiger Trucks auf der nahegelegenen Fernstraße vorbeidonnerten. Mitten in dieser Sehnsucht brach helle Panik in mir aus, ich sah Joannes verklebtes Haar, *thank God, it's over*, und ich hörte Leslies Schrei.

Lilianes Hingabe, ich habe sie gefürchtet, wie man nur sich selbst fürchten kann. Ich spürte, daß sie etwas ganz anderes sein würde als alles, was ich bisher erlebt hatte, mit Susan, Joanne und einigen anderen, flüchtigen Bekanntschaften. Daß ich in ihr versinken und verschwinden würde, um irgendwann wieder aufzuwachen, fern von Joanne und Leslie und, ja, auch fern von mir selbst – oder doch fern von mir, wie ich mich bisher gekannt hatte.

Nie habe ich so genau gespürt, was das ist: Willenskraft, wie als ich die Augen öffnete, Liliane ansah und sagte: *I have to leave, it's ... I just have to.* Ihr Blick taumelte, es zuckte um ihren Mund wie bei jemandem, der gewußt hatte, daß er verlieren würde und den es nun, da es feststand, doch zerriß.

Wir standen im Flur und lehnten unsere Stirn gegen die Stirn des anderen, die Augen geschlossen, die Hände hinter dem Nacken des anderen verschränkt. Es kam mir vor, als blickten wir hinter die Stirn des anderen wie in einen Tunnel von Gedanken, Phantasien und Erwartungen, einen langen Tunnel unserer möglichen unmöglichen Zukunft, wir blickten in den Tunnel, wie wir ihn uns ausmalten, es war der Tunnel des anderen und zugleich unser eigener, die beiden schoben sich ineinander und verschmolzen, wir gingen in dem Tunnel bis weit nach hinten, wo er sich im Ungefähren verlor, unser Atem ging im Gleichklang, die Versuchung der Lippen, wir erlebten, durchschritten, verbrannten unser gemeinsames Leben, das nicht möglich war, weil es für mich nicht möglich war.

Eine Woche noch wischte mir Liliane bei der Arbeit den Schweiß von der Stirn. Dann, an einem Montag morgen, brachte mir die Sekretärin einen Umschlag, zögernd, weil sie wußte, daß er von Liliane war. Ein kleiner Bogen Papier, eigentlich nur ein Zettel, hellgelb: *Adrian – I tried, I tried hard, but I can't, I just can't. Love. Liliane.*

Ich habe kein Foto von ihr, und die drei Jahrzehnte haben ihre Züge verwischt. Zwei genaue Erinnerungsbilder aber sind geblieben, genau weniger in den sinnlichen Konturen als in der Ausstrahlung: am Tisch im Schwesternzimmer, rauchend, und: auf dem Sofa, mit untergeschlagenen Beinen, den Strohhalm zwischen den Lippen. Und ich habe ein Foto von der Treppe gemacht, auf der wir damals, in der Morgendämmerung, vor ihrem Haus saßen. Bevor wir Boston verließen, bin ich hingefahren und habe das Bild gemacht. Es hatte die ganze Nacht geschneit, und Schnee türmte sich auf Geländer und Stufen. Ein Märchenbild. An Leslies Geburtstag denke ich daran, immer. Daran, daß ich sie an jenem Tag um ein Haar verraten hätte.

Nach einem Jahr rief mich Liliane in der Klinik an. Sie war aus Boston geflohen und war nach Paris gegangen, zu den *Médecins sans Frontières*. Einsätze in Afrika und Indien. Es gab mir einen Stich. Das hätte ich mir auch vorstellen können. In der Nacht nach dem Anruf schützte ich Nachtdienst vor und blieb in der Klinik. Es paßte so gut zu ihr, so unheimlich gut, und ich beneidete sie um die Stimmigkeit ihres unsteten Lebens, um die Stimmigkeit, wie ich sie mir vorstellte. *Faces along the bar/Cling to their average day:/ The lights must never go out,/The music must always play …* Auch diese Zeilen von W. H. Auden hatte sie damals, auf dem Sofa, rezitiert. Sie hatten nach etwas bloß Atmosphärischem geklungen, etwas Privatem, wie eine Begleitmelodie zu einem Bild von Edward Hopper. Erst später entdeckte ich, daß sie zu einem eminent politischen Gedicht gehörten, das vom deutschen Überfall auf Polen handelte. Und auch das hatte gepaßt: In ihrem blauen Blick hatte neben der Hingabe auch Wut gelegen, Wut auf die Feiglinge und Übeltäter dieser Welt. Und so hatte sie ihre flinken, ruhigen Hände und die Schnelligkeit ihres Denkens in den Dienst der Opfer gestellt.

In unregelmäßigen Abständen kamen weitere Anrufe, es waren sonderbare Gespräche, sprunghaft und intensiv, *grand*, sie sprach von Hunger und anderem Leid, dann wieder beschrieb sie mir ihre Stimmung, als hätten wir uns damals, in ihrem Flur, nicht nur mit der Stirn berührt, sondern auch mit den Lippen. Ich nannte ihr die Klinik, an der ich in der Schweiz arbeiten würde, und auch dorthin kamen Anrufe. Als sie mir von den *Médecins sans Frontières* erzählte, hatte ich nachher das Gefühl, auf dem falschen Kontinent zu leben. Und als wir in Kloten aufsetzten, dachte ich: Jetzt bin ich ihr näher. Es war Unsinn, denn sie konnte ja wer weiß wo sein; aber ich dachte es trotzdem. Darüber erschrak ich und warf Leslie neben mir einen verstohlenen Blick zu. Als die Anrufe Jahre später aufhörten, rief ich eines Tages in Paris an und fragte nach ihr. Sie war bei einem ihrer Einsätze tödlich verunglückt. Da wurde mir klar, daß ich die ganze Zeit über ein Leben mit ihr geführt hatte. Die Monate, in denen wir nichts voneinander gehört hatten und in denen ich auch nicht ausdrücklich an sie gedacht hatte, änderten daran nichts. Unser gemeinsames Leben ging weiter, schweigsam, bruchlos und verschwiegen.

Van Vliets Frage vor dem offenen Aufzug hatte mich aus der Fassung gebracht, weil sie mir klargemacht hatte, daß ich dieses verschwiegene Leben mit Liliane immer noch lebte, obwohl ich es schon lange vor niemandem mehr verschweigen mußte. *Un accident mortel*, hatte der Franzose damals am Telefon gesagt. Etwas in mir muß sich geweigert haben, es zur Kenntnis zu nehmen, und so habe ich mit ihr weitergemacht, als lebte sie ihr streunendes Leben weiter, ihr Leben und mein Leben und unser Leben.

Ich dachte an den Abschied von Joanne, den endgültigen Abschied am Flughafen. »*I will say one thing for you, Adrian: You are a loyal man, a truly loyal man.*« Ich weiß nicht, warum, aber es klang wie die Feststellung eines Charakterfehlers, unter dem sie hatte leiden müssen. Ein bißchen, als hätte sie gesagt: ein Mann ohne Phantasie, ein Langweiler. Ich hatte vorgehabt, von der Aussichtsterrasse aus zuzusehen, wie die Frau, mit der ich elf Jahre verheiratet gewesen war, zurück in ihre Heimat flog. Doch die Bemerkung hatte mich verstört, und ich ließ es. Zu Hause suchte ich das Foto von Lilianes Haus mit der verschneiten Treppe heraus.

Ich war in den Kleidern eingeschlafen und fror. Kurz bevor ich aufwachte, sah ich Liliane in den klackenden Clogs über den Kinikflur gehen. Sie kleidete sich jetzt in Batik und badete in Chintz.

Ich duschte, zog etwas anderes an und ging in der Morgendämmerung durch Saint-Rémy. Eine Weile stand ich vor Van Vliets Hotel. Ich machte ein paar Fotos und schlief dann noch ein bißchen, bis es Zeit wurde, ihn abzuholen.

12

DIE LANDSCHAFT DER PROVENCE war in schattenloses, kreidiges Winterlicht getaucht, als wir losfuhren. Jeder Ausschnitt wirkte wie ein riesiges Aquarell in Farben, die waren, als hätte man sie mit Weiß abgemischt. Ich sah die hitzeflimmernden, endlosen Straßen vor mir, auf denen ich mit Joanne und Leslie durch den amerikanischen Westen gefahren war. *Changing skies*, eine Formulierung, die mir sofort gefallen hatte, weil sie die Erfahrung der riesigen Dimensionen, die eine so typisch amerikanische Erfahrung ist, in zwei Worten zum Ausdruck bringt. Ein gebieterisches Licht füllte den hohen Himmel, ein Licht, das nichts als den Augenblick gelten ließ, weder den Gedanken an die Vergangenheit noch an die Zukunft, ein Licht, das blind machte für die Frage, woher man kam und wohin man ging, ein Licht, das alle Fragen nach Sinn und Zusammenhang unter seiner gleißenden Wucht erstickte. Was für ein Unterschied zu dem diskreten Licht an diesem Morgen! Angenehm für die Augen, sanft und nachsichtig, dann aber doch unbarmherzig, weil es allem den falschen Zauber nahm und jede Kleinigkeit, auch jede häßliche, gnadenlos hervortreten ließ, so daß die Dinge sich zeigen konnten, wie sie wirklich waren. Ein Licht wie geschaffen für ruhige, furchtlose, unbestechliche Erkenntnis aller Dinge, seien es fremde oder die eigenen.

Der Kellner im Café von gestern trug die Weste offen, sie hing nachlässig an ihm herunter, und er hatte Zigarettenasche auf dem Hemd. Er hustete. Nein, ich hätte nicht mit ihm tauschen mögen.

In Avignon gab ich den Mietwagen ab. Van Vliet hielt mir seine Autoschlüssel hin. Es war anders als gestern, bei der Pferdekoppel in der Camargue. Dort hatte er gesagt, ihm sei nicht besonders, und man hätte an Übelkeit denken können. Jetzt brauchte er keine Ausrede. Überhaupt brauchte er keine Erklärung. Er gab mir einfach die Schlüssel. Ich war sicher: Er wußte, daß ich wußte, warum. Wieder waren unsere Gedanken verschränkt. Wie gestern, als der Neufundländer ihm die Hand geleckt hatte und wir beide voneinander wußten, daß wir an Leas Hände dachten, die sich vor allem gefürchtet hatten, nur vor Tieren nicht.

Neben uns auf dem Parkplatz stritt sich ein junges Paar, er sprach deutsch, sie französisch, und das Bestehen auf den verschiedenen Sprachen wirkte wie ein Waffengang.

»Mit mir sprach Lea immer deutsch, mit Cécile meistens französisch«, sagte Van Vliet beim Losfahren, »besonders, wenn sie mit ihr gegen mich sprach. Auf diese Weise wurde aus meiner Liebe zu Céciles Französisch ein Haß auf Leas Französisch.«

Lea hatte im Fieber ihrer Fortschritte gelebt. Ihre Triumphe beim Bewältigen technischer Schwierigkeiten jagten sich. Auch die Triller wurden besser. Vater und Tochter lebten jetzt in einer Wohnung, die durch die Brandung der Töne mehr und mehr zu einer neuen Wohnung geworden war, in der über Céciles Abwesenheit immer seltener gesprochen wurde. Lea störte das weniger als den Vater. Ab und zu dann, scheinbar aus heiterem Himmel, wollte Lea alles über ihre Mutter wissen. Van Vliet spürte, daß sie sie mit Marie verglich.

»Ich merkte, daß nichts von dem, was ich sagte, stimmte. Alles falsch. *Merde*. Nach diesen Gesprächen lag ich wach und dachte an unsere erste Begegnung im Kino. Es war kurz nach meiner Promotion. *Un homme et une femme*, mit Jean-Louis Trintignant, der einer Frau wegen im Auto von der Côte d'Azur nach Paris rast, eine ganze Nacht lang. Céciles Parfum neben mir roch, als sei es auch das Parfum der Frau auf der Leinwand. Am nächsten Tag habe ich die Stadt abgesucht, bis ich es hatte. Ein Parfum von Dior. In der Pause blieben wir beide sitzen und schimpften über die Unsitte, einen Film zu unterbrechen, um Eis zu verkaufen. Auf der Straße sahen wir uns einen Moment länger an, als Zufallsbekannte es sonst tun. Wenn ich denke, daß es dieser Moment war, der über alles entschied, auch über Lea, ihr Glück und die Katastrophe, in die es mündete. Das Kino ROYAL an der Laupenstraße. Ein warmer Sommerabend. Ein bißchen Feuchtigkeit auf unseren Augäpfeln. Mein Gott.

›Martijn, der romantische Zyniker!‹ sagte sie, als ich beim nächsten Treffen von Trintignants übernächtigtem Gesicht auf der Fahrt nach Paris sprach und davon, daß er, indem er fuhr und fuhr, alles gegeben hatte, einfach alles. ›Ich dachte nicht, daß es das wirklich *gibt*!‹ Sie sprach meinen Namen französisch aus, das hatte noch niemand getan, und ich mochte es. Aber Zyniker? Ich weiß nicht, warum sie das sagte und ob sie dabei blieb. Ich habe sie nie gefragt; überhaupt habe ich sie viele wichtige Dinge nicht gefragt. Das merkte ich, wenn Lea mit ihren Fragen kam.«

Marie zählte mehr als alle anderen. Auch mehr als der Vater. Nur wenn es mit Marie Unstimmigkeiten gegeben hatte und sie sich verletzt fühlte, wandte sich Lea wieder ihm zu, und dann wollte sie die dampfenden und tropfenden Spaghetti auf dem Tennisschläger sehen.

»Lea wuchs nun schnell, fast sprunghaft, sie wurde erkennbar die Tochter eines großgewachsenen Vaters. Es wurde Zeit für ihre erste ganze Geige. Wir fuhren nach Zürich, nach Luzern und zu einem berühmten Geigenbauer nach St. Gallen. Katharina Walther war verschnupft, weil mir die Auswahl bei Krompholz nicht genügte. Marie fühlte sich übergangen, als wir mit einem Instrument zurückkamen, das wunderbar anzusehen war und noch viel schöner klang. Es kostete ein Vermögen, und als ich in der Bank stand und Aktien mit Verlust verkaufte, fragte ich mich fröstelnd, was ich da tat. Ich spüre noch heute, wie ich die ersten Schritte auf der Straße mit einer Vorsicht tat, als könnte der Asphalt unter mir jederzeit wegbrechen. Etwas in mir war ins Rutschen geraten, doch ich wollte es nicht spüren und nahm mir statt dessen vor, zu Hause ein kleines Fest zu veranstalten.

Wir saßen am Küchentisch, um die Einladungsliste zu machen. Es kam keine Liste zustande. Marie Pasteur bei uns zu Hause? Und gerade jetzt, nach der Verstimmung? Lea preßte die Lippen aufeinander und zeichnete mit dem Finger Muster auf die Tischplatte. Ich war froh darüber. Caroline? Sie kannte unsere Wohnung; aber als Partygast? Andere Mitschüler vielleicht? Die ganze Klasse, zusammen mit dem

Musiklehrer? Ich klappte das Notizbuch zu. Wir hatten keine Freunde.

Ich machte Reis mit Safran, und nach dem schweigsamen Essen ging Lea in ihr Zimmer, um auf der neuen Geige zu üben. Sie hatte einen warmen, goldenen Klang, und nach ein paar Minuten machte es nichts mehr, daß wir keine Freunde hatten.«

Van Vliet erlebte Leas Ehrgeiz, ihren Fanatismus, auch ihre Kälte, wenn ihr jemand im Weg stand. Markus Gerber war längst auf der Strecke geblieben. Ein anderer Junge verliebte sich in die Vierzehnjährige und machte den schrecklichen Fehler, sich zum Geburtstag eine Geige schenken zu lassen. Leas Kommentar war grausam. Bei solchen Gelegenheiten fror der Vater. Doch dann kam sie nach einer verunglückten Stunde bei Marie nach Hause, weinte, schmiegte sich an ihn und war wieder das kleine Mädchen, das hin und wieder sonderbare, ein bißchen unlogische Dinge sagte.

»Dann war da die Sache mit Paganini. Die Griffe, die er verlangt, sind unmenschlich, Lea hat mir gezeigt, wie sie sein müßten. *Il diablo*, wie sie ihn nannten, konnte eine unglaublich große Spanne greifen. Und für solche Hände schrieb er. Lea begann mit Dehnübungen. Marie verbot es ihr. Sie machte heimlich weiter, las Bücher über Niccolò. Erst als Marie ihr ein Ultimatum stellte, hörte sie auf.

Ich wußte, daß es nicht gutgehen konnte, ich wußte es die ganze Zeit. Der Fanatismus. Die Kälte. Die sonderbaren Äußerungen. Ich hätte mit Marie reden sollen. Sie fragen, ob sie nicht auch merkte, wie gefährlich es wurde. Aber ich … *enfin*, es war Marie, ich wollte nicht … Und ich wollte ja auch nicht, daß Leas Töne aus der Wohnung verschwänden, es wäre eine fürchterliche Stille gewesen. Später dann habe ich sie gehört, diese schrecklich Stille, diese Totenstille. Heute abend werde ich sie wieder hören müssen.«

Mit jedem Kilometer kamen wir ihr nun näher, dieser Stille in seiner neuen und – wie er gesagt hatte – kleinen Wohnung, die ich mir, ich weiß nicht warum, schäbig vorstellte, mit einem Treppenhaus voller unangenehmer Gerüche. Unwillkürlich fuhr ich langsamer.

»In der Zeit vor dem ersten Wettbewerb, an dem sie teilnehmen würde, wachte ich in der Morgendämmerung auf und dachte: Ich habe mein eigenes Leben vergessen; seit Loyola de Colón denke ich nur noch an Leas Leben. Unrasiert fuhr ich durch menschenleere Straßen zum Bahnhof. Langsam ging ich die noch unbewegliche Rolltreppe von damals hinunter und versuchte mir vorzustellen, wie es gewesen war, ich zu sein, bevor die Violinmusik die Regie über mein Leben übernommen hatte. Kann man wissen, wie es früher war, wissend, wie es später kam? Kann man es wirklich wissen? Oder ist, was man bekommt, das Spätere, betäubt durch den krampfhaften Gedanken, es sei das Frühere?

Mit dem Aufzug fuhr ich zur Universität hinauf und ging ins Institut, das zu dieser frühen Stunde leer und still war. Ich sah die Post durch und rief die elektronischen Botschaften ab. All das galt einem, der ich war und doch auch nicht mehr war. Zwei eilige Anfragen beantwortete ich knapp, dann schloß ich das Büro ab. Die Titel vor meinem Namen an der Bürotür berührten mich heute morgen besonders lächerlich, geradezu affig. Draußen erwachte die Stadt. Verwirrt stellte ich fest, daß es mich ins Monbijou zog, das Quartier, wo ich in einer Mietskaserne aufgewachsen war. Das vergessene Leben, auf dessen Suche ich war, schien gar nicht mein berufliches Leben zu sein, sondern das Leben davor und dahinter.

Die Mietskaserne sah noch genau so aus wie damals. Dort oben, im dritten Stock, war mein erster Berufswunsch herangereift: Ich wollte Geldfälscher werden. Ich lag auf dem Bett und malte mir aus, was man dazu alles können mußte. Es hatte nichts damit zu tun, daß mein Urgroßvater ein betrügerischer holländischer Banker war, der in die Schweiz flüchtete. Das erfuhr ich erst viel später. Banknoten hatten mich schon als kleiner Junge fasziniert. Daß man im Geschäft für ein Stück farbiges Papier Pralinen bekam, fand ich unglaublich. Ich war maßlos erstaunt, daß man uns nicht nachlief und einsperrte, als wir mit den Pralinen hinausgingen. Ich fand es so unglaublich, daß ich es stets von neuem ausprobieren mußte. Ich begann, aus Mutters Geldschatulle Scheine zu stehlen. Es war verblüffend leicht und ungefährlich, denn sie reiste mit ihren modischen Schnittmustern durchs Land und war selten zu Hause, ebenso selten wie der Vater, der mit pharmazeutischen Produkten bei den Ärzten die Runde machte. Später ging ich in jeden Film, bei dem es ums Fälschen ging, auch das Fälschen von Gemälden. Ich war enttäuscht und voller Groll, als die Zahlgewohnheiten um mich herum immer ungreifbarer wurden. Kaum kannte ich mich mit Computern aus, rächte ich mich mit Plänen für einen elektronischen Bankeinbruch. Es war unglaublich, daß es jetzt nur noch um das klickende Verschieben von Zahlen ging, die gar nicht wirklich existierten. Ich fand das noch unglaublicher als die Sache mit den Pralinen.

Wenn der Vater von seinen Touren als Vertreter zurückkam, war er erschöpft und gereizt. Er hatte keine Kraft und keine Lust, sich mit seinem Jungen zu beschäftigen, einem Kind, das nicht geplant gewesen war. Aber den einen Weg zueinander fanden wir doch: Schach. Da konnte man zusammensitzen und mußte nicht reden. Mein Vater war ein impulsiver Spieler mit brillanten Einfällen, aber ohne das Stehvermögen, sie gegen zäh rechnende Gegner wie mich durchzusetzen. Er verlor immer öfter. Was ich ihm nie vergessen werde, ist, daß er nicht verärgert über seine Niederlagen war, sondern stolz auf meine Siege.

Auch im Krankenhaus spielten wir noch. Ich glaube, er war froh, daß die Hetzerei des Verkäuferdaseins ein Ende hatte, als das Herz nicht mehr mitmachte. Er erlebte gerade noch mein frühes Doktorexamen. Er grinste. ›Dr. Martijn van Vliet. Klingt gut. Klingt sehr gut. Das hätte ich nicht gedacht, daß du das schaffst, wo du ständig in Schachclubs herumhängst.‹ Meine Mutter, deren Schnittmuster aus der Mode gekommen waren, zog in eine kleinere Wohnung. Bevor ich mich nach meinem wöchentlichen Besuch verabschiedete, ging ich mit einer Ausrede in ihr Schlafzimmer und legte ein paar Geldscheine in die Schatulle. ›Aber du brauchst das Geld doch selbst‹, sagte sie hin und wieder. ›Ich drucke es‹, sagte ich. ›Martijn!‹ Sie erlebte noch die Geburt von Lea. ›Daß du jetzt Vater bist!‹ sagte sie. ›Wo du doch immer ein so schrecklicher Einzelgänger warst.‹

Auf der Bundesterrasse spielten zwei Männer Schach mit riesigen Figuren, die ihnen bis zum Knie reichten. Die Partie war in den letzten Zügen. Der alte Mann würde verlieren, wenn er jetzt das Naheliegende tat und den angebotenen Bauern schlug. Unsicher sah er mich an. Ich schüttelte den Kopf. Er zog an dem Bauern vorbei. Der junge Mann, der unseren stummen Austausch beobachtet hatte, fixierte mich. Es ist besser, man tut das mit mir nicht; man kann nur verlieren.

Er verlor die Partie nach fünf Zügen, die ich dem alten

Mann diktierte. Der Alte wäre gerne etwas mit mir trinken gegangen, aber ich war auf der Suche nach meinem Leben und zog weiter über die Kirchenfeldbrücke zu meinem Gymnasium. Die Schüler, die ein Vierteljahrhundert jünger waren als ich, strömten in den Unterricht. Verwirrt stellte ich fest, daß ich mich ausgeschlossen fühlte, als sich die Türen zu den Klassenzimmern schlossen. Wo ich damals doch den Rekord im Schwänzen hielt.

Ich betrat die leere Aula, die nach der gleichen Wichse roch wie damals. Wie viele Simultanturniere hatte ich hier drin gespielt? Ich wußte es nicht mehr. Nur drei Partien hatte ich insgesamt verloren. ›Immer gegen Mädchen‹, sagten sie grinsend, ›und immer mit kurzen Röcken.‹

Am meisten Spaß machte es, gegen Beat Käser zu spielen, Hans Lüthis Intimfeind, bei dem ich Geographie hatte. Käser war ein phantasieloses Individuum mit einem riesigen Unterkiefer, über dem sich die Haut glänzend spannte, und er war für sein Gefühl vor allem das eine: Generalstabsoffizier. Am liebsten hätte er in der Uniform mit Dolch unterrichtet. Geographie bestand für ihn darin, alle Schweizer Pässe auswendig zu kennen. Er rief mich öfter auf als andere: ›Vliet!‹ Darauf reagierte ich grundsätzlich nicht. Natürlich: Wenn einer Käser heißt, ist es bitter, seinen Gegner Van Vliet nennen zu müssen. Wenn er es schließlich tat, sagte ich, der Susten führe unter der Aare durch, oder der Simplon verbinde Kandersteg mit Kandersteg. Auch er verlor jeden Wettkampf der Blicke, und es war ein Fest zu beobachten, wie er jedesmal einfach nicht glauben konnte, daß er schon wieder verloren hatte. Er haßte mich, der Mann, und er haßte mich, glaube ich, besonders wegen meines Rufs, der frechste Hund und der verschlagenste Teufel der Schule zu sein, dem man leider bescheinigen müsse, daß er heller sei als mancher Lehrer. Wenn ich beim Turnier an Käsers Brett vorbeikam, blickte ich ihn nicht an, hob theatralisch die Brauen und zog besonders schnell. Er hat versucht, das Gutachten des Arztes anzufechten, das mir den Militärdienst ersparte. Er hielt die Symptome für simuliert. Was sie auch waren.

Später an diesem Morgen fuhr ich zu Leas Schule. Es war Pause, als ich ankam. Statt, wie ich es vorgehabt hatte, zu ihr zu gehen und ihr zu erklären, warum ich das Haus so früh verlassen hatte, blieb ich in einiger Entfernung stehen und sah ihr zu. Sie stand bei den Fahrrädern und rieb mit der einen Hand gedankenverloren an einer Stange. Heute will es mir vorkommen, als sei dieses ziellose Reiben ein unauffälliger Vorbote der ziellosen Bewegung gewesen, die ich an ihr sah, als ich sie im Hospiz von Saint-Rémy hinter dem Brennholz entdeckte.

Jetzt drehte sie sich um und ging zu einer Gruppe von Schülern, die einem Mädchen mit einem Schopf rabenschwarzen Haars zuhörten. Das Mädchen sah aus, als liebte es Pferde, Lagerfeuer und laute Gitarrenmusik. Eine Jeanne d'Arc im Körper eines kalifornischen Collegegirls. Klara Kalbermatten aus Saas Fee. Sie konnte ihr Mountainbike mit einem Finger stemmen, und auch sonst wirkte sie, als sei sie allem gewachsen. Doch sie hatte diesen einen Schwachpunkt: ihren Namen. Oder besser: den Haß auf ihren Namen. Sie wollte *Lilli* genannt werden, Lilli und sonst nichts, und wenn jemand sich nicht daran hielt, so nahm sie das als eine Kriegserklärung.

Es gab einen grellen, unversöhnlichen Kontrast zwischen den beiden heranwachsenden Mädchen, der auf unterschiedliche Weise zum Ausdruck kam: Hier Lillis sonnengegerbte, vor Gesundheit strotzende Haut; dort Leas alabasterner Teint, der sie leicht kränklich aussehen ließ. Hier Lillis sportliche Art, sich zu bewegen, die jeden Moment einen Hüftschwung erwarten ließ; dort Leas linkische Art zu stehen und zu gehen, die den Eindruck erwecken konnte, sie habe vergessen, wo sie ihre Glieder gelassen hatte. Hier Lillis gerader, stahlblauer Blick, bei dem die Lider stillstanden und der die Unversöhnlichkeit einer rechten Geraden hatte; dort Leas dunkler, verschleierter Blick, der aus dem Schatten ihrer langen Wimpern heraus wirkte. Hier die robuste, bronzene, gewöhnliche Schönheit einer surfenden Bergkönigin; dort die bleiche, adlige, zerbrechliche Schönheit einer am Abgrund balancierenden Tonfee. Lilli würde immer kämpfen, als wäre High Noon auf einer staubigen, sonnendurchglühten Main Street; Lea würde vorgeben, den Kampf gar nicht anzunehmen, um dann mit einem blitzschnellen, tückischen Manöver aus dem schattigen Hinterhalt heraus alles klarzumachen. Oder war das viel zu sehr meine eigene, miese Art? Würde sie Klara Kalbermatten nicht eher mit Céciles Eleganz als mit meiner Verschlagenheit bekämpfen? Mit den Stichen eines unsichtbaren Floretts?

In den nächsten Stunden ging ich bei den Adressen vorbei, an denen ich als Student gewohnt hatte, und stand lange vor den Räumen des alten Schachclubs, den es nicht mehr gibt. Einen Teil meines Studiums hatte ich mir hier drin verdient. Martijn der Blindgänger, Martijn die Blindschleiche nannten sie mich, weil ich oft blind gegen mehrere Gegner spielte und die Hälfte des Eintritts kassierte.

Einmal, ein einziges Mal, erlitt ich einen fatalen Zusammenbruch des Gedächtnisses und verlor alle Partien des Abends. Daraufhin spielte ich ein halbes Jahr nicht mehr. Öfter als sonst ging ich abends bei den Eltern vorbei. Sie waren so schrecklich, so rührend stolz darauf, einen Sohn zu haben, der studierte und das Leben mit bravouröser Selbständigkeit meisterte. Und ich wünschte mir sehnlichst, sie möchten das alles einmal vergessen und starke, beschützende Eltern für einen schwachen, trudelnden Sohn sein, einen Abend lang, einen einzigen Abend nur. Die warnenden Briefe aus der Schule hatte ich stets abgefangen, als Schlüsselkind hat man Macht über den Briefkasten. Woher sollten sie wissen, daß nicht alles war, wie es schien?

Es war inzwischen früher Nachmittag. Lea würde bald nach Hause kommen, und ich hätte dasein sollen. Doch ich wollte ins Kino, ich wollte auch diese Wiederholung des Vergangenen: mich am frühen Nachmittag bei strahlendem Wetter zur ersten Vorstellung in den dunklen Kinosaal setzen und das Gefühl genießen, das zu tun, was niemand sonst tat.«

Ich sah Tom Courtenay laufen und triumphierend vor der Ziellinie auf dem Boden sitzen, mittags, nachmittags und in der Spätvorstellung.

»Ich sah nichts von dem Film. Zuerst dachte ich, es sei, weil Lea nun eine leere Wohnung vorfand, wie am Morgen schon. Doch langsam dämmerte mir, daß es um etwas Größeres ging: Ich stellte mir vor, wie es wäre, wenn es Lea gar nicht gäbe. Wenn ich nicht für sie sorgen müßte. Nicht kochen. Kein erneutes Ekzem befürchten. Kein Üben hören. Kein Lampenfieber. Ich stellte mir vor, eine Nacht durchzufahren und dann vor Marie Pasteurs Tür zu stehen. Ich rannte aus dem Kino und fuhr nach Hause.«

13

BEI VALENCE FUHREN WIR auf einen Parkplatz, damit ich mir die Beine vertreten konnte. Ein eisiger Mistral blies das Rhônetal herunter. Ans Reden war nicht zu denken. Wir standen da mit flatternden Hosen, den schneidenden Wind im Gesicht, das vor kalter Trockenheit zu brennen begann. »Können wir in Genf Pause machen?« hatte Van Vliet vorhin gefragt. »Ich möchte in eine Buchhandlung. Payot in Bern gibt es ja schon lange nicht mehr.«

Er wollte den Augenblick hinauszögern, in dem er seine Wohnung betreten und die Stille hören mußte, die Abwesenheit von Leas Tönen. »Die Stille, sie ist mir dahin gefolgt«, hatte er über die neue Wohnung gesagt.

Es gab, dachte ich, einen praktischen Grund für den Umzug: Er lebte jetzt allein. Vielleicht hatte er auch versucht, der Vergangenheit zu entfliehen. Und doch hatte da etwas in seiner Stimme gelegen, ein Ressentiment, als habe ihn jemand gezwungen, in die kleinere Wohnung zu wechseln. Als gäbe es eine Instanz, die Macht über ihn ausübte. Es mußte eine mächtige Instanz sein, dachte ich. Van Vliet war kein Mann, den man ohne weiteres aus seiner Wohnung vertrieb.

»Es gab diesen Musiklehrer«, sagte er, als wir weiterfuhren. »Josef Valentin. Ein unscheinbarer, fast unsichtbarer Mann. Klein, mausgraue Anzüge, Weste, farblose Krawatten. Schütteres Haar. Nur die Augen waren besonders: dunkelbraun, stets irgendwie erstaunt blickend, konzentriert. Und er trug einen zu großen Siegelring, über den alle spotteten, weil er so überhaupt nicht zu ihm paßte. Die Schüler nannten ihn Joe – ein unmöglicher Name für ihn, und deshalb nannten sie ihn so. Wenn er auf dem Podest stand und das Schülerorchester dirigierte, war er stets in Gefahr, lächerlich zu wirken, er war einfach zu klein und zu dürr, jede Bewegung wirkte, als protestierte er gegen seine Unscheinbarkeit. Doch wenn er ans Klavier ging, wich das Gekicher respektvoller Stille. Dann waren die Hände so flink und kraftvoll, daß sogar der Ring gerechtfertigt erschien.

Er liebte Lea. Liebte sie mit seinem ganzen scheuen Wesen, das sich nur in der Musik nach außen traute. Alter Mann liebt schönes Mädchen – irgendwie war es das natürlich, und dann auch wieder nicht. Er trat ihr nie zu nahe, im Gegenteil, er wich zurück, wenn sie erschien, es war ein Abstand der Bewunderung und der Unberührbarkeit, und ich glaube, er hätte sich vergessen können, wenn er hätte zusehen müssen, wie jemand Lea bedrängte. ›Er nennt Lilli Fräulein Kalbermatten‹, erzählte Lea. ›Ich habe das Gefühl, er tut es meinetwegen.‹ Nach der Maturität sprach sie manchmal von ihm. Dann konnte man spüren, daß sie seine berührungslose Zuneigung und Bewunderung vermißte.

Er und Marie mochten sich nicht. Keine Feindschaft. Doch sie vermieden es, sich bei den Schulkonzerten zu begrüßen. Wenn beide im Raum waren, konnte man sehen, daß sie dachten: Es wäre besser, wenn es den anderen nicht gäbe.

Lea steigerte sich von Schulkonzert zu Schulkonzert. Einen Fehler wie beim Rondo machte sie nie mehr. An den roten Flecken am Hals vor dem Auftritt änderte sich nichts, und in den Pausen wischte sie sich unweigerlich die Hand am Kleid ab. Aber ihre Sicherheit wuchs. Trotzdem litt und zitterte ich bei jeder schwierigen Stelle, ich kannte sie ja alle von zu Hause.

Mit sechzehn spielte sie mit dem Schülerorchester das

E-Dur-Violinkonzert von Bach. Von den Proben erzählte sie mit verkniffenem Mund. Das Mädchen, das im Orchester die erste Geige spielte, war zwei Jahre älter als Lea. Sie sprach von sich als der ›Konzertmeisterin‹ und konnte es kaum ertragen, daß Lea die Solistin war. Ihr Instrument klang weniger gut als Leas. Als sie mir nach dem Konzert gegenüberstand, sah sie mich mit einem Blick an, der sagte: Es ist doch nur, weil Sie die Kohle hatten, ihr dieses Instrument zu kaufen.

Es gab zwei kleine Patzer in Leas Spiel, die Marie zusammenfahren ließen. Trotzdem war es ein glanzvoller Auftritt mit donnerndem Applaus und Stampfen. Marie hatte Tränen in den Augen und faßte mich am Arm, wie sie es noch nie getan hatte. Jemand machte ein Foto von Lea im langen, roten Kleid, das sie mit Marie ausgesucht hatte. «Van Vliet schluckte.» Es ist eines der Bilder, von denen ich am Ende nicht wußte, ob ich sie wegwerfen, zerreißen oder nur wegschließen sollte.«

Bevor wir bei Lyon nach Genf abbogen, sagte Van Vliet in die Stille hinein: »Joe meldete Lea für den Wettbewerb in St. Moritz an. Hätte er das nur nicht getan. *Hätte er es nur nicht getan*!«

14

DIE BEIDEN LETZTEN WOCHEN vor dem Wettbewerb, erzählte er, bekam Lea in der Schule frei. Die meiste Zeit verbrachte sie bei Marie, die alle anderen Stunden abgesagt hatte. Sie probten eine Sonate von Bach. Immer wieder hörten sie sich an, wie Yitzhak Perlman sie spielte. Manchmal arbeiteten sie bis tief in die Nacht hinein, und dann blieb Lea bei Marie. »Seine Stradivari – dagegen hat man keine Chance«, muß sie einmal über Perlmans Geige gesagt haben. Es müssen Worte gewesen sein, die in Van Vliet nachhallten.

Er träumte, das Ekzem sei wiedergekommen, und manchmal wachte er schweißnaß auf, weil er Lea auf der Bühne vor sich sah, wie sie sich vergeblich an die nächsten Takte zu erinnern versuchte.

»Wir trafen zwei Tage vor Beginn des Wettbewerbs in St. Moritz ein. Es war Ende Januar, und es schneite unaufhörlich. Leas Zimmer lag zwischen dem von Marie und meinem. Im Ballsaal des Hotels waren sie gerade mit dem Aufbau der Technik fertig geworden. Wir erschraken, als wir die Fernsehkameras sahen. Lea ging auf die Bühne und blieb lange dort stehen. Ab und zu wischte sie sich die Hände am Kleid ab. Sie möchte jetzt üben, sagte sie nachher, und dann ging sie mit Marie nach oben.

Ich kann den Schnee von damals noch heute auf meinem Gesicht spüren. Er hat mir geholfen, diese Tage zu überstehen. Ich mietete Langlaufskier und war stundenlang unterwegs. Cécile und ich hatten das oft gemacht. Schweigend hatten wir nebeneinander unsere Spur durch den hohen Schnee gezogen, abseits von den üblichen Routen. Es war auf einer dieser Touren, daß wir das erste Mal über Kinder sprachen.

Kinder kämen für mich nicht in Frage, sagte ich. Cécile blieb stehen. ›Aber warum denn nur?‹

Ich war seit langem auf die Frage vorbereitet. Die Hände auf die Stöcke gestützt, den Kopf gesenkt, sprach ich die Sätze aus, die ich mir zurechtgelegt hatte.

›Ich will diese Verantwortung nicht. Ich weiß nicht, wie

das geht: die Verantwortung für jemanden übernehmen. Ich weiß es doch nicht einmal bei mir selbst.‹

Über solche Sätze bin ich nie hinausgelangt. Ich weiß bis heute nicht, was Cécile mit den Sätzen gemacht hat. Ob sie sie verstanden hat; ob sie sie ernst genommen hat. Als sie mir ein gutes Jahr nach der Hochzeit sagte, Lea sei unterwegs, erschrak ich bis ins Mark. Aber sie war zu meinem Anker geworden, und ich wollte sie nicht verlieren.

Es war neun Jahre her, daß ich die Tür zu ihrem Krankenzimmer zum letzten Mal geschlossen hatte, leise, als könne sie es noch hören. ›Du mußt mir versprechen, daß du gut auf Lea …‹, hatte sie am Tag zuvor gesagt. ›Ja‹, hatte ich sie unterbrochen, ›ja, natürlich.‹ Danach tat es mir leid, daß ich sie nicht hatte ausreden lassen. Auch jetzt, als der aufkommende Wind mir die Schneeflocken ins Gesicht trieb, würgte es mich. In halsbrecherischem Tempo glitt ich zurück ins Hotel.

Bei ihrem ersten Auftritt war das Lampenfieber etwas gewesen, das Lea zugestoßen war wie eine Krankheit, gegen die man nichts tun kann. In den sechs Jahren, die inzwischen vergangen waren, hatte sie gelernt, es zu überlisten, indem sie sich, wenn ein Auftritt nahte, viele andere Dinge vornahm, die sie in Atem hielten. Und wenn es darum ging, daß sie in der Schule spielte, half es ihr zu meiner Verwunderung, wenn Klara Kalbermatten mit ihrer Gefolgschaft im Publikum saß. Lilli war wütend über den Glanz, den Lea einer Feier zu geben vermochte. Zwar gewann sie jedes Rennen auf der Aschenbahn und im Schwimmbecken; aber sie spürte, daß das als Gegengewicht nicht genügte. Lea wußte das, und wenn sie sah, wie Lilli sich in der ersten Reihe in abgerissener Kleidung hinfläzte, verlor sie alle Scheu, genoß die Situation und bewältigte alle technischen Schwierigkeiten, als seien sie nicht vorhanden.

In St. Moritz war alles anders. Wenn sie diesen Wettbewerb gewann, konnte sie an eine Karriere als Solistin denken. Ich war gegen eine solche Karriere. Ich wollte nicht zusehen müssen, wie Lea vom Lampenfieber, vom Ärger über Presseberichte und von der Angst um die feuchten Hände aufgefressen wurde. Vor allem aber wollte ich nicht jedesmal um ihr Gedächtnis zittern müssen. Und es gab Grund für solches Zittern. Es war seit dem Fehler beim Rondo nie etwas Schwerwiegendes geschehen, nichts, das man mit meinem Zusammenbruch beim Schach hätte vergleichen können. Die Töne waren nie von einem plötzlichen Vergessen verschluckt worden, die Finger waren nie erstarrt, weil sie nicht wußten, wohin sie als nächstes gleiten sollten. Einmal aber, als sie eine Sonate von Mozart spielte, hatte sie mit dem dritten vor dem zweiten Satz begonnen, und einmal schien es, als wähnte sie sich schon nach dem zweiten am Ende. Joe am Flügel hatte sich wunderbar in der Gewalt und nahm dem Versehen durch ein warmes, väterliches Lächeln die Peinlichkeit. ›Pardon‹, hatte Lea gesagt. Ich hatte davon geträumt, und ich wollte es nie wieder hören, dieses ›Pardon‹. Nie wieder.

Im Speisesaal des Hotels saßen unter Kronleuchtern alle zehn Teilnehmer des Wettbewerbs und taten, als nähmen sie keine Notiz voneinander. Zwischen den zehn Tischen gab es große Abstände, und diejenigen, die am Tag darauf versuchen würden, sich mit ihren Geigen zu übertrumpfen, sprachen, wie ich fand, übertrieben lebhaft und eifrig mit ihren Betreuern, als wollten sie demonstrieren, daß sie die Gegenwart der Konkurrenten in keiner Weise beschäftigte.

Lea schwieg und warf hin und wieder einen Blick hinüber

zu den anderen Tischen. Sie trug das hochgeschlossene schwarze Kleid, das sie mit Marie gekauft hatte, während ich im Schnee unterwegs war. Es war das Kleid, das sie auch bei ihrem Auftritt tragen würde. Der hohe Kragen würde die roten Flecke der Aufregung am Hals verdecken. Lea hatte die Flecke plötzlich nicht mehr ertragen, und da hatten sie das vorgesehene, schulterfreie Kleid hängen lassen und waren auf die Suche nach etwas anderem gegangen. Das neue Kleid gab ihrem Kopf mit dem aufgesteckten Haar etwas nonnenhaft Strenges, das mich an Marie Curie erinnerte.

Wir waren die ersten, die den Speisesaal verließen. Als Lea die Tür ihres Zimmers hinter sich geschlossen hatte, stand ich mit Marie im Flur. Es war das erste Mal, daß ich sie rauchen sah.

›Sie möchten nicht, daß Lea gewinnt‹, sagte sie.

Ich fuhr zusammen, als hätte man mich beim Stehlen ertappt.

›Bin ich so leicht zu erraten?‹

›Nur wenn es um Lea geht‹, sagte sie lächelnd.

Ich hätte sie gerne gefragt, was sie sich wünschte und was sie über Leas Chancen dachte. Überhaupt hätte ich sie vieles fragen mögen. Sie muß es mir angesehen haben, denn sie hob die Augenbrauen.

›Also dann bis morgen‹, sagte ich und ging.

Vom Fenster meines Zimmers aus blickte ich über das nächtliche, verschneite St. Moritz. Aus Leas Zimmer neben mir kam noch Licht. Ich wiederholte die Sätze, die ich zu Cécile über Verantwortung gesagt hatte. Ich hatte keine Ahnung, was richtig war. Es begann bereits zu dämmern, als ich endlich einschlief.«

15

ALS WIR AUF GENF ZUFUHREN, setzte unter dunklen Wolken die frühe Dämmerung ein. Van Vliet war eingeschlafen, den Kopf mir zugewandt. Er roch nach Alkohol und Tabak. Während er über Leas Auftritt in St. Moritz erzählte, hatte er den Flachmann hervorgeholt und eine Zigarette an der Glut der vorherigen angezündet. In meinem eigenen Auto darf niemand rauchen, ich vertrage das nicht. Und besonders schlimm ist es, wenn ich wenig geschlafen habe. Ich bekam kaum mehr Luft und roch bereits den Rauch in den Kleidern. Doch jetzt machte es nichts. Irgendwie machte es nichts.

Ich sah ihn an. Er hatte sich heute morgen nicht rasiert, und er trug dasselbe Hemd, an dessen Kragen er gestern gerissen hatte, als er auf die Touristen schimpfte, die Van Goghs Zimmer im Hospiz sehen wollten. Ein ungebügeltes, tausendmal gewaschenes Hemd von undefinierbarer Farbe, die drei obersten Knöpfe offen. Eine zerknitterte schwarze Jacke. Er atmete durch Mund und Nase gleichzeitig, und ein leises Rasseln begleitete die Atemzüge, die ihm Mühe zu machen schienen.

Mit geschlossenen Augen sah er schutzbedürftig aus. Gar nicht wie einer, der hatte Geldfälscher werden wollen und der auf der Bundesterrasse einen Schachgegner vernichtet hatte, weil der es wagte, ihn zu fixieren. Eher schon wie einer, der Ruth Adamek gefürchtet hatte, obwohl er das nie zugeben würde. Und vor allem wie einer, der nicht die Verantwortung für ein Kind hatte übernehmen wollen, weil er das Gefühl hatte, die Verantwortung nicht einmal für sich selbst übernehmen zu können. Und wie einer, den die Worte von Dr. Meridjen wie Peitschenhiebe getroffen hatten, so daß er von ihm nur noch als dem *Maghrebiner* sprechen konnte.

Ich versuchte, mir Tom Courtenay schlafend vorzustellen, und fragte mich, wie es wäre, wenn er mit einer Tochter zusammenwohnte, die von einer bedrohlichen Leidenschaft für das Violinspiel aufgezehrt wurde. Van Vliet waren darüber alle Gewißheiten abhanden gekommen. »Selbst im Labor schien ich mich immer weniger auszukennen«, hatte er gesagt.

Die Kandidaten im Wettbewerb hatten in alphabetischer Reihenfolge gespielt. Das bedeutete, daß Lea als Vorletzte drankam.

»Sie war bleich und ihr Lächeln brüchig, als sie sich mit uns an den Frühstückstisch setzte. Niemand wurde gezwungen, sich die Konkurrenten anzuhören, aber Lea winkte unwirsch ab, als ich vorschlug, statt dessen einen Spaziergang zu machen. Von mir ließ sie sich an diesem Tag nichts sagen, und einmal ertappte ich mich bei der Vorstellung, das Hotel ohne Erklärung zu verlassen, nach Kloten zu fahren und in die nächstbeste Maschine zu steigen. In Wirklichkeit saß ich jede Minute neben ihr, wenn die Lichter über den Zuhörern ausgegangen waren. Wir wechselten kein einziges Wort und sahen uns auch nicht an, und doch wußte ich in jeder Sekunde, was Lea dachte. Ich hörte es an ihrem Atem und spürte es an der Art und Weise, wie sie dasaß und sich auf dem Stuhl bewegte. Es waren Stunden der Qual und zugleich Stunden, in denen ich glücklich über die Nähe war, die durch dieses wortlose Entziffern ihres Inneren geschaffen wurde.

Das Spiel der beiden ersten Kandidaten war steif und nichtssagend. Ich spürte, wie Lea sich entspannte. Ich war froh darüber, es zu spüren. Doch im Nachhall erschrak ich über die Grausamkeit, die sich hinter dieser Entspannung verbarg. Von nun an waren es widerstreitende Empfindungen dieser Art, die mich ausfüllten. Die Schwächen der anderen bedeuteten Hoffnung, und die Erleichterung, die in Leas tiefen Atemzügen hörbar wurde, bedeutete Grausamkeit.

Wie war es, wenn ich am Brett gegen jemanden spielte, bei einer Gelegenheit, wo es darauf ankam? Ich sah meinen Vater vor mir, wie er mit seiner altersfleckigen Hand die Figuren zog. ›Wie machst du das bloß‹, seufzte er mit gespielter Resignation, wenn er sah, daß die Niederlage nicht mehr abzuwenden war. Einmal, als ich die eigene Niederlage kommen sah und den König liegend kapitulieren ließ, griff er schnell und heftig nach der Figur und richtete sie auf. Er war nicht der Mann, der so etwas erklären konnte. Aber sein Gesicht sah auf einmal weiß und kantig aus, wie in Marmor geschnitten, und da begriff ich, daß sich hinter seiner Müdigkeit und seinem Überdruß ein unbeugsamer Stolz verbarg. Auf seine schweigsame, erschöpfte Art hatte er mich gelehrt, wie es ist, gewinnen zu wollen, ohne daß dieser Wille die Bereitschaft zur Grausamkeit einschließt. Mehr als zwanzig Jahre waren vergangen, daß er mir im Krankenzimmer zum letzten Mal die Hand gegeben und sie fester gedrückt hatte als sonst, als habe er gespürt, daß er in der Nacht sterben würde.

Noch nie hatte ich ihn, dem ich wortlos – auch innerlich wortlos – übelgenommen hatte, nie dagewesen zu sein, so vermißt wie in diesem Augenblick, als ich neben meiner Tochter saß, die angespannt auf das Versagen der anderen hoffte. Wie gibt man Erfahrungen an sein Kind weiter? Was macht man, wenn man eine Grausamkeit an ihm entdeckt, die einen erschreckt?

Zwei der fünf Kandidaten, die am Vormittag gespielt hatten, waren nicht zum Mittagessen erschienen. Die drei anderen beugten sich scheu und wortlos über ihre Teller. Sie mußten gemerkt haben, daß ihnen kein glanzvolles Spiel gelungen war, und nun mußten sie die Blicke der anderen aushalten, die es auch gehört hatten. Ich sah vom einen zum anderen. Kinder, die wie Erwachsene gespielt hatten und nun wie Kinder ihre Suppe löffelten. Mein Gott, dachte ich, wie grausam.

Die Eltern wußten auch, daß es nicht gereicht hatte. Eine Mutter fuhr der Tochter übers Haar, ein Vater legte dem Sohn die Hand auf die Schulter. Und dann, ganz plötzlich, wurde mir klar, daß es *immer* grausam ist, wenn die Blicke der anderen auf uns ruhen; selbst wenn es wohlwollende Blicke sind. Sie machen Darsteller aus uns. Wir dürfen nicht mehr bei uns selbst sein, wir müssen für die anderen da sein, die uns von uns selbst wegführen. Und das Schlimmste: Wir müssen vorgeben, ein ganz Bestimmter zu sein. Die anderen erwarten das. Dabei *sind* wir es vielleicht gar nicht. Vielleicht läge uns gerade daran, *kein* Bestimmter zu sein und uns in einer wohltuenden Vagheit zu verstecken.«

Ich dachte an Pauls fassungslosen Blick über dem Mundschutz, der mich in mir selbst hatte schrumpfen lassen. Und an das Gesicht der Schwester, die den Blick niedergeschlagen hatte. Daß sie es nicht ertragen hatte, mich im Augenblick der Schwäche anzusehen, war noch schlimmer gewesen als Pauls Entsetzen.

»Der Nachmittag begann mit einer Überraschung. Ein Mädchen mit dem märchenhaften Namen Solvejg betrat die Bühne. Ihr sommersprossiges Gesicht schien kein Lächeln zu kennen. Das Kleid hing an ihr herunter wie ein Sack, und die Arme waren zum Erbarmen dünn. Unwillkürlich erwartete ich einen kraftlosen Strich und einen dünnen Klang, der uns peinlich berühren würde.

Und dann diese Explosion! Ein russischer Komponist, ich kannte den Namen nicht. Ein Feuerwerk mit atemberaubenden Lagenwechseln, Glissandi und Doppelgriffen. Das Haar des Mädchens, das ungewaschen und strähnig ausgesehen hatte, flog plötzlich, die Augen sprühten, und der schmächtige Körper folgte geschmeidig der musikalischen Spannung. Es herrschte vollkommene Stille. Der Beifall übertraf alles, was wir vormittags gehört hatten. Jedem war klar: Der Wettbewerb hatte eben erst begonnen.

Lea hatte regungslos dagesessen. Ich hatte sie nicht atmen hören. Ich sah Marie an. Ja, schien ihr Blick zu sagen, daran wird sie gemessen werden. Lea hatte die Augen geschlossen. Langsam rieb sie die Daumen aneinander. Ich spürte den Impuls, ihr übers Haar zu fahren und den Arm um die Schulter zu legen. Wann hatte ich damit begonnen, solche Impulse zu unterdrücken? Wann eigentlich hatte ich sie das letzte Mal umarmt, meine Tochter?

Noch zwei Kandidaten, bis sie an der Reihe war. Das Mädchen stolperte über den Saum des Kleids, der Junge wischte sich stets von neuem die Hand an der Hose ab, auf dem bleichen Gesicht sah man die Angst, die feuchten Finger könnten auf den Saiten ausgleiten. Lea entspannte sich. Marie schlug die Beine übereinander. Als der Junge zu spielen begann, ging ich hinaus.

Ich hatte, als ich aufstand, weder Lea noch Marie angesehen. Es gab nichts zu erklären. Es war eine Flucht. Eine Flucht vor der Beklommenheit dieser Kinder, denen irgend jemand weisgemacht hatte, es sei wichtig, hierherzufahren und sich den Blicken und Ohren der Konkurrenten und Preisrichter auszusetzen. Der Älteste war zwanzig, die Jüngste sechzehn. JEUNESSE MUSICALE, die Stadt war voll mit diesen Lettern, die schön und friedlich aussahen, goldene Tünche über lauernder Angst, würgendem Ehrgeiz und feuchten Händen. Abseits der Straße stapfte ich durch den hohen Schnee. Als ich in der Ferne eine Reihe wartender Taxis sah, dachte ich erneut an Kloten. Lea würde von der Bühne aus meinen leeren Platz sehen. Ich kühlte mir das Gesicht mit Schnee. Als ich eine halbe Stunde später mit nassen Hosenbeinen den Saal betrat, war Lea bereits im Warteraum. Marie sagte nichts, als ich mich setzte.«

16

»SECHS JAHRE WAR ES HER, daß ich in der Aula der Schule gesessen und Lea das erste Mal auf der Bühne gesehen hatte. Geht es allen so, daß eine große Angst sich niemals auflöst, sondern nur hinter der Kulisse verschwindet, um später einmal wieder hervorzutreten, ungebrochen in ihrer Macht? Geht es Ihnen auch so? Und warum ist es mit Freude, Hoffnung und Glück anders? Warum sind die Schatten so viel mächtiger als das Licht? Können Sie mir das, verdammt noch mal, erklären?«

Sein Blick sollte, glaube ich, voller Ironie sein – der Blick von einem, der auch seiner Trauer und Verzweiflung gegenüber noch Abstand wahren konnte. Ein Blick wie vor dem offenen Aufzug gestern abend. Ein Blick wie der von Tom Courtenay, als er der einzige blieb, den an den Besuchstagen niemand besuchte. Doch Van Vliet fehlte die Kraft, und es wurde ein Blick voller Schmerz und Unverständnis, der Blick eines Jungen, der in den Augen des Vaters nach Halt sucht. Als sei ich einer, bei dem ein solcher Blick gut aufgehoben ist.

»Du bist so stark in deinem weißen Kittel«, hatte Leslie einmal gesagt, »und doch kann man sich an dir nicht festhalten.«

Ich war froh, daß eine Schranke kam und ich nach Geld für die Autobahngebühr suchen mußte. Als wir weiterfuhren, klang Van Vliets Stimme wieder sicherer.

»Als die Lichter ausgingen und Lea auf die Bühne trat, machte Marie im Dunkeln mit dem Daumen das Zeichen des Kreuzes. Vielleicht war es nur Einbildung, aber die Stille schien noch vollkommener zu sein als vor dem Spiel der anderen. Es war die Stille eines Kreuzgangs, dachte ich, eines unsichtbar belagerten Kreuzgangs. Vielleicht dachte ich es auch, weil Lea in dem hochgeschlossenen schwarzen Kleid und mit dem aufgesteckten Haar wie eine Novizin aussah, ein Mädchen, das alles hinter sich gelassen und sich ganz der heiligen Messe der Töne verschrieben hatte.

Langsamer, als ich es von ihr kannte, legte sie das weiße Tuch über die Kinnstütze der Geige, prüfte, korrigierte, prüfte noch einmal. Die Sekunden dehnten sich. Ich dachte an das Rondo und an Leas Äußerung, sie hätte die Geige am liebsten ins Publikum geschleudert. Jetzt prüfte sie noch einmal die Spannung des Bogens, dann schloß sie die Augen, setzte den ersten Griff und führte den Bogen an die Saiten. Das Licht der Scheinwerfer schien noch eine Spur heller zu werden. Was jetzt kam, würde über Leas Zukunft entscheiden. Ich vergaß zu atmen.

Daß meine Tochter solche Musik spielen konnte! Eine

Musik von solcher Reinheit, Wärme und Tiefe! Ich suchte nach einem Wort, und nach einer Weile kam es: *sakral*. Sie spielte die Sonate von Bach, als baute sie mit jedem einzelnen Ton an einem Heiligtum. Entsprechend makellos waren die Töne: Sicher, rein und unverrückbar durchschnitten sie die Stille, die, je länger das Spiel dauerte, noch größer und tiefer zu werden schien. Ich dachte an die Klänge von Loyola de Colón im Bahnhof, an Leas erste, kratzende Töne in unserer Wohnung, an die Sicherheit, die Maries Töne bei der ersten Begegnung gehabt hatten. Marie wischte sich mit einem Taschentuch den Schweiß aus dem Gesicht. Ich roch ihr Parfum und spürte die Wärme ihres Körpers. Sie war es, die aus meiner kleinen Tochter eine Frau gemacht hatte, die den Ballsaal des Hotels mit dieser überwältigenden Schönheit zu füllen verstand. Für einen Augenblick nahm ich ihre Hand, und sie erwiderte meinen Druck.«

Van Vliet trank. Ein paar Tropfen rannen ihm übers Kinn. Es mag sonderbar klingen, aber diese Tropfen, dieses Zeichen mangelnder Kontrolle, ließen mich zum voraus spüren, wie schrecklich der Absturz gewesen sein mußte, der von jenem glanzvollen Augenblick im Ballsaal von St. Moritz bis zu Leas Aufenthalt im Hospiz von Saint-Rémy führte, wo Van Vliet seine Tochter hinter dem Stoß von Brennholz gesehen hatte, wie sie gedankenverloren mit dem Daumen die Kuppe des Zeigefingers entlangfuhr. *Elle est brisée dans son âme*, hatte der Arzt gesagt. Der Maghrebiner.

»Wie gesagt: sakral«, fuhr Van Vliet jetzt fort und schwieg dann wieder eine Weile. »Später, als ich mehr wußte, habe ich manchmal gedacht: Sie hatte gespielt, als baute sie sich eine imaginäre Kathedrale aus Tönen, in der sie einmal geborgen sein könnte, wenn sie das Leben nicht mehr ertrüge.

Vor allem auf der Reise nach Cremona habe ich das gedacht. Und dann habe ich dort im Dom gesessen, als sei er jene imaginäre Kathedrale.« Er schluckte. »Es war schön, diese Verrücktheit zu denken, immer wieder, morgens und nachmittags und abends. Es war, als könnte ich dadurch Verbindung aufnehmen zu der absonderlichen Art und Weise, in der Lea inzwischen dachte und fühlte. Manchmal nämlich, in einer verborgenen und verschlossenen Kammer meines Inneren, habe ich Lea um den Eigensinn beneidet, der sie von allem Gewöhnlichen und Vernünftigen wegführte. Im Traum war ich einmal mit ihr hinter dem Brennholz in Saint-Rémy. Die Konturen aller Dinge, auch die unseren, verliefen und lösten sich auf wie auf einem Aquarell aus blassen, zu stark verdünnten Farben. Es war ein kostbarer Traum, den ich bis weit in den Tag hinein festzuhalten versuchte.«

Und das war der Mann, dachte ich, den die Bücher über Marie Curie und Louis Pasteur gerettet hatten, der Mann, den sein wissenschaftlicher, algorithmischer Verstand zum jüngsten Professor an der Berner Hochschule gemacht hatte.

»Lea verbeugte sich. Ich dachte an ihre erste Verbeugung zurück, damals nach dem Rondo. Ich habe Ihnen erzählt, was mich daran beunruhigt hatte: Sie hatte sich verbeugt, als hätte die Welt gar keine andere *Wahl*, als ihr zuzujubeln; als könnte sie den Applaus *einfordern*. Die junge Frau, die an die Stelle des kleinen Mädchens getreten war, forderte dasselbe. Doch jetzt kam es mir viel gefährlicher vor als damals: Dem kleinen Mädchen, dachte ich, hätte man irgendwie erklären können, daß Zuhörer ihr eigenes Urteil hatten; der siebzehnjährigen Lea, wie sie dort auf der Bühne des Ballsaals stand, hätte das niemand erklären können, schlechterdings niemand.

War der Beifall lauter und länger als bei Solvejg? Ich wußte, daß Lea, während sie ihre knappen, fast herrischen Verbeugungen machte, die dennoch etwas Linkisches hatten,
nur an diese eine Frage würde denken können. Daß sie jede
einzelne Sekunde in der bangen Hoffnung durchlebte, der
Applaus möge unvermindert auch noch in die nächste
Sekunde hineinreichen und auch danach weitergehen, Sekunde für Sekunde, bis ganz klar wäre, daß er das lange, en-
thusiastische Klatschen nach dem Vortrag von Solvejg über-
troffen hatte.

Das war es, was ich von meiner Tochter gern ferngehalten
hätte: dieses atemlose Lauschen ins Publikum hinein, dieses
Fiebern nach Beifall und Anerkennung, diese Sucht nach Bewunderung und das Gift der Enttäuschung, wenn der Beifall
schwächer und knapper ausfiel als erträumt.

Ihr Gesicht war mit einem Film von Schweiß überzogen,
als sie nachher zu uns kam. Alexander Zacharias, den letzten Kandidaten, wolle sie nicht hören, sagte sie mit einer Bestimmtheit, hinter der man die Angst und Verletzlichkeit
spürte. Und so verließen wir das Hotel und traten in dichtes
Schneegestöber hinaus. Weder Marie noch ich trauten uns zu
fragen, wie sie ihren Auftritt erlebt hatte. Ein falsches Wort,
und sie würde zerspringen. Während unsere Schuhe auf dem
Schnee knirschten, dachte ich wieder einmal an den Moment
im Berner Bahnhof zurück, als sich die kleine Lea plötzlich
meinem Versuch widersetzt hatte, sie an mich zu ziehen.

›Ich möchte wie Dinu Lipatti sein‹, sagte sie nach einer
Weile. Später erzählte mir Marie von dem rumänischen Pia-
nisten, und wir überlegten, was Lea gemeint haben könnte.
Hatte sie ihn mit George Enescu, dem rumänischen Geiger,
verwechselt? Ich kaufte mir eine Platte mit Dinu Lipatti.

Wenn ich sie in der leeren Wohnung hörte, versuchte ich mir vorzustellen, wie Lipatti als Geiger geklungen hätte. Ja, dachte ich, ja, genau. Doch ich jagte einem Phantom nach, einem der vielen Phantome, gegen Ende waren es nur noch Phantome, die mein Handeln bestimmten, eine ganze Armee von Phantomen. Lea hatte Lipatti wirklich mit Enescu verwechselt. Sie wollte es nicht wahrhaben und stampfte auf. Ich zeigte ihr die Platte. Sie riß das Fenster auf und warf sie hinaus. Warf sie einfach zum Fenster hinaus. Das Scheppern, als die Plastikhülle auf dem Asphalt aufschlug, war schrecklich.»

Van Vliet schwieg eine Weile. Ein fernes Echo seines damaligen Entsetzens lag in diesem Schweigen. »Das war, nachdem David Lévy in ihr Leben getreten war und alles zerstört hatte.«

17

MIT DAVID LÉVY BEGANN eine neue Zeitrechnung im Leben von Vater und Tochter. Und mit der Erwähnung seines Namens begann auch ein neues Kapitel in Van Vliets Erzählung, oder besser: in seinem Erzählen. Denn neu waren vor allem die Heftigkeit und Unordnung, mit der er nun von all den Dingen sprach, die in ihm seit Jahren wüteten. Bisher hatte es eine Reihenfolge des Erzählens gegeben, die eine ordnende Hand erkennen ließ, einen Regisseur des Erinnerns. Von nun an, so kam es mir vor, gab es in Van Vliet nur noch einen reißenden Strom von Bildern, Gedankenfetzen und Gefühlen, der über die Ufer trat und alles andere, was er auch noch war, mit sich fortriß. Er hatte sogar vergessen, vom Ausgang des Wettbewerbs zu berichten, ich mußte ihn daran erinnern.

»Es herrschte vollkommene Stille im Saal, als der Vorsitzende der Jury auf die Bühne kam, um das Ergebnis der Beratungen zu verkünden. Seine Bewegungen waren zögerlich, man sah: Es tat ihm leid für die Kandidaten, die er enttäuschen mußte. Er setzte die Brille auf und entfaltete umständlich das Blatt, auf dem die Namen der drei ersten Kandidaten standen. Er würde mit dem dritten Platz beginnen. Lea hatte die Hände ineinander gekrampft und schien kaum zu atmen. Marie biß sich auf die Lippen.

Solvejg Lindström war dritte geworden. Wieder überraschte sie mich und warf mir meine Erwartungen wie schäbige Vorurteile zurück. Ich hatte Enttäuschung erwartet und ein dünnes, tapferes Lächeln. Doch ihr sommersprossiges Gesicht strahlte, sie genoß den Beifall und verbeugte sich mit Anmut, sogar das Kleid schien jetzt ganz in Ordnung. Sie war die Unscheinbarste von allen und diejenige, die am wenigsten für sich einnahm. Aber sie war, dachte ich, die Souveränste, und als ich sie mit meiner bis zum äußersten angespannten Tochter verglich, gab es mir einen Stich.

Was den ersten und zweiten Platz angehe, sagte der Vorsitzende, habe die Jury lange gerungen. Beide Kandidaten hätten durch technische Brillanz wie durch Tiefe der Interpretation beeindruckt. Am Ende habe die Entscheidung gelautet: Alexander Zacharias Platz eins, Lea van Vliet Platz zwei.

Und dann geschah es: Während Zacharias aufsprang und auf die Bühne eilte, blieb Lea sitzen. Ich wandte mich zu ihr. Ihren leeren Blick werde ich nie vergessen. War es einfach die Leere einer lähmenden Enttäuschung? Oder lagen darin Indignation und Wut, die sie auf ihrem Stuhl festhielten?

Marie legte ihr die Hand auf die Schulter und bedeutete ihr aufzustehen. Da erhob sie sich endlich und ging mit linkischen Bewegungen nach oben.

Der Beifall für Zacharias war bereits verebbt, der neue für Lea war matt, man konnte Mißbilligung heraushören. Vielleicht nur überrascht, vielleicht auch widerstrebend, nahm Lea die Hände der beiden anderen und verbeugte sich mit ihnen. Es tat weh, es tat so schrecklich weh, meine Tochter dort oben zwischen den beiden anderen zu sehen, die sie mit ihren Armen zu einer Verbeugung zwangen, die sie – jeder konnte es sehen – nicht wollte und die viel knapper und steifer ausfiel als bei den anderen. Sie wirkte so allein dort oben, allein und ausgestoßen, ausgestoßen durch sich selbst, und ich dachte daran, wie wir nach dem Kauf der ersten ganzen Geige abends in der Küche gesessen und festgestellt hatten, daß wir keine Freunde hatten, mit denen wir feiern konnten.«

Danach war Van Vliet verstummt und schließlich eingeschlafen. Ich fuhr in Genf ohne Umschweife zu einem Hotel, das ich kannte. Um eine Buchhandlung war es ihm nie gegangen. Es war immer darum gegangen, heute noch nicht in seine stille Wohnung ohne Leas Töne zurückkehren zu müssen.

Ich weckte ihn und zeigte auf das Hotel. »Ich bin zu müde, um noch weiterzufahren«, sagte ich. Er sah mich an und nickte. Er wußte, daß ich ihn durchschaute.

»Das war meine letzte Fahrt nach Saint-Rémy«, sagte er beim Essen. Er sah hinaus auf den See. »Ja, ich denke, das war die letzte Fahrt.«

Es konnte heißen, daß er sich nun von dem Zwang befreit fühlte, immer wieder an den Ort zurückzukehren, an dem er

Lea hinter dem Brennholz hatte kauern sehen. Es konnte heißen, daß der Kampf mit dem Maghrebiner endlich zu Ende war. Aber es konnte auch etwas anderes heißen. Ich sah zu, wie sich die Glut durch das Papier seiner Zigarette fraß. Von der Seite war an seinem Gesicht nicht zu erkennen, welche Bedeutung die Worte hatten. Ob sie entspannte Worte eines Abschlusses waren oder eine Ankündigung.

Er drückte die Zigarette aus. »Ich habe nicht gesehen, wie er auf unseren Tisch zukam; Lévy, meine ich. Plötzlich stand er einfach da, grußlos, selbstgewiß, ein Mann, dem die Welt gehörte, und richtete das Wort an Lea. ›Une décision injuste‹, sagte er, ›j'ai lutté pour vous.‹ Er hat eine melodiöse Stimme, die auch trägt, wenn er leise spricht. Lea schluckte den Bissen hinunter und sah zu ihm auf: hellgrauer Anzug aus edlem Tuch, tadellos geschnitten, Weste mit Uhrenkette, volles, graumeliertes Haar, Kinnbart, goldgeränderte Brille, ein Zug von ewiger Jugend im Gesicht. ›Votre jeu: sublime; superbe; une merveille.‹ Ich sah das Leuchten in Leas Augen, und da wußte ich: Sie würde mit ihm weggehen in die französische Sprache, in die Sprache Céciles, die sie so lange nicht mehr hatte sprechen können.

Lévy, er entführte mir meine Tochter in diese Sprache. Von nun an brauchte auch Lea das Wort *sublime*, ein Wort, das ich von Cécile nie gehört habe. Und es war nicht nur dieses Wort, es kamen andere dazu, seltene, erlesene Wörter, die sich zu einem neuen Raum fügten, in dem meine Tochter zu wohnen begann.

Sein Staccato der Bewunderung ohne Verb – es war mir gestelzt vorgekommen, manieriert, affig. Dieser sprachliche Gestus, er allein hätte gereicht, um mich gegen ihn einzunehmen. Viel später, bei einer Begegnung, nach der plötzlich alles anders aussah, habe ich begriffen, daß dieser Stil zu ihm gehörte wie die Weste, die Uhrenkette, die englischen Schuhe. Daß er ein Mann wie aus einem französischen Schloß war, der Proust und Apollinaire auswendig kannte. Daß es, wohin er auch ginge, stets ein Schloß um ihn herum gäbe, Gobelins, Möbel aus erlesenem Holz, glänzend, unantastbar. Und daß, wenn er das Unglück kennenlernen würde, es das Unglück eines enttäuschten, einsamen Schloßbesitzers sein würde, über dessen Kopf die Holzbalken in den hohen Decken morsch und faulig würden und die Kronleuchter matt und fleckig in Messing und Glas.

›*Vous et moi, nous faisons quelques pas?*‹ Er konnte sehen, daß Lea, daß wir alle mitten im Essen waren. Er konnte es *sehen.* ›*Avec plaisir*‹, sagte Lea und erhob sich.

Ich wußte sofort, daß es von nun an immer so sein würde: daß sie für ihn mitten im Essen und mitten in allem anderen aufstehen würde. Er nahm ihre Hand und deutete einen Handkuß an. Ich erstarrte. Dabei fehlten mindestens zehn Zentimeter, bis seine Lippen die Hand berührt hätten. Zehn Zentimeter, mindestens. Und es war nur ein Ritual, eine verblaßte Erinnerung an einen Kuß. Pure Konvention. Trotzdem.

Er wandte sich zu uns, ein kurzer Blick, die Andeutung einer Verbeugung. ›*Marie. Monsieur.*‹

Marie und ich, wir legten Messer und Gabel zur Seite und schoben den Teller von uns. Es war, als sei uns die Zeit vor der Nase abgeschnitten worden. Lea hatte sich zu uns umgedreht, bevor sie ging, einen Anflug von schlechtem Gewissen im Blick. Dann war sie neben Lévy hinausgegangen, hinaus aus dem Leben, das sie mit Marie und mir geführt hatte, hinein in ein Leben mit einem Mann, von dem sie vor fünf Minuten noch nichts gewußt hatte, einem Mann, der sie in schwindelerregende Höhen und später an den Rand des Abgrunds führen würde. Mein Magen fühlte sich an wie ein Klumpen Blei, und im Kopf war dumpfe, gedankenlose Stille.

Durch die Glastür des Speisesaals sahen wir, wie Lévy im Foyer auf Lea wartete. Als sie zu ihm trat, hatte sie den Mantel an. Das Haar, das sie hier die ganze Zeit aufgesteckt getragen hatte, war jetzt gelöst. Das aufgesteckte Haar war gewesen wie eine gebremste, gebändigte Energie und wie ein Verzicht: Alle Kraft, alle Liebe sollte in die Töne fließen. Jetzt floß mit dem wallenden Haar auch ihr Körper in die Welt, nicht nur ihr Können. Ich dachte, vielleicht würde ihr Spiel nun an Kraft verlieren. Doch das Gegenteil trat ein: Ihr Ton bekam selbst etwas Körperliches und eine sinnliche Wucht, die neu war. Oft sehnte ich mich nach ihrer kühlen, sakralen Sprödheit zurück. Sie hatte so gut, so vollkommen zu Leas nonnenhafter Schönheit gepaßt, die von dem Fluß des wallenden Haars weggespült wurde.

Sie ging mit Lévy durchs Foyer und hinaus in die Nacht.

Nichts würde mehr sein wie zuvor. Leiser Schwindel erfaßte mich, es war, als verlören der Speisesaal, das Hotel und der ganze Ort ihre gewöhnliche, kompakte Wirklichkeit und verwandelten sich in die Kulisse eines bösen Traums.

Erst jetzt bemerkte ich, wie sehr sich Maries Gesicht verändert hatte. Es war gerötet wie im Fieber, und aus ihren Zügen sprach etwas Hartes und Unversöhnliches. *Marie.* Sie kannten sich. Der Blick, den er ihr zugeworfen hatte, war ein Blick ohne Wärme und ohne Lächeln gewesen, ein Blick, der sie über eine große zeitliche Distanz hinweg grüßte. Es hatte die Erinnerung an etwas Dunkles und Bitteres daraus gesprochen, aber auch die Bereitschaft, es ruhen zu lassen.

›Ist er auch Geiger?‹ fragte ich. Sie schlug die Hände vors Gesicht. Der Atem ging stockend. Jetzt sah sie mich an. Es war ein sonderbarer Blick, und erst in der Erinnerung gelang es mir, ihn zu entziffern: Es lagen Schmerz und Verbitterung darin, aber auch ein Funke Bewunderung und – ich weiß nicht – sogar noch mehr.

›*Der* Geiger‹, sagte sie. ›*Der* Geiger der Schweiz. Vor allem der französischen Schweiz. Es gab keinen besseren, damals, vor zwanzig Jahren. So sahen es die meisten, und er ließ keinen Zweifel daran, daß er selbst es auch dachte. Reicher Vater, der ihm eine Geige von Amati kaufte. Aber es war nicht nur das Instrument. Es waren die Hände. Die Veranstalter hätten jedes Konzert mit ihm fünfmal, zehnmal verkaufen können. DAVID LÉVY – der Name besaß damals einen unerhörten Glanz.‹

Sie steckte eine Zigarette an und rieb dann lange mit dem Daumen am Feuerzeug, ohne etwas zu sagen.

›Dann kam Genf, ein Aussetzen des Gedächtnisses bei der Oistrach-Kadenz des Beethoven-Konzerts, er verläßt fluchtartig den Saal, die Zeitungen sind voll davon. Danach ist er nie mehr aufgetreten. Jahrelang hörte man nichts mehr von ihm. Gerüchte über eine psychiatrische Behandlung. Dann, vor etwa zehn Jahren, begann er mit Unterricht. Er entwickelte sich zu einem phänomenalen Lehrer, sein ganzes Charisma floß jetzt ins Unterrichten, und sie gaben ihm in Bern eine Meisterklasse. Plötzlich hörte er auf, niemand verstand, warum. Zog sich in sein Haus in Neuchâtel zurück. Ab und zu hörte ich von jemandem, der bei ihm Unterricht nahm, aber es müssen Ausnahmen gewesen sein. In den letzten zwei, drei Jahren habe ich nichts mehr von ihm gehört. Ich hatte keine Ahnung, daß er hier in der Jury sitzen würde.‹

Sie war sicher, daß er Lea Unterricht anbieten würde. ›Die Art, wie er sie angesehen hat‹, sagte sie. Und sie war sicher, daß Lea es machen würde. ›Ich kenne sie. Das ist dann das zweite Mal, daß ich gegen ihn verliere.‹

In der nächsten Zeit war ich immer kurz davor zu fragen, worin die erste Niederlage bestanden hatte. Und ob es deswegen war, daß sie weder als Solistin auftrat noch im Orchester spielte. Doch im letzten Moment warnte mich etwas. Irgendwann war es dann zu spät, und so habe ich es nie erfahren.

Als wir vor ihrem Zimmer standen, sah sie mich an. ›Es wird nicht so kommen, wie Sie vielleicht denken‹, sagte sie. ›Mit ihm und Lea, meine ich. Da bin ich sicher. Er ist nicht diese Art Mann.‹

Er ist nicht diese Art Mann. Wie oft würde ich mir das in den nächsten Jahren vorsagen!

Am folgenden Tag nahm Lévy sie in seinem grünen Jaguar mit nach Neuchâtel.

›So können wir gleich mit der Arbeit beginnen‹, sagte Lea. Sie saß in meinem Zimmer, nachdem sie vom Spaziergang mit ihm zurück war, das Haar feucht vom Schnee. Ich hatte nicht gewußt, daß es so anstrengend sein kann, ruhig zu bleiben. Sie sah es. ›Es ist … es ist doch in Ordnung so, oder?‹

Ich sah sie an, und es war mir, als sähe ich das vertraute Gesicht ganz neu. Das Gesicht, das sich aus dem Gesicht meiner kleinen Tochter entwickelt hatte, die Loyola de Colón im Bahnhof atemlos zugehört hatte. Das Gesicht eines kleinen Mädchens, eines Teenagers und einer jungen, ehrgeizigen Frau, die gerade einem Mann begegnet war, von dem sie sich eine glanzvolle Zukunft erhoffte. Alles in einem. Hätte ich es ihr verbieten sollen? Verbieten dürfen? Was hätte das zwischen uns angerichtet? Und ich bin nicht einmal sicher, ob sie es nicht trotzdem getan hätte, es gab diese Rötung im Gesicht, diese Energie, diese Hoffnung. Ich weiß nicht mehr, was ich sagte. Als sie mir einen Kuß auf die Wange gab, stand ich da wie aus Holz gemacht. Bei der Tür zögerte sie einen Moment, wandte den Kopf. Dann war sie draußen.

Die meiste Zeit in jener Nacht saß ich am Fenster und sah in den Schnee hinaus. Zuerst fragte ich mich, wie sie es Marie sagen würde. Und dann, ganz plötzlich, kam mir die Ahnung: Sie würde es ihr überhaupt nicht sagen. Nicht aus Kaltschnäuzigkeit. Aus Unsicherheit und Angst und schlechtem Gewissen. Und weil sie einfach nicht wußte, wie man so etwas zur Sprache brachte, und dann noch bei derjenigen Frau, die ihr die Mutter ersetzt hatte und acht Jahre lang ihr Leitstern gewesen war. Je länger ich darüber nachdachte, desto größer wurde die Gewißheit: Sie würde abreisen, ohne mit Marie gesprochen zu haben.

Ich spürte den Magen. Ich sah Lea, wie sie Marie in Rom Postkarten schrieb und sie anzurufen versuchte, um die Karten anzukündigen. Es war feige, wenn es so kam. Ich sagte mir die Entschuldigungen vor, doch das Gefühl blieb. Es dauerte Jahre, bis es verblaßte. ›Ein Holländer läuft vor nichts davon‹, pflegte mein Vater zu sagen, wenn er Feigheit sah. Es war Kitsch und Nonsense, zumal er oft genug ein Waschlappen war, und im übrigen waren wir schon seit einer Ewigkeit keine Holländer mehr. In jener Nacht dachte ich an seinen albernen Spruch, und er gefiel mir, obwohl er eigentlich alles nur noch schlimmer machte.

Es kam, wie ich gedacht hatte, ich sah es, als ich mich zu Marie an den Frühstückstisch setzte, wo kein drittes Gedeck lag. ›Sie ist erst siebzehn‹, sagte ich. Sie nickte. Aber es tat ihr weh, mein Gott, tat es ihr weh.

Als Lea ein paar Tage später ein Päckchen mit dem goldenen Ring vom Karussell erhielt – nur der Ring, kein einziges Wort –, sah ich Maries Gesicht am Frühstückstisch vor mir, ein übernächtigtes, enttäuschtes, erloschenes Gesicht.

Lea starrte den Ring an, ohne ihn zu berühren. Sie starrte und starrte, ungläubiges Entsetzen im Blick. Dann stand sie auf, der Stuhl fiel um, sie rannte in ihr Zimmer und heulte wie ein kleines Kind.

Ich spürte: Ich sollte zu ihr gehen, sie trösten. Aber es ging nicht. Ging einfach nicht. Ich war darüber so verstört, daß ich mein weinendes Kind allein in der Wohnung ließ und durch die Stadt ging, bis ins Monbijou, wo ich als Junge auf dem Bett gelegen und davon geträumt hatte, Geldfälscher zu werden. *Ich will diese Verantwortung nicht. Ich weiß nicht, wie das geht: die Verantwortung für jemanden übernehmen.* Warum hast du das nicht respektiert, sagte ich zu Cécile, es war doch nicht einfach so dahergeredet, das mußtest du doch spüren, warum also.

Das ganze Ausmaß von Maries Verletzung bekam ich zu sehen, als wir auf dem Parkplatz in St. Moritz zu meinem Auto gingen. Als wir an einem grünen Jaguar vorbeikamen, holte Marie ihren Schlüsselbund hervor, suchte den spitzesten heraus und ritzte mit einer schnellen Bewegung eine Schramme in den Lack des Wagens. Nach ein paar Schritten ging sie zurück, und nun zog sie den Schlüssel über die ganze Länge, vom hinteren bis zum vorderen Kotflügel. Ich traute meinen Augen nicht und sah mich um, ob es jemand gesehen hatte. Ein älteres Paar sah zu uns herüber. Marie steckte die Schlüssel weg. Ihr könnt mich ruhig verhaften, stand in ihrem Gesicht, jetzt ist sowieso alles egal.

›In so ein Ding ist sie heute morgen mit ihm eingestiegen‹, sagte sie, als ich losfuhr. ›Kein Wort. Kein einziges Wort.‹

Es wurde eine schweigsame Fahrt, auf der sie sich ab und zu stille Tränen aus den Augen rieb.

Wir klammerten uns aneinander. Ja, ich glaube, das ist das richtige Wort: Wir klammerten uns aneinander. Es geschah in einer Art verbissener Heftigkeit, die man für unbefangene Leidenschaft halten konnte, sogar wir selbst hielten sie anfänglich dafür. Bis sich die Verzweiflung, die darin lag, nicht mehr leugnen ließ. Am Abend der Heimfahrt von St. Moritz saß ich bei Marie auf dem Sofa mit den vielen Kissen aus glänzendem Chintz. Sie trug ein Batikkleid aus hellem, verwaschenem Rosa, das mit feinen asiatischen Schriftzeichen übersät war, wie mit dem Pinsel gemalt, dazu, wie am Abend unseres ersten Besuchs, Hausschuhe aus weichem Leder, die wie eine zweite Haut waren. Sie war hereingekommen, hatte den Koffer abgestellt und war, noch im Mantel, zum Flügel gegangen, auf dem Leas Noten lagen. Sie suchte sie aus den übrigen Noten heraus, schob sie mit penibler Sorgfalt zu einem sauberen Stoß zusammen und trug sie aus dem Zimmer. Einen Moment lang hatte sie gezögert, und ich hatte gedacht, sie würde sie mir reichen, damit ich sie mitnähme, wo sie doch in dieser Wohnung nun nie mehr gespielt würden. Doch dann hatte sie sie hinausgetragen, und ich hatte das Geräusch einer Schublade gehört.«

Van Vliet hielt inne und wandte das Gesicht zum See, die Augen geschlossen. Das Bild, das er jetzt vor sich sah, mußte er Tausende von Malen vor sich gesehen haben. Es war ein Bild von enormer Wucht, und es tat ihm auch jetzt noch so weh, daß er zögerte, davon zu sprechen.

»Lea legte immer ein Tuch, ein weißes Tuch, über die Kinnstütze der Geige. Sie hatte viele solche Tücher, das Geschäft, wo man sie kaufen konnte, haben wir zusammen gefunden. Eines dieser Tücher lag auf dem Fenstersims. Als Marie wieder hereinkam, ließ sie den Blick kreisen und fand es. Sie trug es hinaus. Ich bin sicher, sie wollte nicht, daß ich es sähe, aber das Verlangen war stärker, und so geschah es unter der Tür, noch in meinem Blickfeld: Sie roch an dem Tuch. Fest drückte sie die Nase hinein, nahm auch noch die andere Hand dazu und drückte das ganze Tuch vors Gesicht. Sie schwankte ein bißchen, wie sie dort stand, blind dem Geruch von Lea hingegeben.«

Er hat mir nie ein Bild von Marie gezeigt. Und doch sehe ich sie vor mir, das Gesicht ins Tuch gedrückt. Ich brauche nur die Augen zu schließen, schon sehe ich sie. Sie hat helle Augen voller Hingabe, wohin sie auch blickt.

»Wir rätselten, ob die Zeichen auf ihrem Kleid japanisch oder koreanisch waren. Marie löschte das Licht. Wir spürten die Leere, die Lea in dem Raum hinterließ, den sie mit ihren Tönen gefüllt hatte. Und dann klammerten wir uns aneinander, plötzlich, heftig, und ließen uns erst wieder los, als es hell wurde.«

Er lächelte, wie auch Tom Courtenay lächeln könnte, mitten im Unglück. »Liebe um einer Dritten willen. Liebe aus verschränkter Verlassenheit. Als Bollwerk gegen den Schmerz des Abschieds. Liebe, die eigentlich gar nicht den anderen meint. Eine Liebe, die, was mich angeht, mit neun Jahren Verzögerung gelebt wurde, im Schatten des Wissens um diese Verzögerung, ein Schatten, der dazu führte, daß sich die Gefühle nach und nach verfärbten. Und sie? War ich einfach das Band, das sie mit der verlorenen Lea verknüpfte? Der Garant dafür, daß Lea nicht ganz aus der Welt war? Es war für uns beide lange her, daß wir jemanden umarmt hatten. Wollte sie mit meinem Verlangen ihr Verlangen nach Lea ersticken? Ich weiß es nicht. Wissen wir *irgend* etwas?

Vor einem halben Jahr habe ich sie aus der Ferne gesehen. Sie ist jetzt dreiundfünfzig, keine alte Frau, aber sie sah müde aus und erloschen. ›Danke, daß du mir Lea gebracht hast‹, sagte sie, als wir uns das letzte Mal sahen. Die Worte schnürten mir die Kehle zu. Ich träumte davon. Auch heute wache ich noch ab und zu auf und denke, ich hätte sie im Traum gehört.

Verstand sie, was geschehen war? Mit Lea und dann mit mir? Es war doch Marie. Die Frau, die stets Klarheit suchte. Die Frau mit der Leidenschaft des Verstehens. Die Frau, die stets wissen wollte, warum die Leute taten, was sie taten, und die es ganz genau wissen wollte. Doch vielleicht *wollte* sie es dieses Mal gar nicht wissen, vielleicht brauchte sie das Unverstandene als Bollwerk gegen Schmerz und Verlassenheit. Wir haben, bis zu jenen Worten beim Abschied, nie mehr über Lea gesprochen, kein einziges Mal. Anfänglich war sie zwischen uns gegenwärtig durch ihre betäubende Abwesenheit. Nach und nach dann blich auch diese Abwesenheit aus. Lea wurde in Maries Räumen zum Phantasma.«

Van Vliet kam von der Toilette zurück. Wir bestellten die dritte Flasche Wein. Das meiste hatte er getrunken.

»Ich will Lévy gar nicht die Schuld geben. Er war einfach ein Unglück für Lea, ein großes Unglück. Wie es eben für einen Menschen ein Unglück sein kann, einem anderen zu begegnen.

Doch so kann ich es erst heute sehen. Damals war es ganz anders. Es machte mich krank, daß sie jeden zweiten Tag nach Neuchâtel fuhr. *Er ist nicht diese Art Mann.* Ich denke, Marie hatte recht. Ich lag auf der Lauer. Suchte nach Anzeichen. Sie kaufte Kleider und wollte mich nicht dabeihaben. Parfum. Lippenstift, den sie abwischte, bevor sie das Haus betrat, ich habe es gesehen. Sie wuchs noch ein wenig, wurde voller. Jedesmal, wenn sie von ihm kam, schien sie noch ein bißchen mehr von der höfischen Aura mitzubringen, von dem Schloßglanz, der sich in meinen Gedanken mittlerweile über die ganze Stadt Neuchâtel gelegt hatte. Es war, als setzte sie eine Art Patina an, einen Edelrost, den das gemeinsame Geigenspiel mit Lévy hervorbrachte. Ich haßte sie, diese eingebildete, stinkende, nach Geld stinkende Patina, ich haßte die unüberhörbaren Fortschritte, die Lea machte, ich haßte es, wenn sie ›Also, ich gehe dann‹ sagte, in einem Ton, in dem ich schon das Französisch hörte, das sie mit ihm gleich sprechen würde, ich haßte ihr Bahnabonnement, ihren kleinen, abgegriffenen Fahrplan und – ja, ich haßte Lévy, David Lévy, den sie Davíd nannte. Einmal, als ich mich nicht beherrschen konnte und in ihren Sachen stöberte, fand ich ein Notizbuch mit einer Seite, auf der sie immer wieder geschrieben hatte: LEAH LÉVY.

Trotzdem: Es geschah nicht, was ich befürchtet hatte. Ich hätte es bemerkt. Ich weiß nicht, woran, aber ich hätte es bemerkt. Statt dessen stellte sich an ihr etwas ein, das mich beruhigte und, ja, geradezu froh machte: eine leise, ganz leise Gereiztheit, wie man sie empfindet, wenn sich eine Hoffnung und Erwartung, auf deren Erfüllung man nun schon so lange und mit so viel Geduld gewartet hat, immer noch nicht erfüllt, obgleich man alles getan hat, um mögliche und unmögliche Hindernisse beiseite zu räumen.

›Heute fahre ich nicht‹, sagte sie eines Tages, und es lag diese Gereiztheit in der Stimme.

Ich schäme mich, es zu sagen, und ich schämte mich auch vor mir selbst, als ich danach ins Kino ging, um es zu feiern.

Zwei Tage später fuhr sie wieder und sagte *Bonsoir*, als sie nach Hause kam.

Ich kam mir plump vor, und zwar nicht wie ein schwerfälliger Berner, sondern – es war abstrus, vollständig abstrus – wie ein plumper, grobschlächtiger Holländer, der irrtümlich und unverdient eine leuchtende Tochter aus der Welt der glitzernden französischen Schlösser hatte, ein Versehen, ein pures Versehen, das durch das Auftauchen von Lévy aufgedeckt worden war. Plump und langsam schleppte ich mich durch die Räume der Universität und machte einen Fehler nach dem anderen. Insgeheim sprach ich meinen Vornamen französisch aus, und für eine Weile ließ ich bei der Unterschrift das *j* im Vornamen weg, so daß er als französischer Name durchgehen mochte.

Bis es in mir umschlug. Ich begann mich in den hölzernen, grobschlächtigen Holländer, den Lévys Glanz, Lévys eingebildeter Glanz, in mir hatte entstehen lassen wie eine sehr reale Gegenfiktion, zu verbeißen. Meine Eltern mit ihrer kuriosen, aber gänzlich folgenlosen Anhänglichkeit an Holland haben mir einen zweiten Vornamen gegeben: Gerrit. Martijn Gerrit van Vliet heiße ich mit vollem Namen. Ich habe ihn stets verabscheut, diesen spitzen, zerklüfteten Namen, ein Name wie eine sirrende Säge, die sich knirschend durch aufplatzenden Lack frißt. Doch nun holte ich ihn hervor. Ich unterschrieb damit und erntete erstaunte, fragende Blicke, denen ich mit drohendem Stirnrunzeln begegnete, so daß nie jemand wirklich nachfragte.

Ich zog mich so plump an, wie es nur ging, ausgebeulte Hosen, zerknautschte Jacken, zerknitterte Hemden, abgetragene Schuhe. Und damit nicht genug. Ich fuhr nach Amsterdam und spielte den Holländer mit ein paar kläglichen Brokken des Niederländischen, mit denen ich mich mehr als einmal lächerlich machte. Schlaflos lag ich dort auf dem Bett, Lea und auch mir selbst fremd geworden. Ich dachte an meinen Urgroßvater, den betrügerischen Banker, der in dieser Stadt Leute scharenweise in den Ruin getrieben hatte. Und ich dachte daran, wie ich hatte Geldfälscher werden wollen. Oft stand ich auf den Brücken der Grachten und sah aufs Wasser hinunter. Aber es hatte keinen Sinn, sie waren viel zu niedrig.

Lea sagte nichts dazu, obwohl ich insgeheim hoffte, sie verstünde die Zeichen zu deuten. Denn was hatte die ganze Maskerade für einen Sinn, wenn gerade sie sie nicht als das erkannte, was sie war: der Versuch, meines Schmerzes durch Selbstzerstörung Herr zu werden? Was nützte es, wenn sie nicht verstand, daß ich in meiner Hilflosigkeit auf die eingebildete Zurücksetzung mit selbstzerstörerischem Tun antworten mußte – weil ein seelischer Schmerz, an dem man mitwirkt, leichter zu ertragen ist als einer, der einem nur zustößt?

Es gab für sie in jener Zeit eben nur Lévy. Sie lebte nur in Neuchâtel, in Bern war sie nur anwesend, stets auf dem Sprung zum Bahnhof. Plötzlich – oder jedenfalls bildete ich es mir ein – sprach sie den Namen *Bümpliz* so aus, daß er himmelschreiend lächerlich wirkte, nicht mehr liebevoll lächerlich, wie aus Céciles Mund, sondern lächerlich durch Verachtung, verächtlich: Wie konnte man in einem Ortsteil wohnen, der so hieß, unmöglich. Ernstzunehmende Orte hatten französische Namen, und über all diesen Namen glänzte der eine, der königliche Name: NEUCHÂTEL. Manchmal stellte ich sie mir auf dem Perron vor, auf den Zug nach Bern wartend und unglücklich ausrechnend, wie viele Stunden es dauern würde, bis sie hier wieder aus dem Zug steigen könnte. Sie schien mir dann voll des Widerwillens, der sich daran zeigte, daß sie mit dem Fuß einen unregelmäßigen, häßlichen Takt auf den Beton klopfte, den Takt der Sehnsucht und des Ärgers, des ungeduldigen Wartens und der widerwärtigen Bedeutungslosigkeit, die ein jedes Ding angenommen hatte, auf das nicht das Licht von Davíd fiel.

Eines Tages dann, gut ein Jahr nach St. Moritz, kam ein neuer Klang aus ihrem Zimmer, als ich nach Hause kam.

Der Körper reagierte schneller als der Verstand, und ich schloß mich auf der Toilette ein. Er hatte ihr eine andere Geige besorgt – eine andere Deutung gab es nicht. Das Instrument, das wir zusammen in St. Gallen gekauft hatten, war nicht mehr gut genug für eine Schülerin von David Lévy. Angestrengt versuchte ich auszumachen, worin sich die neuen Töne von den alten unterschieden; aber durch zwei Türen hindurch hörte man zu wenig. Ich wartete, bis sich mein Atem beruhigt hatte, wartete dann noch einmal vor Leas Tür, und schließlich klopfte ich. So hielten wir es schon lange, und es war in Ordnung. Nur war auch das Klopfen durch Lévy anders geworden: Ich mußte um Einlaß in eine fremde Welt bitten. Und jetzt, wo mich die vertraute Tür von neuen Tönen trennte, die voluminös und wuchtig durchs Holz kamen, hatte ich Herzklopfen, denn ich spürte: Wieder hatte etwas Neues begonnen, etwas, das Lea noch weiter von mir wegtreiben würde.

Leas Hals war übersät mit roten Flecken, ihre Augen glänzten wie im Fieber. Die Geige, die sie in der Hand hielt, war aus überraschend dunklem Holz. Mehr weiß ich nicht, ich habe sie nie näher betrachtet, auch nicht heimlich; die Vorstellung, daß seine Fingerspuren darauf waren und daß sich sein Fett und sein Schweiß nun auch auf Leas Finger übertrugen, verursachte mir Übelkeit. Überhaupt seine Hände. Als ich ihn einmal in einer Gasse in Bern vorbeigehen sah, träumte ich nachher, daß er hinkte und an einem Stock ging, dessen Silbergriff matt aussah, abgegriffen und verfärbt vom sauren Schweiß einer greisenhaft runzligen Hand.

Lea sah mich mit unstetem Blick an. ›Es ist Davíds Geige. Er hat sie mir geschenkt. Nicola Amati hat sie gebaut, in Cremona, im Jahre 1653.‹«

18

DAS NÄCHSTE, woran ich mich erinnere, sind Van Vliets Hände auf der Bettdecke. Große, starke Hände mit feinen Härchen auf dem Handrücken und auffällig gerillten Nägeln. Die Hände, mit denen er seine Experimente machte und seine Schachfiguren zog. Die Hände, die ein Mal, ein einziges Mal, die Saiten von Leas Geige gedrückt hatten. Die Hände, die etwas angestellt hatten, das seine Karriere zerstörte, so daß er nun in zwei Zimmern lebte. Die Hände, denen er nicht mehr traute, wenn er einen Lastwagen kommen sah.

Zwischen unseren Zimmern im Genfer Hotel gab es eine Verbindungstür, der ich keine Beachtung schenkte. Bis ich das Geräusch der Türklinke hörte. Es mußte eine Doppeltür sein, denn auf meiner Seite veränderte sich nichts. Ich wartete und hielt in Abständen das Ohr an das Holz, bis ich Van Vliets Schnarchen hörte. Als es fest und regelmäßig geworden war, öffnete ich leise meine Seite der Tür. Die seine stand weit offen. Die Kleider waren nachlässig auf die Stühle verteilt, das Hemd lag auf dem Boden. Er hatte getrunken und erzählt, erzählt und getrunken, ich war erstaunt, daß seine Konzentration bei all dem Wein immer noch hielt, und dann, ganz plötzlich, war er in sich zusammengefallen und verstummt. Ich mußte ihn nicht stützen, aber es dauerte lange, bis wir bei unseren Zimmern waren.

Irgendwann hatte er das Foto von Lea hervorgeholt, das er am Abend vor ihrem ersten Auftritt in der Schule gemacht hatte, an dem Abend, als sie sich bei Mozarts Rondo vertat. Wenn es meine Tochter gewesen wäre – ich hätte das Bild auch in der Brieftasche gelassen. Ein schlankes Mädchen in einem schlichten schwarzen Kleid, mit langem, dunklem Haar, das in der grobkörnigen Auflösung des Fotos aussah, als sei es mit Goldstaub durchsetzt. Auf den vollen, ebenmäßigen Lippen etwas Rouge, das sie in die Nähe einer Kindfrau rückte. Ein Blick aus grauen, vielleicht auch grünlichen Augen, spöttisch, kokett und erstaunlich selbstsicher für ein elfjähriges Mädchen. *Eine Lady, die darauf wartete, daß die Scheinwerfer angingen.*

Schon in dieses Mädchen konnte man sich verlieben. Doch wieviel heftiger wurden die Gefühle, wenn man Lea mit achtzehn vor sich sah! Van Vliet hatte gezögert, mir dieses Foto zu zeigen, er hatte die Brieftasche erst zurückgesteckt und dann wieder hervorgeholt. »Das war kurz bevor er ihr die Geige schenkte, die verdammte Amati.«

Sie stand in einem geräumigen Flur, der auf eine großzügige, elegant eingerichtete Wohnung schließen ließ, und lehnte gegen eine Kommode mit Spiegel, so daß man über ihre Schulter hinweg auch den Hinterkopf mit einem Chignon über dem langen, schlanken Hals sah. Dieser Haarknoten – ich weiß nicht, wie ich es erklären soll: Er machte sie nicht alt oder ältlich, er hatte die gegenteilige Wirkung: daß sie wie ein verletzliches Mädchen aussah, ein Mädchen voller Ordnung und Disziplin, das es allen recht machen wollte. Kein Blaustrumpf, keine blasse Streberin, ganz und gar nicht. Vielmehr stand da eine elegante junge Frau in einem perfekt geschnittenen roten Kleid, und der schmale, glänzende Ledergürtel mit der mattgoldenen Schnalle war das Tüpfelchen auf dem *i*. Die ebenmäßigen, vollen Lippen gehörten jetzt keiner Kindfrau mehr, sondern einer richtigen Frau, einer Gräfin, die nichts von ihrer Ausstrahlung zu wissen schien. In ihrem Blick, der eine Spur pathetisch war, mischten sich zwei Dinge, von denen ich niemals gedacht hätte, daß sie in ein und demselben Blick zusammenfließen könnten: kindliche Verletzlichkeit, die einen rührte, und schneidender Anspruch, der einen frieren ließ. Van Vliet hatte recht gehabt: Es war nicht Arroganz oder Überheblichkeit, es war Anspruch, und er galt ihr selbst nicht weniger als den anderen. Ja, das war das Mädchen, das die Geige ins Publikum schleudern wollte, wenn es sich vertan hatte. Und ja, das war die Frau, die fähig war, mitten im Essen aufzustehen und Marie, ihre Liebe aus Kinderzeiten, einfach sitzen zu lassen, wenn jemand wie David Lévy auf der Bildfläche erschien und ihr in aristokratischem Französisch eine glänzende Zukunft versprach.

Van Vliet war unruhig geworden, als ich das Foto dicht vor die Augen hielt, um jede Einzelheit an diesem Blick erkennen zu können. Er sah mich an, er hatte gewollt und doch auch nicht gewollt, daß ich mir ein Bild machte, und nun, da es ihm zu lange dauerte und er es zu bereuen begann, erschien ein gefährliches Funkeln in den Augen. Er war immer noch bei ihr, er war immer noch in ihrer gemeinsamen Wohnung, seine Eifersucht konnte jederzeit hochgehen wie eine Stichflamme, und so würde es bleiben.

Ich reichte ihm das Foto. Er sah mich herausfordernd an. Tom Courtenay. Ich nickte nur. Jedes Wort konnte das falsche sein.

Nun schloß ich behutsam meine Seite der Tür. Er sollte sich, wenn er aufwachte, nicht ertappt fühlen. Er hatte im Bad das Licht brennen lassen, es fiel durch den Türspalt auf einen Spiegel, brach sich und tauchte einen Teil des Zimmers in eine diffuse Helligkeit. Ich dachte an etwas, woran ich viele Jahrzehnte nicht mehr gedacht hatte: die *Veilleuse*, ein Nachtlicht für Kinder, die sich im Dunkeln fürchten. Es war eine Glühbirne aus milchigem Glas, von der Mutter nachts in die Fassung der Deckenlampe geschraubt. Ich sah ihre Hand vor mir, wie sie schraubte. Vertrauen – dafür hatte die Bewegung gestanden. Vertrauen darauf, daß diese Hand mir die Angst immer würde nehmen können, es mochte geschehen, was wolle.

Ich habe sie mit einer Axt zerschlagen, die Veilleuse. Ich wühlte im Keller in einer Gerümpelkiste, bis ich sie fand. Nahm sie, legte sie auf den Holzblock und schlug zu, ein dumpfer Schlag, ein Knirschen und Klirren, tausend Scherben. Eine Hinrichtung. Nein, nicht der Mutter, sondern des eigenen blinden Vertrauens; nein, nicht nur in die Mutter, nicht einmal besonders in sie, sondern in alle und alles. Besser weiß ich es nicht zu erklären.

Von da an vertraute ich nur noch mir selbst. Bis an jenem Morgen, an dem ich Paul das Skalpell reichte. Ein paar Tage danach hatte ich einen Traum: Pauls Augen über dem Mundschutz waren nicht entsetzt, sondern nur erstaunt, maßlos erstaunt und beglückt, daß es endlich soweit war. Was konnte ich dafür, dachte ich nachher, daß Helen, seine Frau, mir in den Garten folgte, wenn sie Gäste hatten und ich eine Weile allein sein wollte? Daß sie aus Boston stammte, reichte zur Erklärung nicht, das wußte auch Paul.

Hatte ich je Freunde gehabt, fragte ich mich, wirkliche Freunde?

Und nun? Nun lag im Nebenzimmer ein Mann, der die Tür öffnete und das Licht brennen ließ, um einschlafen zu können. Wie wäre es umgekehrt? Wie wäre es, Martijn van Vliet zu vertrauen? Er trug immer noch den Ehering, den ihm Cécile angesteckt hatte. Cécile, die doch wissen mußte, daß er die Verantwortung für ein Kind nicht wollte.

Wenn Bern und Neuchâtel unter Schnee lagen, war er manchmal ins Oberland gefahren und hatte Langlaufskier gemietet. Er hatte die Selbstvergewisserung gesucht, die nur die Stille zu geben vermag. Wer er unabhängig von Lea war und wie es weitergehen sollte, hatte er sich gefragt. Auch beruflich. Die eigentliche Regie über die Forschungsprojekte hatte längst Ruth Adamek übernommen. Er unterschrieb nur noch. Sie stand hinter ihm, als er es einmal genauer wissen wollte und zu blättern begann. »Unterschreiben!« hatte sie geschnaubt. Da zerriß er den Antrag. Sie grinste.

Danach hatte er es zum ersten Mal versucht. Tabletten. Hinlegen und einschlafen. Zugeschneit werden. Wie nie gewesen. Im letzten Moment dann der Gedanke an Lea. Daß sie ihn brauchte, trotz Lévy. Eines Tages vielleicht auch wegen Lévy.

Ich fand keinen Schlaf. Ich mußte es verhindern. Es kam mir vor, als hinge mein eigenes Leben davon ab.

Plötzlich wünschte ich, ich könnte die Zeit zurückdrehen

bis vor den Morgen in Saint-Rémy mit dem Mädchen auf dem Rücksitz der knatternden Vespa. Es war schön gewesen in den ländlichen Gasthöfen mit Somerset Maugham bei schummrigem Licht.

Um vier Uhr morgens konnte ich Leslie nicht anrufen. Und was sollte ich auch sagen.

Ich fuhr in die Lobby und schlenderte durch die Hotelarkade mit den Schaufenstern. Ich kannte das Hotel, war aber noch nie hier hinten gewesen. Am Ende entdeckte ich einen Bibliotheksraum. Ich machte Licht und trat ein. Meterweise Simenon, Städteführer, Stephen King, ein Buch über Napoléon, eine Auswahl Apollinaire, Gedichte von Robert Frost. LEAVES OF GRASS, das Buch, das in Walt Whitman ein Leben lang gewuchert hatte. *I cannot be awake, for nothing looks to me as it did before,/Or else I am awake for the first time, and all before has been/a mean sleep.* Ein Heißhunger durchströmte mich, ein Heißhunger nach Whitman. Ich setzte mich in einen Sessel und las, bis es draußen hell wurde. Ich las mit der Zunge. Ich wollte leben, leben, leben.

19

DAVID LÉVY MACHTE LEA zu Mademoiselle Bach. MADEMOISELLE BACH. Die Zeitungen druckten die beiden Wörter immer wieder, erst im hinteren Teil und in kleinen Buchstaben, dann wurden die Buchstaben größer und die Artikel länger, es kamen Bilder dazu, und auch sie wurden immer größer, schließlich prangte ihr Gesicht über der Geige auf der ersten Seite der Boulevardzeitungen. All dies kam Van Vliet vor wie ein zeitlich gestaffelter, stockender Zoom, der in seiner Unaufhaltsamkeit etwas Unheilvolles an sich hatte. Ob ich denn davon nie etwas gesehen hätte, fragte er. »Ich lese keine Zeitungen«, sagte ich, »mich interessiert nicht, was Journalisten denken, ich will nur die Fakten, trocken wie Agenturmeldungen; was ich darüber zu denken habe, weiß ich selbst.« Er sah mich an und lächelte. Es mag sonderbar klingen, weil er mir doch bereits all diese Dinge aus seinem Leben erzählt hatte, aber da hatte ich das erste Mal das Gefühl, daß er mich mochte. Nicht nur den Zuhörer. Mich.

Die ersten Auftritte gab es wenige Wochen, nachdem Lévy ihr seine Geige geschenkt hatte. Er besaß in der Musikwelt immer noch Einfluß, wie sich zeigte. Neuchâtel, Biel, Lausanne. Erstaunen über das junge Mädchen, das die Musik von Johann Sebastian Bach mit einer Klarheit spielte, die alle in ihren Bann schlug, und das die immer voller werdenden Säle mit einem Klang füllte, wie man ihn schon lange nicht mehr gehört hatte. Die Journalisten schrieben von einer unerhörten *Energie*, die in ihrem Spiel läge, und einmal las Van Vliet auch das Wort, das ihm in St. Moritz durch den Kopf gegangen war: *sakral*.

Er las alles, der Karton mit den Zeitungsausschnitten füllte sich. Er sah sich jedes Foto an und betrachtete es lange. Leas Verbeugungen wurden sicherer, damenhafter, routinierter, das Lächeln fester, verläßlicher, gestanzter. Seine Tochter wurde ihm immer fremder.

»Ich war froh, wenn sie wieder einmal einen ihrer sonderbaren Sätze sagte – als Erinnerung daran, daß sie hinter der Fassade von Mademoiselle Bach immer noch meine Tochter war, das Mädchen, mit dem ich vor zehn Jahren im Bahnhof gestanden und Loyola de Colón zugehört hatte.«

Doch manchmal schlich sich nun auch Angst ein, richtige

Angst, und sie wurde häufiger, aufdringlicher. Denn es gab Tage, da Leas Sätze noch mehr verrutschten als sonst. »Ich habe dem Techniker gesagt, daß es im Saal zu dunkel ist, viel zu dunkel; es wäre ja noch schöner, wenn ich im Publikum jedes einzelne Gesicht erkennen müßte.« »Stell dir vor, der Fahrlehrer hat mich gefragt, ob es eine Geige oder Bratsche sei. Er weiß nicht einmal, daß das ein Unterschied ist. Dabei hört er den ganzen Tag Oper, vor allem den neuen Baßbariton aus Peru.« »Davíd hatte wie immer recht mit dem Plattenvertrag: Warum vergißt er jedesmal, daß ich überhaupt keinen Rauch vertrage, das interessiert doch keinen bei der Firma.« An solchen Tagen kam es dem Vater vor, als verrutsche nicht nur die Sprache seiner Tochter, sondern auch ihr Geist. Er las Bücher darüber und paßte auf, daß Lea sie nicht sah.

Es wäre nicht nötig gewesen. Was der Vater tat, schien sie überhaupt nicht mehr zu interessieren. Darüber war er so verzweifelt, daß er in der Wohnung zu rauchen begann in der Hoffnung, sie würde wenigstens protestieren. Nichts. Er hörte wieder auf und ließ die ganze Wohnung reinigen. Auch dazu kein Wort von Lea. Er verreiste, fuhr wieder einmal zu einem Kongreß und blieb noch ein paar Tage, um Marie mit einer anderen Frau zu vergessen. »Du warst aber lange weg«, sagte Lea. Hatte sie in Neuchâtel übernachtet? *Er ist nicht diese Art Mann.*

Van Vliet wurde zum Rektor von Leas Schule bestellt. In einem halben Jahr waren die Maturitätsprüfungen. Es sah nicht gut aus für Lea. Was ging, waren die Fächer, in denen es vor allem auf Intelligenz ankam. Katastrophal sah es dort aus, wo jeder büffeln mußte. Und sie fehlte viel, viel zuviel. Der Rektor war verständnisvoll, großzügig, er war ja auch stolz auf Mademoiselle Bach, die ganze Schule war stolz. Aber auch er konnte nicht alle Regeln außer Kraft setzen. Der Vater möge bitte mit ihr reden, bitte.

Wenn es nur Marie noch gegeben hätte. Doch Marie gab es für Lea schon seit zwei Jahren nicht mehr. Sie war erstarrt, als Van Vliet in der Zeit nach St. Moritz gefragt hatte, ob sie nicht einmal vorbeigehen wolle; reden, nicht entschuldigen, nur reden.

Von Marie zu Lévy: Es mußte in ihr eine gewaltige Verschiebung der Kräfte stattgefunden haben. Er hätte sie gerne verstanden. War er einfach nicht der Mann, so etwas zu verstehen? Hätte Cécile es verstanden, die lebenskluge Frau, die über seine Naivität oft lachte?

Er versuchte, mit Katharina Walther darüber zu sprechen. *Marie Pasteur. Ja, ja, Marie Pasteur.* Er hatte ihre Worte nicht vergessen, und deshalb hatte er gezögert. Sie schlug sich sofort auf die Seite von Lévy. Ein natürlicher Ablösungsprozeß. Eine Normalisierung. Und der Mann war ein genialer Lehrer!

Eine Normalisierung. Daran mußte Van Vliet denken, als er später dem Maghrebiner gegenübersaß und dessen Röntgenblick aushalten mußte.

Marie gab es nicht mehr. Sollte er über seinen Schatten springen und mit Lévy reden? »*Oui?*« meldete sich Lévy am Telefon. *Votre jeu: sublime*, hörte Van Vliet die Stimme sagen. Er legte auf.

Er redete mit Lea. Oder besser: zu ihr. Er setzte sich in ihrem Zimmer in den Sessel, was er schon lange nicht mehr getan hatte. Er berichtete vom Gespräch mit dem Rektor, von seinem Wohlwollen und seiner Sorge. Er ermahnte, drohte, bettelte. Vor allem, denke ich, bettelte er. Darum, daß sie die

Maturität mache. Daß sie mit den Auftritten eine Pause mache und aufhole. Zusammen mit ihm, wenn sie wolle.

Es nützte, jedenfalls vorübergehend. Sie war mehr zu Hause, sie aßen wieder öfter zusammen. Van Vliet schöpfte Hoffnung, auch was ihre verlorene Nähe betraf. Nur noch wenige Wochen bis zu den Prüfungen. Zwei Tage nach der letzten Prüfung war ein großer Auftritt in Genf vorgesehen, *Orchestre de la Suisse romande*, das E-Dur-Konzert von Bach. Statt das Zeugnis entgegenzunehmen, würde sie im Zug nach Genf sitzen, um rechtzeitig zu den Proben dort zu sein.

Mitten im Abfragen von Geschichtsdaten und chemischen Verbindungen bekam sie plötzlich einen leeren Blick und sagte nichts mehr. Van Vliet hatte Angst um ihr Gehirn. Aber es waren keine Aussetzer, sie dachte nur plötzlich an Genf und den berühmten Dirigenten, den sie nicht enttäuschen wollte. Er sah die Angst in den leeren Augen, und wieder einmal verfluchte er ihren Ruhm, und er verfluchte Joe, den Musiklehrer, der sie damals für St. Moritz angemeldet hatte.

Und dann kam der Tag, an dem Van Vliet zu Jean-Louis Trintignant wurde, den er, neben Cécile sitzend, eine ganze Nacht lang hinter dem Steuer seines verdreckten Rennwagens gesehen hatte, wie er von der Côte d'Azur nach Paris raste. Aber Trintignant, stelle ich mir vor, hatte das Gesicht von Tom Courtenay. Er rauchte, was das Zeug hielt, der Rauch trübte ihm die Sicht, die Augen brannten, und er hatte, denke ich, rasende Kopfschmerzen, während er von Bern nach Ins und weiter nach Neuchâtel jagte, geschnittene Kurven, quietschende Reifen, Lichthupe und Fluchen, dabei immer diese Uhrzeit vor Augen: 12.00, Leas Prüfung in Biologie, er mußte sie abfangen und zurückbringen, mit Glück war es gerade noch zu schaffen. Der Prüfungsplan hatte auf dem Küchentisch gelegen, er hatte gestutzt, dann die siedend heiße Gewißheit, daß sich Lea im Tag vertan hatte und nach Neuchâtel gefahren war, denn die Geige war nicht da. Am Bahnhof von Ins hatte er den Zug, in dem sie sitzen mußte, knapp verpaßt, also weiter nach Neuchâtel, einmal nahm er die falsche Abzweigung und mußte wenden, am Bahnhof von Neuchâtel kein Parkplatz, fluchende Taxifahrer, als er sich bei ihnen einreihte, aber nicht lange, denn der Zug war schon seit ein paar Minuten hier, LÉVY DAVID, hektisches Blättern im Telefonbuch, er wollte von den Taxifahrern den Weg wissen, hämisches Grinsen und Kopfschütteln, er überfuhr eine rote Ampel, nach einer Weile des ziellosen Kurvens ein Polizist, der den Weg wußte. Bald danach sah er sie, den Geigenkasten über die Schulter gehängt.

Sie war verwirrt, bockig, glaubte nicht, wollte nicht. Wenigstens kurz Bescheid sagen. Beim übernächsten Haus klingelte sie, Lévy im Morgenmantel, darunter vollständig angezogen, trotzdem: Morgenmantel, *je me suis trompée, je suis désolée*, halb hörte er es, halb las er es an den Lippen ab, ihr entschuldigender Blick, servil, wie er fand, ihre Handbewegung in seine Richtung, Lévys Blick ohne Zeichen des Erkennens und ohne Gruß. Der Geigenkasten verfing sich in der Autotür, ein vorwurfsvoller Blick, als sei er an allem schuld. Gregor Mendel, Charles Darwin, DNS, Nukleasen, Nukleole, Nukleotide, sie mußte sich in den Kurven festhalten, die Uhr am Armaturenbrett tickte die Minuten weg, und dann, ganz plötzlich, brach sie zusammen und weinte, die Schultern zuckten, sie beugte sich hinunter, bis der Kopf zwischen den Knien hing.

Er hielt bei der Schule um die Ecke und nahm sie in die Arme. Kostbare Minuten lang hielt er sein Kind, das in harten, unregelmäßigen Stößen seine Angst hinausschluchzte, die Angst vor der Prüfung, vor Genf, vor den feuchten Händen, vor Lévys Urteil und vor der Einsamkeit im Hotelzimmer. Van Vliet wischte sich die Augen, als er davon erzählte.

Langsam war sie ruhiger geworden. Er hatte ihr die Tränen abgewischt, das Haar glatt gestrichen und sie auf die Stirn geküßt. »Du bist doch Lea van Vliet«, hatte er gesagt. Sie hatte gelächelt wie eine Schiffbrüchige. An der Ecke hatte sie gewinkt.

Ein paar Straßen weiter, auf einem stillen Parkplatz, war Van Vliet dann selbst zusammengebrochen. Er schloß das Fenster, damit niemand hörte, wie er schluchzte. Mit einem lauten, animalischen Stöhnen war alles aus ihm herausgebrochen: die Angst um Lea, das Heimweh nach der früheren Zeit, seine eigene Einsamkeit, die Eifersucht und der Haß auf den Mann im Morgenmantel, der sie mit einer Geige von Nicola Amati an sich gebunden hatte. Er öffnete den Geigenkasten, und einen verrückten, aberwitzigen Augenblick lang erwog er, das Instrument vor die Räder zu legen und loszurollen. Um danach ins Oberland zu fahren und sich unter den Schnee zu legen.

Danach blieb keine Zeit mehr, nach Hause zu fahren. Er wusch sich an einem Brunnen das Gesicht und holte Lea ab. Sie hatte bestanden, wenn auch nicht mit Glanz. Sie fiel ihm um den Hals, mußte einen Rest der Feuchtigkeit vom Brunnen gespürt haben und sah ihn an. »Du hast geweint«, sagte sie.

Sie fuhren in den Rosengarten zum Essen. Er hatte gehofft, daß es ein Essen würde, bei dem sie ihre Empfindungen besprechen könnten, die unter den Tränen aufgebrochen waren. Doch als sie bestellt hatten, nahm Lea das Telefon und rief Lévy an. »Nur ganz kurz«, sagte sie entschuldigend. *»Je suis désolée, je me suis trompée de jour … non, l'oral … oui, réussi … non, pas très bien … oui, à très bientôt.«* Bientôt hatte nicht genügt, es hatte *très bientôt* sein müssen. Das kleine, häßliche Wort hatte alles zerstört. Als Van Vliet davon sprach, war es, als hörte er die verdammte Silbe in diesem Moment. Er hatte die Hälfte des Essens stehenlassen, und sie waren schweigsam nach Hause gefahren. Die harte Schale über den Gefühlen hatte sich wieder geschlossen, bei beiden.

Noch einmal nahm er einen Anlauf, holte sie nach der letzten Prüfung ab und fuhr sie nach Genf. Auch zum Konzert fuhr er hin. Er ging durch die Stadt und sah die Plakate: LEA VAN VLIET. Er hatte solche Plakate lieben und hassen gelernt. Manchmal war er mit der Hand über das glatte, glänzende Papier gefahren. Dann wieder, wenn er sich unbeobachtet wähnte, hatte er sie in Fetzen gerissen, Vandalismus gegen den Ruhm seiner Tochter. Einmal hatte ihn ein Polizist dabei gesehen und gestellt. »Ich bin der Vater«, hatte er gesagt und ihm den Ausweis gezeigt. Der Polizist hatte ihn verwundert angesehen. »Wie ist es, eine so berühmte Tochter zu haben?« »Schwierig«, hatte Van Vliet geantwortet. Der Polizist hatte gelacht. Im Weitergehen hatte sich Van Vliet geärgert, daß die Sache auf diese Weise zu einem Scherz geworden war, und er hatte auf den Boden gespuckt. Der Polizist, der stehengeblieben war, hatte es gesehen. Einen Augenblick lang verhakten sich ihre Blicke wie diejenigen von Feinden. So jedenfalls war es Van Vliet vorgekommen.

Er war schon lange bei keinem Konzert von Lea mehr gewesen. Die graumelierte Mähne von Lévy im Saal zu sehen, war unerträglich. Es war auch jetzt unerträglich. Doch dann gelang es ihm, sie zu vergessen. Denn seine Tochter spielte, wie er es noch nie gehört hatte. St. Moritz war nichts dagegen. Schon da hatte er gedacht: eine Kathedrale aus Tönen. Doch das war ein Kirchlein gewesen verglichen mit dem Dom, den sie mit ihren Amati-Tönen über der ganzen Stadt Genf und allem Wasser errichtete. Für den Vater gab es nur noch diesen Dom aus Klarheit und nachtschwarzem Azur, übersetzt in Klang. Und es gab die Quelle dieser monumentalen sakralen Architektur: Leas Hände, die mit der Sicherheit von Maries Händen dieses unvergleichliche Instrument zum Klingen brachten, das Nicola Amati im Jahre 1653 geschaffen hatte. Dazu ihr Gesicht über der Kinnstütze, die Augen meist geschlossen. Seit dem Abend in St. Moritz, an dem David Lévy wie aus dem Nichts an den Tisch getreten war, hatte sie nie mehr ein weißes Tuch für das Kinn benützt. Die Farbe war jetzt Mauve, wie Lea es nannte. Er hatte die Tücher untersucht und gefunden, was er suchte: LUC BLANC, NEUCHÂTEL, der Firmenname in winzigen schwarzen Buchstaben. Auch jetzt preßte Lea ihr Kinn auf ein solches Tuch. Die Muskeln des Gesichts folgten der Musik, sowohl der Linie der Melodie als auch der Kurve der technischen Schwierigkeiten. Er dachte daran, wie dieses Gesicht wenige Tage zuvor aufgelöst und naß an seiner Wange gelegen hatte. *Très bientôt*. Lévy saß unbeweglich auf seinem Platz in der ersten Reihe.

Ihm galt ihr erster Blick, bevor sie sich verbeugte. Der Blick der dankbaren, stolzen und, ja, liebenden Schülerin. Der Dirigent deutete einen Handkuß an. Sie schüttelte dem Konzertmeister die Hand. Erst im Auto wußte Van Vliet, was ihn daran gestört hatte: Die Geste war vorhersehbar gewesen, schrecklich vorhersehbar. Es war ihm vorgekommen, als sei Lea von einem riesigen Räderwerk erfaßt worden, dem gigantischen Mechanismus des Konzertbetriebs, und nun führte sie all die Bewegungen aus, welche die vorgezeichneten ballistischen Kurven ihr vorschrieben. So war es auch mit ihren Verbeugungen gewesen, die sie unter Stampfen und begeistertem Pfeifen wiederholte und wiederholte. Der Vater dachte an die Verbeugungen bei ihrem ersten Auftritt in der Schule. Sie hatten, obgleich anmutig, etwas Scheues an sich gehabt, eine Scheu, die jetzt fehlte; sie war dem Glanz des Stars gewichen.

Lévy fand schneller zu Lea als der Vater. Die beiden traten auf ihn zu. »*Davíd, je vous présente mon père*«, sagte Lea zu dem Mann, der aus Neuchâtel eine verhaßte Burg gemacht hatte. Lévys Gesicht war gelassen, distanziert. Die beiden ungleichen Männer gaben sich die Hand. Lévys Hand war kalt, anämisch.

»*Sublime, n'est-ce pas?*« sagte er.

»*Divin; céleste*«, sagte Van Vliet.

Er hatte die Wörter vor langer Zeit nachgeschlagen, um bereit zu sein, wenn er dem sublimen, vergötterten Lehrer seiner Tochter begegnen sollte. Eine welsche Schulfreundin, die er um Rat fragte, hatte gelacht. »Es trieft vor Ironie«, hatte sie gesagt, »vor allem *céleste*; mein Gott: *céleste* in einem solchen Wortwechsel! *Sublime!*«

Ab und zu hatte er von dieser Begegnung geträumt, und dann waren ihm die Wörter nicht eingefallen. Jetzt kamen sie. In Leas Gesicht mischten sich Empörung über die Ironie und Stolz auf den Vater ob seiner Schlagfertigkeit und einer Sprachkenntnis, die sie ihm nicht zugetraut hätte. »Es gibt jetzt dieses Fest«, sagte sie zögernd, »Davíd nimmt mich dann in seinem Wagen mit, er muß ohnehin nach Bern.«

Davíd, aber immerhin *vous*, hatte Van Vliet im Auto gedacht. Er spürte Lévys kalte Hand, die er beim Abschied noch einmal hatte anfassen müssen. Lea hatte nicht gefragt, ob er auch zum Fest kommen wolle. Natürlich wäre er nicht hingegangen. Aber ausgeschlossen werden wollte er auch nicht, selbst von Lea nicht, besonders nicht von ihr. Er dachte an den Rosengarten und an die Bewegung, mit der sie das Telefon genommen hatte. Es war eine Bewegung gewesen wie eine Mauer, und die Mauer war mit jeder Sekunde gewachsen, in der sie voller Vorfreude darauf gewartet hatte, daß Lévy sich mit seiner melodiösen Stimme meldete. Jetzt hatte er von neuem verloren, und sie würde mitten in der Nacht neben Lévy im grünen Jaguar sitzen.

Van Vliet sagte es nicht, doch wir wußten beide, daß er an Maries Hand gedacht hatte, die mit dem spitzen Schlüssel die ganze Länge eines grünen Jaguars aufgeritzt hatte.

Ich sehe dich nach Ins und Neuchâtel rasen, Martijn, deine Tochter und ein Ziel vor Augen. Und ich sehe dich nachts von Genf nach Bern fahren, ohne Frau, ohne Tempo, ohne Ziel. Ein bißchen wie Tom Courtenay, als er am nächsten Tag in die Tretmühle der Schikanen zurück mußte, für Minuten ein Sieger, für Jahre ein Verlierer.

20

ZU HAUSE HATTE VAN VLIET eine Schlaftablette genommen. Er wollte Lea nicht heimkommen hören. Am nächsten Morgen deckte sie den Tisch für ein gemeinsames Frühstück. Es war das erste Mal, daß er ein Friedensangebot seiner Tochter ablehnte. Im Stehen trank er eine Tasse Kaffee.

»Ich verreise für ein paar Tage«, sagte er.

Lea blickte ängstlich. Als hätte es ihre Gleichgültigkeit der vergangenen Monate nicht gegeben.

»Wie lange?«

»Keine Ahnung.«

»Wohin?«

»Keine Ahnung.«

Ihr Blick flatterte. »Allein?«

Van Vliet verweigerte die Antwort. Auch das ein erstes Mal. Ihr Blick hatte gesagt: *Marie.* Sie mußte es gespürt haben. Gesagt hatte sie nie etwas. Aber gespürt haben mußte sie es. Marie war ein Tabu geworden, ein Kristallisationspunkt von Verletztheit, Schuld und Peinlichkeit. Er hätte nie gedacht, daß es zwischen ihm und seiner Tochter ein Tabu geben könnte. Daß sie sich seinerzeit im Bahnhof, nach Loyolas Spiel, seiner beschützenden Bewegung widersetzt hatte – das war das Erwachen eines eigenen Willens gewesen, es hatte weh getan, aber er hatte es verstehen, annehmen und schließlich fördern gelernt. So wie die anderen Spielarten von Selbständigkeit, die sie seitdem entwickelt hatte. Doch diese verbotene Zone um Marie herum, diese Eiszeit des Verschweigens und Verleugnens: Es zerriß ihn, daß es zwischen ihnen soweit gekommen war.

»Also, ich gehe dann«, sagte er zum Abschied. Er war sicher, ganz sicher, daß sie wußte: Er zitierte ihre rituellen Worte, wenn sie nach Neuchâtel aufbrach. Sie sah verloren aus, wie sie dort im Flur stand: ein Mädchen, das demnächst sein Maturitätszeugnis im Briefkasten finden würde; ein Star, dessen Name an allen Säulen und in allen Zeitungen stand; eine Violinschülerin, die ihren Lehrer liebte, auch wenn sie nie über Nacht bleiben durfte. Van Vliet erstarrte, als er ihre Verlorenheit sah. Um ein Haar hätte er die Tür wieder geschlossen und sich an den Frühstückstisch gesetzt. Doch die Sache mit dem Fest am Abend zuvor war die eine Sache zuviel gewesen. Er ging.

Dies alles hatte er mir beim Frühstück erzählt. Er hatte an meine Zimmertür geklopft, nicht an die Verbindungstür. Er mußte lange klopfen, es war schon fast acht gewesen, als ich mit Versen von Walt Whitman im Sinn eingeschlafen war. Die Frühstückszeit war vorbei, aber wir überredeten die Bedienung. Und nun saßen wir in unseren Mänteln am See, bereit zu fahren und doch auch nicht bereit. Er wollte nicht in seine zwei Zimmer voller Stille, und ich hatte Angst vor Bern. Wie würde es sein? Würden wir uns vor meinem Haus einfach verabschieden, und er führe zu sich, auf Berns Straßen, auf denen keine donnernden Lastwagen heranrasten? Was würde ich mit seinem Unglück machen? Was würde er mit dem Wissen machen, daß ich es kannte? Eine Intimität dieser Größe, die plötzlich durchtrennt wurde: War das nicht etwas Schreckliches, Barbarisches? Etwas schlechterdings Unmögliches? Doch was sonst?

Und so blieben wir sitzen, frierend, die Schwäne betrachtend, und Van Vliet erzählte, wie er sich aufgerichtet hatte.

»Ich richtete mich nach dieser langen Zeit auf. Dabei spürte ich, wie klein ich mich von Ruth Adamek hatte machen lassen. Zuerst saß ich mit der Reisetasche im Büro und betrachtete meinen Schreibtisch, der immer leerer wurde: Weil ich so selten da war, nahmen sie mir die Sachen einfach weg und erledigten sie selbst. Ich hatte keine Ahnung mehr, was in meinem Institut vor sich ging.« Er schnippte die Kippe in den See. »Als ich mir das dort oben, mit Blick auf die Berge, klarmachte, ging es mir gar nicht so schlecht. Jedenfalls redete ich es mir ein. Geld fälschen, Freiheit, Unbekümmertheit, die Dinge einfach sausen lassen: Warum nicht! Doch die Wahrheit war es nicht. In Wirklichkeit spürte ich, daß meine Würde in Gefahr war. Großes Wort, pathetisches Wort, hätte nie gedacht, daß ich es eines Tages bemühen müßte. War aber das treffende Wort. Vielleicht auch wegen des Abends in Genf, ich weiß nicht. Der leere Schreibtisch war nicht mehr lustig. Ich ging.«

Er fuhr nicht ins Oberland. Er nahm den Zug nach Mailand.

»Passende Kleider für die Oper hatte ich nicht mit. Besitze ich auch gar nicht. Doch am zweiten Abend stand da jemand und bot mir eine Karte für die Scala an. *Idomeneo*. Ich ließ mich übers Ohr hauen, mehr als das. Und so saß ich zwei Tage nach Leas Konzert in abgerissener Kleidung in der Mailänder Oper und betrachtete die Geiger im Orchestergraben. Ich stellte mir Lea dort vor. Und irgendwie war das der Funke: Sie würde am Konservatorium Musik studieren, sie war jetzt meine erwachsene Tochter, die mit Konzerten und Platten Geld verdiente, worauf es nun ankam, war, sie loszulassen, irgendwann wäre auch Lévy vorbei, eine eigene Wohnung, eine eigene Verantwortung, Freiheit, Freiheit für uns beide. Danach war *Idomeneo* meine Oper, ich hatte keine Ahnung, was darin geschah und wie sie klang, aber es war eine wunderbare Oper, die Oper meiner Befreiung aus der Verantwortung, die mir Cécile aufgebürdet hatte und an der ich fast zerbrochen war.

Das Problem war nur: Ich glaubte mir kein Wort. Doch das wollte ich nicht wahrhaben, und so arbeitete ich an diesem Selbstbetrug mit all der neuen Energie, die ich mir einredete.

Doch erst gönnte ich mir ein paar Tage in oberitalienischen Städten und am Gardasee. Ein Vater, der endlich die richtige Einstellung zu seiner erwachsenen Tochter gefunden hatte. Ein Mann, der am Beginn eines neuen Lebensabschnitts stand, voll von neuer Freiheit. Blicke von Frauen, auch von jungen. Eine neue Reisetasche.

Und dann jenes Buch über die Geigenbaukunst in Cremona. Amati, Stradivari, die Guarneris. Ich weiß noch: Ganz wohl war mir nicht, als ich an der Kasse stand. Als käme die Brandung einer gefährlichen, tückischen Zukunft auf mich zu. Als führte mir das Buch etwas vor Augen, einen Strudel, in dem ich verschwinden würde. Aber ich wollte von diesem Gefühl nichts wissen. Ich würde das Buch Lea mitbringen: eine Geste der Versöhnung, eine großzügige Geste, die durch Amati hindurch auch Lévy einschloß.

Nach der Rückkehr nahm ich meinen Beruf wieder auf, sozusagen. Ich war früher als die anderen im Büro und ging später. Ich ließ mir alle Unterlagen der letzten Monate bringen. Ich ließ mir die Ergebnisse der Experimente schildern, für die wir Geld bekommen hatten, und fragte nach den Einzelheiten der neuen Projekte. Ich war leise und knapp. Sie bekamen Angst vor meiner Energie und meiner Konzentration, die sie fast schon vergessen hatten. Denn es kamen Fehler an den Tag: falsche Kalkulationen, falsche Einschätzungen, falsche Fragestellungen. Die Verträge zweier Mitarbeiter mußten verlängert werden. Ich verweigerte die Unterschrift. Als ich entdeckte, daß Ruth Adamek an meiner Stelle unterschrieben hatte, rief ich bei der Personalstelle an und machte die Sache rückgängig. Ich zitierte Ruth zu mir. Ich blies ihr den Rauch ins Gesicht. Sie wollte protestieren, aber das war erst der Anfang. ›Nicht jetzt!‹ sagte ich, als jemand hereinkam. Ich muß es so schneidend gesagt haben, daß sie erbleichte. Ich zog einen Stapel Papiere zu mir, den ich in der Nacht durchgearbeitet hatte. Sie erkannte den Stapel und schnappte nach Luft. Ich rechnete ihr die falschen Entscheidungen vor, eine nach der anderen. Sie wollte es auf mich schieben, auf mein ständiges Fehlen. Ich schnitt ihr das Wort ab. Ich sah sie an und spürte ihren Atem in meinem Nacken, als sie damals ›Unterschreiben!‹ geschnaubt hatte. Ich sah ihr Grinsen, nachdem ich den Antrag zerrissen hatte. Ich las ihr die Fehlkalkulationen vor, die falschen Prämissen, die falschen Deutungen der Daten. Ich las sie ihr vor, eine nach der anderen. Ich wiederholte sie. Ich skandierte sie. Ich vernichtete Ruth Adamek, die es mir nie verziehen hatte, daß ich auf ihren Minirock nicht hereingefallen war. Ein eisiger Wind fegte durch die Gänge. Ich genoß ihn.

Und damit nicht genug. Ich landete bei der Industrie einen Coup und akquirierte Forschungsgelder in zweistelliger Millionenhöhe. Als ich die Vorstandssitzung verließ, mußte ich mich im Aufzug festhalten. Meine Nonchalance hatte gestochen, ich hatte es an den Gesichtern gesehen, und sie hatte die Summe immer weiter in die Höhe getrieben. Es war kein Betrug, aber das Ganze war riskant, milde ausgedrückt.

Ich wurde zum Rektor bestellt. Er gratulierte mir zu der Akquisition. ›Ein Kinderspiel‹, sagte ich, ›und ohne jede Bedeutung. Meine Forschung, meine ich. Nützt niemandem. Könnte man genausogut lassen.‹ Er überwand den Schock schnell, das muß ich ihm lassen, und brach in lautes Lachen aus. ›Ich wußte gar nicht, daß Sie ein solcher Spaßvogel sind!‹ Ich machte ein todernstes Gesicht. ›Kein Spaß, mein voller Ernst.‹ Und dann versuchte ich etwas, das ich einmal bei einem Komiker gesehen hatte: Ich brach unvermittelt in brüllendes Lachen aus, so daß die todernste Miene nun wie der kunstvolle Auftakt zu diesem Lachen erscheinen mußte, ich platzte einfach heraus, und da fing auch der Rektor an zu lachen, ich steigerte mich und grölte, bis auch er grölte, das Grölen klang, als müßte es in der ganzen Universität zu hören sein, ich steigerte mich noch einmal, denn nun fand ich dieses Grölen wirklich zum Totlachen, ich lachte Tränen, und am Schluß holte auch der Rektor das Taschentuch hervor. ›Van Vliet‹, sagte er, ›Sie sind ein As, ich hab's immer gewußt, alle Holländer sind Asse.‹ Das war so dämlich, so gottverdammt blöd, daß ich wieder losprustete, und nun ging unser Grölen in die zweite Runde. Zum Abschied erkundigte er sich nach Mademoiselle Mozart. ›Bach‹, sagte ich, ›Johann Sebastian Bach.‹ ›Sag' ich doch‹, sagte er und schlug mir auf die Schulter.

Wie ganz anders sollte unsere nächste Begegnung verlaufen!«

21

AM 5. JANUAR wurde Lea zwanzig. Drei Tage später eröffnete ihr Lévy, daß er bald heiraten und mit seiner Frau für einige Zeit verreisen werde. Das war der Beginn der Katastrophe.

Es hatte Vorboten gegeben. Sonst hatte er mit Lea auch zwischen Weihnachten und Neujahr gearbeitet, und nach Neujahr ging es gleich weiter. Dieses Mal gab es zwischen den Jahren eine Pause. Van Vliet fragte nicht, er nahm es nur dankbar zur Kenntnis. Es gab wieder einmal Weihnachtsschmuck in der Wohnung, und Lea half. Aber sie war nicht bei der Sache. Und was den Vater alarmierte: Sie spielte nicht, keinen Ton. Schlief bis mittags, saß herum. Er schenkte ihr das Buch über die Cremoneser Schule des Geigenbaus, das er auf der Reise nach Mailand gekauft hatte. Ein paar Tage lag es ungeöffnet auf dem Tisch, dann fing sie an zu blättern. Zuerst las sie alles über Nicola Amati, dessen Hände ihre Geige geschaffen hatten. Die Farbe kehrte ins Gesicht zurück. Van Vliet spürte: Sie dachte fortwährend an Lévy, Nicola Amati war nur der Stellvertreter. »Er war es, der die spitze Gambenform zur heutigen Form verändert hat«, sagte sie. Der Vater setzte sich neben sie an den Küchentisch, und zusammen lasen sie alles über die Maße eines Geigenkorpus, den Lack, die Holzstärke der einzelnen Teile, die Form der *f*-Löcher und der Schnecke. Das Instrument, das drüben im Musikzimmer lag, war ein *Großes Amati-Modell*, sie hatte diese Bezeichnung nicht gekannt. Auch hatte sie nicht gewußt, daß man solche Geigen wegen ihres Klangs *Mozart-Geigen* nannte. Ihre Wangen begannen zu glühen, ein paar rote Flecke erschienen am Hals. Mit jedem winzigen Detail rückte Neuchâtel näher. Es tat dem Vater weh, aber er blieb sitzen, und dann gingen sie zusammen den Stammbaum der Amati-Dynastie durch.

GUARNERI DEL GESÙ. Dort am Küchentisch, in den letzten Tagen des Jahres, ahnte Van Vliet nicht, was für ein Unglück hinter diesem Namen auf sie wartete. Was für ein Verhängnis er für sie beide bedeuten sollte. Zunächst war es einfach der Name, der Lea fesselte und ihre Aufmerksamkeit von Amati und Lévy weglenkte. Plötzlich erschien in ihren Augen und ihrer Stimme eine frische, unbefangene Neugierde, die ohne Seitenblick auf Neuchâtel war. Auch diesen Stammbaum lernten sie kennen. Andrea, der Großvater; Giuseppe Giovanni, der später den Beinamen *filius Andreae* erhielt; und eben sein Sohn Bartolomeo Giuseppe, der sich auf seinen

Geigenzetteln als *Joseph Guarnerius* bezeichnete. Er fügte ein Kreuz hinzu sowie die Buchstaben IHS, die IN HOC SIGNO oder IESUS HOMINUM SALVATOR bedeuten konnten. Aus diesem Grund wurde er später *Guarneri del Gesù* genannt. Dieser Beiname gefiel Lea, er gefiel ihr so sehr, daß Van Vliet an das Kreuz dachte, das ihr Marie auf die Stirn zu zeichnen pflegte. Einen kurzen, gefährlichen Moment lang war er versucht, sie danach zu fragen. Zum Glück hatte Lea gerade etwas gelesen, das sie in freudige Aufregung versetzte.

»Guck mal, Papa, auch Niccolò hatte eine Guarneri del Gesù! Sie heißt *Il Cannone*. Er hat sie der Stadt Genua vermacht, man kann sie dort im Rathaus besichtigen. Können wir da nicht hinfahren?«

Noch am selben Tag kaufte Van Vliet die Flugscheine und buchte das Hotel. Sie würden Leas Geburtstag in Genua verbringen, vor der Vitrine mit Paganinis Geige. Was könnte besser passen! Es war das perfekte Geschenk zu diesem Geburtstag. Und was viel wichtiger war: Es war seit vielen Jahren wieder eine Reise, die er mit seiner Tochter, ganz allein mit ihr, machen würde. Die letzte mußte abgebrochen werden, weil Lea zurück zu Marie wollte. Diese, schwor sich der Vater, würde nicht abgebrochen, notfalls würde Leas Telefon unterwegs verlorengehen. Er freute sich, er freute sich so sehr, daß er Lea einen luxuriösen Koffer kaufte, den teuersten, den sie hatten, und auch einen riesigen Bildband über Genua und einen Stadtplan brachte er mit. Das neue Jahr in Genua beginnen, zusammen mit seiner Tochter: Eigentlich mußte es dann auch sonst ein Jahr werden, in dem sich die Dinge zum Guten wenden würden. So zuversichtlich war er schon lange nicht mehr gewesen.

Doch mit einemmal wollte Lea nicht mehr. Sie wollte lieber diese Ausstellung in Neuchâtel sehen, von der sie in der Zeitung gelesen hatte. Van Vliet blickte auf den neuen Koffer. Das Ganze war wie ein Traum, der im Morgenlicht vergeht. »Ich glaube, ich war nie zuvor so enttäuscht«, sagte er. »Es war, als wäre ich gegen unsichtbares Panzerglas gelaufen, das ganze Gesicht tat mir weh.« Er stornierte das Hotel und zerriß die Flugscheine. An Leas Geburtstag ging er früh ins Institut und blieb bis tief in die Nacht vor dem Computer. Das erste Mal dachte er daran, allein in eine andere Wohnung zu ziehen.

Drei Tage später kam sie ohne Geige von Neuchâtel zurück. Sie war vom Regen überrascht worden, das Haar hing ihr in Strähnen ins Gesicht. Aber das war es nicht, was ihn erschauern ließ. Es war der Blick.

»Ein irrer Blick. Ja, man kann es nicht anders sagen: irre. Ein Blick, der von einer schrecklichen inneren Unordnung zeugte. Davon, daß sie das seelische Gleichgewicht gänzlich verloren hatte und auf einer Flutwelle von Verletztheit dahintrieb. Der schlimmste Moment war, als dieser Blick mich streifte. ›Ach, du bist auch da‹, schien er zu sagen, ›wieso eigentlich, helfen kannst du mir dabei nicht, du doch nicht, du bist der letzte, der es kann.‹ Sie kroch in den nassen Sachen unter die Bettdecke. Nicht einmal die Schuhe zog sie aus. Als ich die Tür einen Spaltbreit öffnete, schluchzte sie ins Kissen.«

Van Vliet setzte sich an den Küchentisch und wartete. Versuchte sich vorzubereiten, seine Gefühle zu ordnen. Ein Bruch mit Lévy. Ein Bruch, der so weit ging, daß sie ihm die Geige zurückgegeben hatte. Er versuchte, ehrlich mit sich zu sein. Die Erleichterung nicht zu leugnen. Das also war zu Ende. Doch was nun? War das auch das Ende ihrer Karriere, ihres Lebens als Musikerin? Man würde sehen und vor allem hören, daß sie nicht mehr auf der Amati spielte. Die Geige aus St. Gallen füllte keine Konzertsäle. Und einmal abgesehen davon: Wer würde jetzt die Konzerte für sie arrangieren?

Er vergaß, die Schlaftabletten zu verstecken. Lea fand sie, aber es waren nur noch wenige in der Packung. Als er es merkte, weckte er sie, kochte Kaffee und ging mit ihr auf und ab, durch die ganze Wohnung. Das Mittel hatte die Schranken der Zensur niedergerissen, und nun brach es aus ihr hervor, roh, rauh und unzusammenhängend. Lévy hatte ihr seine Braut vorgestellt. »Titten und Arsch!« schrie Lea mit belegter Stimme. Sie würde Lévy scharf machen und abzocken, weiter nichts. Es fiel Van Vliet schwer, die Worte für mich zu wiederholen, er hatte gezögert, und es war klar, daß noch ganz andere Dinge aus Lea hervorgebrochen waren. Der Vater, auf der Gasse aufgewachsen, war verstört zu hören, wie ordinär seine vergötterte Tochter sein konnte. Er merkte: Er hatte sie sich als eine Fee vorgestellt, eine Charakterfee, der alles Unflätige und Gewöhnliche fremd wäre. Und noch etwas verstörte ihn, etwas, das ihn schon beim Konzert in Genf gestört hatte, als Lea dem Konzertmeister die Hand schüttelte: daß sie Dinge tat, die so genau vorhersehbar waren. Denn ihre wüsten Beschimpfungen mit dem immer wiederkehrenden *putain* waren so schematisch und vorhersehbar wie die Eifersuchtsorgien in einer Seifenoper. Nach der rasenden Autofahrt von Neuchâtel nach Bern hatte er es genossen, seine weinende Tochter in den Armen zu halten. Jetzt, da er sie durch die Wohnung schleppen mußte, spürte er das erste Mal seit ihrer Geburt einen Widerwillen beim Berühren des schläfrigen Körpers, aus dem all diese unflätigen und vorhersehbaren Dinge kamen.

Ich dachte daran, wie ich Leslie das erste Mal *shit* und *bitch* sagen hörte. Es war vor dem Fernseher, und auch ich zuckte zusammen. »*Growing up*«, sagte Joanne und lächelte.

»Die meisten Dinge, die wir sagen, sind vorhersehbar«, sagte ich.

Van Vliet zog an der Zigarette und sah auf den See hinaus. »Kann sein«, sagte er. »Geht vielleicht auch nicht anders. Trotzdem: Daß sie lauter Dinge sagte, die ihr irgendein besoffener Drehbuchschreiber hätte in den Mund legen können – es war schrecklich, einfach abscheulich. Es war, als schleppte ich irgendein beliebiges junges Mädchen durch die Wohnung, und gar nicht Lea. Es war doch auch so schon viel Fremdheit zwischen uns. Warum jetzt auch das noch.«

Jahre später, als Lea schon im Hospiz von Saint-Rémy und in der Obhut des Maghrebiners war, rief Van Vliet Lévy an und bat ihn um ein Gespräch. Wie beim ersten Anruf zuckte er zusammen, als er das »*Oui?*« der melodiösen Stimme hörte. Doch jetzt machte er weiter, und dann fuhr er nach Neuchâtel. Lévy und seine schöne, junge Frau, deren Gemälde an den Wänden hingen und die in nichts der Frau glich, von der Leas tablettentrunkene Stimme gesprochen hatte, erzählten von dem dramatischen Moment, in dem Lea beinahe eine Million Dollar vernichtet hätte. Sie hatte die Amati-Geige in der Hand, als Lévy ihr seine Braut vorstellte.

»Ihr Blick … ich muß es geahnt haben«, sagte Lévy, »denn ich machte ein paar Schritte auf sie zu. Und so konnte ich gerade noch ihr Handgelenk packen, bevor sie die Geige wegschleudern konnte. Es war der letzte, der allerletzte Moment. Sie ließ die Geige los, und ich bekam das Instrument mit der anderen Hand zu fassen. Es ist mehr wert als all das hier«, und er machte eine Bewegung, die das ganze Haus einschloß.

Auf der Rückfahrt dachte Van Vliet daran, wie seine kleine Lea nach dem Fehler beim Rondo die Geige am liebsten ins Publikum geschleudert hätte. Auch an die Platte von Dinu Lipatti dachte er, die sie zum Fenster hinausgeworfen und deren Hülle auf dem Asphalt so schrecklich geschepppert hatte.

Jetzt aber ging es erst einmal darum, jeden Tag zu nehmen, wie er kam. Es galt, die Millionen zu verwalten, die er mit seinem Coup lockergemacht hatte. Gerade jetzt konnte er es sich nicht leisten wegzubleiben. Ruth Adamek würde jede Gelegenheit zur Rache nutzen. Mehrmals am Tag rief er zu Hause an und vergewisserte sich, daß Lea keine Dummheiten machte. Die Kopfschmerzen bei der Arbeit wurden heftiger.

An einem frühen Morgen wartete er vor Krompholz, um Katharina Walther zu sprechen, bevor die ersten Kunden kamen. Es war viel Zeit vergangen, er hatte es ihr lange übelgenommen, daß sie über Leas Wechsel von Marie zu Lévy so gesprochen hatte, als ginge da etwas Krankhaftes zu Ende. Sie hatte den Weg von Mademoiselle Bach in der Presse verfolgt und war auch in einem ihrer Konzerte gewesen. Das Konzert in Genf hatte sie im Fernsehen gehört. Sie fiel aus allen Wolken, als Van Vliet ihr von Leas Zusammenbruch erzählte.

»Sie ist zwanzig«, sagte sie nach einer Weile, »sie wird darüber hinwegkommen. Und Konzerte: Dann gibt es eben für eine Weile keine. Die Ruhe wird ihr guttun. Andere Konzertagenten werden sich melden.«

Van Vliet war enttäuscht. Was hatte er erwartet? Was konnte er erwarten, wenn er das Wichtigste verschwieg?

Das Wichtigste war, daß Leas Gedanken verrutschten. Nicht nur ihre Gefühle waren in Aufruhr. Es war, als käme aus der Tiefe der verworrenen Gefühle ein Sog, der auch das Denken ins Dunkel hinabzog.

Es gab Tage, da schienen die Dinge wieder in Ordnung zu sein. Doch der Preis war die Verleugnung der Zeit. Dann redete Lea über Neuchâtel und Lévy, als sei alles wie früher. Ohne zu merken, daß das nicht zu der Tatsache paßte, daß sie nicht mehr hinfuhr und keine Amati mehr da war. Sie kam mit neuen Kleidern nach Hause, die sie für fiktive Konzerte gekauft hatte. Es waren Kleider mit Glitzerkram, die sie nuttig aussehen ließen und in kein Konzerthaus paßten. Dann wieder lief sie in der Wohnung in einem Hemdchen herum, das den Vater erröten ließ, dazu Lippenstiftpfusch, der den Mund aufblähte. Sie las die Zeitung von vorgestern und merkte es nicht. Selten wußte sie, was für ein Wochentag war. Sie verwechselte *Idomeneo* mit *Fidelio*, Tschetschenien mit Tschechien. Sie begann zu rauchen, auch in der Wohnung, dabei vertrug sie keinen Rauch und hustete ständig. »Heute habe ich in der Stadt Caroline gesehen, man kann ja nicht alles vergessen«, sagte sie. »Joe ist pensioniert worden, jetzt ist er endlich am Ziel, er hat immer so gern unterrichtet.« Und: »Mozart hat es mit den Tempi immer ganz genau genommen, es war ihm nicht so wichtig, die Noten kamen ihm einfach viel zu schnell, als daß er auf ihre Geschwindigkeit achten konnte.«

Van Vliet blieb oft bis weit in die Nacht im Institut. Da konnte er den Kopf auf den Tisch legen und den Tränen freien Lauf lassen.

Ob er nie an einen Psychiater gedacht habe, fragte ich. Natürlich. Aber er hatte nicht gewußt, wie er ihr den Gedanken hätte nahebringen können, ohne daß sie an die Decke gegangen wäre. Und er hatte sich geschämt, dachte ich.

Geschämt? War das der treffende Ausdruck? Er hätte es nicht ertragen, daß jemand von dem Unglück erfuhr, das ihn mit seiner Tochter verband. Daß jemand seine Nase da hineinsteckte. Selbst wenn es ein Arzt war. Und außerdem: Wie hätte ein Fremder etwas an seiner Tochter verstehen können, das er, der Vater, nicht verstand? Er, der sie doch in- und auswendig kannte, weil er sie seit zwanzig Jahren jeden Tag sah und jede Weggabelung, jede Abzweigung, jede Krümmung in ihrer Lebensgeschichte kannte?

Im Grunde aber war es dieses eine: Er wollte den *fremden Blick* nicht, den entblößenden Blick eines anderen. Er hätte ihn als vernichtend erleben müssen, vernichtend für Lea und für sich selbst. Ja, auch für sich selbst. So, wie er dann den Blick des Maghrebiners erlebte, den schwarzen, arabischen Blick, den er in seinem Haß am liebsten genommen und in die dunklen Augen zurückgestoßen hätte, ganz nach hinten, bis er erlöschen müßte.

Hinzu kam, daß ihm etwas gelang, das ihn in der Überzeugung bestärkte, Lea und er könnten die Krise allein überwinden. Eines Tages sah er ein kleines Mädchen, dem ein Hund die Hand und das Gesicht leckte. Da erinnerte er sich an die Zuneigung, die Lea früher von den Tieren erfahren hatte. Er ging mit ihr ins Tierheim. Abends fütterte sie den neuen Hund bereits.

Sie klammerte sich sofort an das Tier, einen schwarzen Riesenschnauzer, und es machte sie ruhiger, manchmal schien sie fast gelöst. Sie war zärtlich zu ihm, und wenn der Vater sie so sah, konnte er das Heftige und Grausame, das auch in ihr war, fast vergessen. Nur wenn jemand Fremdes dem Hund zu nahe kam, blitzte es auf. Dann war ihr Blick von schneidender Schärfe.

Sie liebte den Hund und beschützte ihn. Der Vater wurde ruhiger, die Tablettengefahr war vorbei, den Hund würde sie nicht im Stich lassen. Doch langsam und unmerklich wuchs eine neue Gefahr heran: Aus der Beschützerin wurde ein Kind, das bei dem Hund Schutz suchte wie bei einem Menschen. Statt sich zu ihm hinunterzubeugen oder ihn aus der Hocke heraus zu streicheln, setzte sich Lea neben ihn auf den Boden, unbekümmert um allen Schmutz, legte ihren Kopf an den seinen und schlang die Arme um ihn. Van Vliet dachte sich nicht sofort etwas dabei, die Erleichterung, sie geborgen zu wissen, überwog. Obgleich es manchmal einer traurigen Komik nicht entbehrte, wenn der Hund sich ihr entwand, weil er keine Luft mehr bekam oder sich einfach bedrängt fühlte.

»Nikki«, sagte sie dann enttäuscht und auch ein bißchen gereizt, »warum bleibst du nicht bei mir.«

Es war der Name, an den der Hund von früher her gewohnt war. In der Gegenwart des Vaters nannte sie ihn auch nie anders. Doch als Van Vliet eines Tages an ihrer Tür vorbeiging, hörte er durch den offenen Spalt, wie sie ihn *Nicola* oder *Niccolò* nannte, die beiden Namen flossen ineinander. Es war wie ein Stromstoß. In seinem Büro versuchte er sich zu beruhigen, klar zu denken. Warum es nicht einfach als ein harmloses, lustiges Wortspiel sehen? Doch warum dann im Verborgenen? *War* es überhaupt im Verborgenen? Und selbst wenn es ein bißchen mehr war und sie den Hund irgendwie, aus einem vagen und konfusen Gefühl heraus, mit Amati und Paganini in Verbindung brachte: War das wirklich Grund zur Sorge? Sie war ein bißchen verschroben und durcheinander, aber nicht verrückt.

Van Vliet konzentrierte sich auf die Arbeit. Bis plötzlich

die Angst in ihm hochschoß wie eine Fontäne: *Was, wenn sie es doch war?* Wenn sich hinter dem harmlosen Namensspiel ein Schub von seelischer Verwirrung ankündigte, der in ihrer Innenwelt alles verschob wie ein tektonisches Beben?

In einem dieser Momente, in dem ihn die Panik überspülte, muß Ruth Adamek hereingekommen sein. Sie muß den weißen Labormantel getragen und einen Schlüsselbund in der Hand gehalten haben. Da muß etwas mit Van Vliet geschehen sein, etwas, das ich mehr aus seinem fiebrigen Blick und seiner rauhen Stimme herauslas als aus seinen Worten, die karg und stockend kamen: Seine Assistentin, die er hier noch vor kurzem – wie er sich ausdrückte – vernichtet hatte, erschien ihm wie die gebieterische, erbarmungslose Wärterin auf einer geschlossenen psychiatrischen Station. Und wenn ich sage: *erschien*, so meine ich, daß sie wie eine Erscheinung war, eine teuflische Epiphanie, die vorhatte, ihn und seine Tochter hinter die hohen, düsteren Mauern einer Anstalt zu holen.

Van Vliet warf sie hinaus und wurde fast tätlich. Der Knall der Bürotür war im ganzen Haus zu hören. Wenn es vielleicht irgendwo in ihm, in einer verborgenen, verleugneten Kammer, die Bereitschaft gegeben hatte, einen Psychiater zu Rate zu ziehen: Von nun an war diese Kammer für immer versiegelt.

»Eine Irrenanstalt. Eine *Irrenanstalt.* Ich bringe doch Lea nicht in eine *Irrenanstalt.*«

Wir waren eine Weile gegangen und standen nun wieder am Ufer des Genfer Sees. Das brutale Wort war wie ein Messer, mit dem er sich schnitt, einmal, zweimal, dreimal. Ich dachte an seine Worte, als er von Amsterdam, den zu niedrigen Brücken über den Grachten und der Maskerade mit den alten Kleidern erzählt hatte, die er anzog, um sich als Martijn Gerrit van Vliet, der grobschlächtige Holländer, gegen den glitzernden Davíd Lévy zu wehren: *weil ein seelischer Schmerz, an dem man mitwirkt, leichter zu ertragen ist als einer, der einem nur zustößt.*

»Ich bringe doch Lea nicht in eine Irrenanstalt.« Er sprach in der Gegenwartsform. Eine schreckliche Gegenwartsform. Nicht nur, weil sie Leas Tod verleugnete. Sondern auch, weil darin eine hilflose, eisige Wut vibrierte, eine Wut auf den Maghrebiner, der ihm den Zugang zu seiner Tochter verwehrt hatte und dessen Existenz nur dadurch zu ertragen war, daß man sie in der Wahl des Tempus einfach durchstrich. Nein, an weiße Mäntel, Schlüssel und verriegelte Anstaltstüren war nicht zu denken.

Auch dann nicht, als Lea nach dem Besuch bei Marie vollends zusammenbrach. Van Vliet hatte sie von weitem gesehen, ihre alte Geige über die Schulter gehängt, Nikki an der Leine. Der Magen krampfte sich zusammen. *Marie.* Zur Gewißheit wurde es, als sie in die Straßenbahn einstieg. Van Vliet rannte zum Taxistand und folgte ihr. Wie man einer Schlafwandlerin folgt, um sie zu beschützen und vor dem Absturz zu bewahren.

Er versteckte sich in einem Hauseingang auf der anderen Straßenseite, als Lea mit zögernden Schritten und sonderbar gesenktem Kopf auf Maries Haus zuging. Die Dämmerung hatte eingesetzt, und er sah sofort: kein Licht hinter Maries Fenstern. Lea zögerte, schien für einen Moment umdrehen zu wollen und klingelte dann doch. Nichts. Sie streichelte den Hund, wartete, klingelte noch einmal. Van Vliet atmete auf: Es war noch einmal gut gegangen. Doch obwohl der Hund zog, ging Lea nicht weg, sondern nahm die Geige von der

Schulter und setzte sich auf die Stufen vor der Tür. Nun warteten Vater und Tochter in der hereinbrechenden Dunkelheit, sprachlos und getrennt durch den Abendverkehr, in dem Marie irgendwann auftauchen mußte.

Sollte er zu ihr gehen und sie nach Hause bringen? Sie daran erinnern, daß Marie Angst vor Hunden hatte? Hätte sie nicht die Geige mitgebracht – vielleicht hätte er es getan. Doch die Geige bedeutete: Sie wollte nicht einfach mit Marie reden, sie wollte zum Unterricht, und das hieß: Sie wollte die Zeit zurückdrehen, wollte, daß alles sei wie vorher. Es gab keine Abreise in St. Moritz, keinen Bruch, keinen David Lévy, kein Neuchâtel, sie wollte zurück zu Maries Batikkleidern und zu dem vielen Chintz, in dem sie einmal hatte baden wollen. Van Vliet spürte: Sie hing dort drüben, auf den Stufen, über einem Abgrund. Sie torkelte in der Zeit, oder besser: Sie kannte keine Zeit mehr, es *gab* in ihr keine Zeit mehr – es gab nur diesen einen Wunsch: daß es mit Marie wieder gut sein möge, mit der Frau, der sie den goldenen Ring geschenkt und aus Rom die vielen Karten geschickt hatte, mit der Frau, die ihr vor jedem Auftritt das Kreuz auf die Stirn gezeichnet hatte.

Und der Vater wollte nicht derjenige sein, der diese Hoffnung und diese Sehnsucht zertrampelte, und den sie danach hassen würde.

Es war schon nach zehn und finstere Nacht, als Marie vor dem Haus parkte. Van Vliet starrte hinüber, bis die Augen tränten. Der Hund sprang auf und zerrte an der Leine. Marie schreckte zurück, stutzte, erstarrte. Lea stand jetzt und sah ihr entgegen. Van Vliet war froh, daß es zu dunkel war, um den Blick zu erkennen. Doch vielleicht war es noch schlimmer, sich diesen Blick vorstellen zu müssen: einen flehentlichen, bittenden Blick seiner Tochter, für die Marie vielleicht die letzte Rettung war.

Van Vliet war versucht hinüberzugehen, hinüberzurennen, seiner Tochter zu Hilfe. Doch das hätte alles noch chaotischer gemacht, und so starrte er weiter ins Dunkel und versuchte zu hören, was Marie sagte. Etwas *mußte* sie ja sagen, sie konnte nach drei Jahren des vollständigen Schweigens nicht einfach wortlos an Lea vorbei ins Haus gehen und die Tür hinter sich zumachen. Oder doch?

Marie war bei der Tür, es sah aus, als steckte sie den Schlüssel ins Schloß. Lea war zur Seite getreten, sie hatte sich an einen Busch pressen und Nikki am Halsband festhalten müssen, um Marie vorbeizulassen. Es hatte dem Vater einen Stich gegeben, als er sah, wie sie zurückwich, einer Sklavin gleich, die kein Recht hatte, dort zu sein. Jetzt hörte er sie etwas zu Marie sagen. In der halb geöffneten Tür, hinter der das Licht angegangen war, wandte sich Marie um und sah Lea an. Ein Auto fuhr vorbei. »… spät … leid …« war alles, was er verstand. Lea ließ den Hund los, stolperte über die Leine, breitete die Arme aus, es muß den Vater zerrissen haben, als er die flehentliche, sehnsuchtsvolle Bewegung seiner Tochter sah, die weder ein noch aus wußte und den aberwitzigen Versuch unternahm, aus der Zeit und allem, was sie mit den Menschen macht, einfach auszutreten und dort weiterzuleben, wo es am wenigsten weh tat.

Marie, ein Schattenriß vor dem Lichtschein, der aus der Tür drang, schien sich aufzurichten und ganz groß zu werden, Van Vliet hatte diese Bewegung des Aufrichtens kennen und fürchten gelernt. »Nein«, sagte sie, und noch einmal: »nein«. Dann wandte sie sich um, trat durch die Tür und ließ sie hinter sich zufallen.

Eine ganze Weile blieb Lea einfach stehen, den Blick auf die Tür gerichtet, hinter der das Licht erlosch. Daß es erlosch – es kam dem Vater vor, als würden damit jede Hoffnung und jede Zukunft für seine Tochter vernichtet. Jetzt ging das Licht im Musikzimmer an, Maries Silhouette wurde sichtbar. Van Vliet dachte daran, wie er vor langer, sehr langer Zeit dem Schattenspiel zugesehen hatte, das Marie und Lea in jenem Raum aufführten, und wie er sich ausgeschlossen gefühlt und die beiden um die Intimität beneidet hatte, die aus den Gesten sprach. Jetzt stand auch Lea draußen, ausgeschlossen durch ein erlöschendes Licht, ein zurückgestoßenes kleines Mädchen, das taumelte und jederzeit fallen konnte, im Inneren wie im Äußeren.

Sie schlug die falsche Richtung ein. Das war kein möglicher Weg nach Hause und auch kein Weg zu einem anderen verständlichen Ziel. Wieder krampfte sich Van Vliets Magen zusammen. Das Bild seiner wirklichen Tochter wurde von einem Vorstellungsbild überlagert, in dem sie diese Straße immer weiter ging, immer weiter, die Straße war eine endlose Gerade, Lea ging und ging, der Hund war verschwunden, jetzt blich die Gestalt seiner Tochter langsam aus, wurde heller und heller, durchsichtig, ätherisch wie die Gestalt einer Fee, und dann war sie verschwunden.

Als er das Bild, das mächtiger und mächtiger geworden war, endlich abzuschütteln vermochte, war es, als wachte er nach einer kurzen, aber heftigen Krankheit auf.

»Später, als ich wach lag«, sagte er, »dachte ich darüber nach, wie sich nun auch mein eigener Geist zu verformen begann. Es war sehr sonderbar: Ich hätte bei dem Gedanken Panik erwartet – die Angst, verrückt zu werden. Statt dessen ging es mir gut dabei. Es war nicht gerade ein Glücksgefühl, aber eine Art Zufriedenheit, und ich denke, es war das Gefühl, daß ich dabei war, Lea ähnlich zu werden – so absonderlich das klingen mag. Oder vielleicht sollte ich nicht sagen: ähnlich werden, sondern: *entsprechen*. Ja, das war es. Es war das Gefühl, mit meiner Vorstellung von Leas endlosem, ausbleichendem Weg auf die Wirklichkeitsferne zu antworten, die sich in meiner Tochter unaufhaltsam ausbreitete. Es war gefährlich, das spürte ich wohl. Aber das gibt es ja: daß man willig, ergeben und irgendwie zufrieden einem Abgrund entgegensieht.«

Und dann erzählte er von *Thelma and Louise*, dem Film, in dem zwei Frauen, von der Polizei gejagt, auf den Rand des Canyons zurasen. Sie haben sich mit wenigen Worten verständigt, Blicke der Komplizenschaft, sie fassen sich an der Hand und fahren im inneren Gleichklang in die tödliche Freiheit.

»Das Bild dieser beiden Hände«, sagte er, »ist eines der schönsten Filmbilder, die ich kenne. Es sieht so leicht und anmutig aus, wie die beiden Hände sich berühren, so überhaupt nicht nach Verzweiflung, eher nach Glück, einem Glück, wie man es nur gewinnen kann, wenn man alles einsetzt, auch das Leben. Ein unerhörtes, tollkühnes Gambit, mit dem sich die beiden Frauen über alle Macht der Welt erheben, wenngleich nur für die letzten Sekunden ihres Lebens.«

Ja, Martijn, das ist ein Bild, das dich ganz in der Tiefe erreichen mußte. Ich sehe deine Hände vor mir, wie du sie vom Steuer genommen hast, als die Lastwagen kamen, groß, laut und zermalmend.

Damals hielt Van Vliet ein Taxi an, ließ es um den Block fahren und neben Lea halten. »Ach, Papa«, sagte sie nur und stieg mit Nikki hinten ein. Sie schöpfte keinen Verdacht, hielt es anscheinend für eine zufällige Begegnung. Schweigend fuhren sie nach Hause. Er kochte, aber sie saß mit leerem Blick vor dem Essen und ließ es am Ende stehen.

Als er gegen Morgen aufwachte, hörte er im Flur ein Geräusch. In einer Ecke saß Lea neben Nikki auf dem Boden, die Arme um den Hund geschlungen, weinend. Er trug sie ins Bett und wartete im Sessel, bis sie eingeschlafen war. Mit ihr zu reden war nicht möglich gewesen. »Sie war nicht mehr erreichbar, für niemanden«, sagte er.

22

ES WAR IN JENEN MORGENSTUNDEN, daß er den fatalen Gedanken faßte: Er würde für Lea eine Geige von Guarneri del Gesù beschaffen – koste es, was es wolle.

Das Instrument – muß er gedacht haben – würde seine Tochter wieder aufrichten und ihr die stolze Form und Fassung zurückgeben, die ihr wahres Wesen ausmachten. Es würde ihren dahintreibenden, unvertäuten Willen neu verankern. Sie würde wieder oben stehen und ihre unvergleichlichen Kathedralen aus sakralen Tönen bauen. LEA VAN VLIET – er muß die stolzen, leuchtenden Buchstaben vor sich gesehen haben. Im Publikum würden nicht David Lévy und auch nicht Marie Pasteur sitzen, sondern er, der Vater. Noch stand ihm kein ausdrücklicher Plan vor Augen, wie er an das Geld kommen könnte, um eine der teuersten Geigen der Welt zu kaufen. Aber er würde es schaffen. Mit einem tollkühnen Schachzug würde er seine Tochter vor dem Abgleiten ins Dunkel bewahren und sie in die Welt der Gesunden zurückholen.

Man kann sich manches zusammenreimen, sich manche Erklärung vorsagen: das Buch über die Cremoneser Geigenbauer, das er und Lea am Küchentisch zusammen gelesen hatten; Guarneri als Ersatz für Amati; Lévy übertrumpfen; der Ehrgeiz, sie wieder auf der Bühne zu sehen; der Wunsch, ihre Augen wieder leuchten zu sehen; der unaufhaltsame, ja ruchlose Wille, alle Konkurrenten auszuschalten und die Liebe, die ganze Liebe der Tochter zurückzugewinnen und fortan ganz für sich allein zu haben.

All das geht auch mir durch den Sinn. Und trotzdem: Um das, was Van Vliet in der nächsten Zeit tat, verstehen, wirklich *verstehen* zu können, muß man ihn gesehen, gehört und – obwohl das absonderlich klingt – gerochen haben. Man könnte auch sagen: Man muß ihn *gespürt* haben. Man muß ihn gesehen haben, den großen, schweren Mann, wie er trotzig den Flachmann hielt, ein Hasardeur im Äußeren und noch viel mehr im Inneren. Man muß das Vibrieren in seiner Stimme gehört haben, wenn er den geliebten, geheiligten Namen LEA aussprach, und das ganz andere Vibrieren, wenn er von Marie und Lévy sprach. Man muß seine großen Hände auf der Bettdecke gesehen und den vom Alkohol sauren Atem gerochen haben, der das nächtliche Zimmer füllte, in das der schützende Lichtschein aus dem Bad fiel. *Was, verdammtnochmal, wissen wir schon* – auch den Klang dieser Worte, die in meiner Erinnerung öfter vorkommen als in der Wirklichkeit, muß man gehört haben. All das muß man erlebt haben, um angesichts von dem, was nun geschah, den Eindruck, den zwingenden Eindruck zu haben: Ja, genau, das und nichts anderes war es, was er nun tun mußte.

Ich schließe die Augen, lasse ihn vor mir erscheinen und denke: Ja, Martijn, so *mußtest* du fühlen und handeln, genau so. Denn so ist der Rhythmus deiner Seele. Es gab viele andere Geigen, auch sie edle Instrumente, die unter Leas Händen gut geklungen hätten, und sie hätten dich nicht zu diesem tollkühnen, aberwitzigen Poker verleiten müssen. Aber nein, es mußte eine GUARNERI DEL GESÙ sein, weil das der Name war, der Lea am Küchentisch gefesselt und ihre Aufmerksamkeit von Amati und Lévy weggelenkt hatte. Es mußte um jeden Preis eine Geige wie diejenige Paganinis sein, die im Rathaus von Genua ausgestellt ist. Und es erstaunt mich nicht, daß du dir damals, in der Morgendämmerung neben Leas Bett, als erstes vorgestellt hast, wie du diese Geige aus der Vitrine stehlen würdest. Eine Guarneri del Gesù. Ich war noch keine drei Tage mit dir zusammen, und es wunderte mich kein bißchen, daß nichts anderes in Frage gekommen war.

23

IM BLEICHEN MORGENLICHT setzte sich Van Vliet an den Computer. Die ersten Schritte waren kinderleicht. Ein paar Klicks, und die Suchmaschine führte ihn zu den Seiten mit den gewünschten Informationen. Es gab 164 registrierte Geigen von Guarneri del Gesù. Zum Verkauf stand nur eine einzige, der Händler saß in Chicago. Um den Preis zu erfahren, mußte er Mitglied bei der Internetfirma werden, bei der alle Informationen über alte Musikinstrumente zusammenliefen. Er zögerte. Wenn er die Nummer seiner Kreditkarte eingab, bedeutete das ein paar Dollar, sonst nichts. Trotzdem hatte er, als er es schließlich tat, das Gefühl, Dinge in Gang zu setzen, die er nicht mehr in der Hand haben würde.

Die Geige kostete 1,8 Millionen Dollar. Van Vliet schickte eine E-Mail an den Händler und fragte, wie es vor sich ginge, wenn er das Instrument kaufen möchte. Doch in Chicago war es jetzt mitten in der Nacht, eine Antwort war nicht vor dem späten Nachmittag zu erwarten.

Als Lea gegen Mittag aufwachte, war es, als sei nichts gewesen. Sie schien sich weder an den Besuch bei Marie noch an die nächtliche Szene mit dem Hund zu erinnern. Van Vliet erschrak. So deutlich war es noch nie gewesen, daß Leas Geist dabei war, in Fragmente zu zerfallen, in Sequenzen, zwischen denen es keine Verbindung gab. Gleichzeitig war er auch erleichtert und freute sich, als er hörte, wie sie sich am Telefon mit Caroline verabredete.

Im Büro ging er die Unterlagen über die eingeworbenen Millionen durch. Er erschrak, als ihm klar wurde: Er hatte, verborgen vor sich selbst, von Anfang an daran gedacht, die Geige aus den Forschungsgeldern zu bezahlen. Er betrachtete die Summen auf dem Bildschirm: Er würde mehr als die Hälfte der ersten Tranche für die Geige abzweigen müssen. Das hieß, einige der Projekte zu verschleppen, um sie dann aus der zweiten Tranche zu bezahlen. Er trat ans Fenster und dachte nach. Als ein Mitarbeiter hereinkam und einen Blick auf den Bildschirm warf, zuckte Van Vliet zusammen, obwohl es nichts Verdächtiges zu sehen gab. Als er wieder allein war, versiegelte er die ganze Datei mit einem Paßwort. Dann fuhr er nach Thun zu einer kleinen Privatbank, die er dem Namen nach kannte, und eröffnete ein Nummernkonto.

»Als ich wieder auf die Straße trat, hatte ich ein Gefühl wie damals, als ich Aktien verkauft hatte, um Leas erste ganze Geige zu bezahlen«, sagte er. »Nur war das Gefühl viel stärker, obwohl ich noch nichts Unrechtes getan hatte und sich alles mit einem Federstrich rückgängig machen ließ.«

Als er ins Institut zurückkam, beschwerte sich Ruth Adamek darüber, daß sie wegen des Paßworts keinen Zugang zu den Daten mehr hatte. Kühl sagte er etwas von Sicherheit und schüttelte den Kopf, als sie nach dem Wort fragte. Nachher ging er in Gedanken ihre Worte und Blicke durch. Nein, es war unmöglich, daß sie Verdacht schöpfte. Sie konnte doch von seinen Gedanken gar nichts wissen.

Gegen Abend kam die Antwort aus Chicago: Die Geige war vor wenigen Tagen verkauft worden. Auf dem Heimweg spürte Van Vliet abwechselnd Enttäuschung und Erleichterung. Die Bankunterlagen aus Thun versteckte er in seinem Schlafzimmer. Die Gefahr schien gebannt.

Caroline kam jetzt öfter vorbei, und Lea ging mit ihr weg. Van Vliet wurde ruhiger. Vielleicht hatte er in Leas Besuch bei Marie zuviel Dramatik hineingelesen. Und war es nicht ganz natürlich, daß sie bei ihrem Hund Trost suchte?

Doch dann begegnete er Caroline in der Stadt. Ob sie einen Kaffee zusammen trinken könnten, fragte sie scheu. Und dann sprach sie von der Angst, die sie um Lea hatte. Er erschrak, weil er zuerst dachte, auch sie hätte etwas von den Rissen und Sprüngen in Leas Geist gemerkt. Doch das war es nicht. Es waren Leas Erinnerungen an die Konzerte, den Glanz, das Lampenfieber und den Applaus, die Caroline Sorgen machten. Wenn sie zusammen waren, sprach Lea nur davon, stundenlang. Sie vergaß alles um sich herum und reiste zurück in der Zeit, blühte dabei auf, die Augen glänzten, sie blickte zum Fenster des Cafés hinaus in eine imaginäre Zukunft und entwarf Konzertprogramme, eines nach dem anderen. Wenn es dann Zeit wurde zu zahlen, erlosch das alles, sie schien kaum mehr zu wissen, wo sie war, und plötzlich kam sie Caroline vor wie eine alte Frau, die das Leben bereits hinter sich hatte. »Caro«, hatte sie beim letzten Abschied gesagt, »du hilfst mir doch, oder?«

Van Vliet und Caroline standen auf der Straße. Sie sah, was er sich fragte. »Sie denkt, daß es Ihnen recht ist. Daß mit den Konzerten Schluß ist, meine ich. Daß Sie das Ganze nie mochten. Wegen Davíd, Davíd Lévy.«

Van Vliet blieb die ganze Nacht im Institut. Die ersten Stunden kämpfte er mit seiner Wut auf Lea. *Daß es Ihnen recht ist.* Wie konnte sie so etwas denken! War es, weil er viele Konzerte versäumt hatte, um die graumelierte Mähne von Lévy nicht sehen zu müssen? Er ging im Büro auf und ab, blickte über die nächtliche Stadt und sprach mit Lea. Er sprach und debattierte so lange mit ihr, bis die Wut erloschen und nur noch das schreckliche Gefühl übrig war, daß er ihr offenbar ganz fremd geworden war. Er, der im Bahnhof neben ihr gestanden hatte, als Loyola de Colón sie mit ihren Tönen aus der Erstarrung erlöste. Er, an den sie am Küchentisch die Frage gerichtet hatte: »Ist eine Geige teuer?«

Ich glaube, daß es mehr als alles andere dieses Gefühl, dieses unerträgliche Gefühl der Fremdheit zwischen ihnen war, das Van Vliet in den frühen Morgenstunden dazu brachte, noch einmal auf die Suche nach einer Geige zu gehen, die seine Tochter wieder zum Leben erwecken und ihr beweisen würde, daß sie sich geirrt, daß sie ihn mißverstanden hatte. Diese Geige, sie sollte der lebendige, materielle Beweis dafür werden, daß er bereit war, alles, wirklich *alles* zu tun, um ihr das Glück der Musik und des Konzertfiebers zurückzugeben. Und als er mir von der tollkühnen, fiebrigen Entschlossenheit erzählte, mit der er sich an den Computer setzte, verstand ich zum ersten Mal die Wucht seines Hasses, der in ihm aufgeflammt war, als der Maghrebiner mit schneidender Stimme jenen Satz zu ihm sagte: *C'est de votre fille qu'il s'agit.*

Er fand heraus, daß es im Internet ein Forum für Leute gab, die Nachrichten und Fragen zu den Geigen der Familie Guarneri austauschen wollten. Mit brennenden Augen las er den gesamten Austausch.

»Es war, als tauchte ich in einen heißen, brodelnden Hexenkessel ein«, sagte er. »Dabei war die Sprache der Botschaften kühl und distanziert, es kamen darin seltene, erlesene Wörter vor, das Ganze hatte etwas von einer geheimen Loge, deren Mitglieder in der Wahl der Worte besonderen Regeln folgten, durch die sie sich als Eingeweihte auswiesen.«

Und da stieß er auf Signor Buio. »Habt ihr schon gehört, daß Sig. Buio seine Guarneris versteigern will?« hieß es da. »Unglaublich, nach all den Jahren. Es müssen mindestens ein Dutzend sein. Auch *del Gesù*. Es soll bei ihm zu Hause geschehen, habe ich gehört, und er akzeptiert nur Bargeld. Das Ganze kommt mir vor, als plane er eine Schachpartie gegen den Rest der Welt, vielleicht die letzte Partie seines Lebens.«

Van Vliet zögerte sich einzuklinken, denn dann hatten sie seine Adresse. Aber es war einfach zu stark.

Was er erfuhr, war eine Geschichte wie aus einem Märchenbuch. Signor Buio war ein legendärer Mann aus Cremona, dem sie diesen Namen – Herr Dunkel – gegeben hatten, weil er nie anders als schwarz gekleidet erschien: schäbiger schwarzer Anzug, ausgetretene schwarze Schuhe, die wie Hausschuhe aussahen, schwarzes Unterhemd, darüber der weiße, faltige Hals eines Mannes, der zwischen achtzig und neunzig sein mußte. Steinreich und geizig zum Verhungern. Eine Wohnung in einem schäbigen Haus mit feuchten Wänden. Die Geigen, sagte man, bewahre er in Schränken und unter dem Bett auf. Eine *filius Andreae* war angeblich von den Bettfedern zerdrückt worden.

Er schlappte durch Cremona mit einer löchrigen Plastiktüte, in der er das billige Gemüse, die Fleischreste und den Fusel nach Hause trug. Weit und breit keine Frau, dem Gerücht nach aber eine Tochter, die er vergötterte, obwohl sie ihn verleugnete. Die Geldscheine trug er, mehrfach gefaltet, in einem winzigen roten Etui bei sich, es gab tausend Hypothesen darüber, warum es rot und nicht schwarz war. Als sich ein Kellner weigerte, einen dieser zerknautschten Geldscheine anzunehmen, kaufte Signor Buio das Café und warf ihn hinaus.

Er behauptete, mit Caterina Rota, der Frau von Guarneri del Gesù, verwandt zu sein. Und er hatte einen maßlosen Haß auf alle ausländischen Firmen, die mit Geigen aus Cremona handelten. Wenn er erfuhr, daß ein Händler eine Guarneri besaß, kannte sein Haß keine Grenzen mehr, und er träumte davon, jemanden anzuheuern, der sie stahl und nach Hause brachte. Niemand wußte, warum, aber sein besonderer Haß galt den amerikanischen Händlern in Chicago, Boston und New York. Er konnte kein Englisch, aber die Schimpfwörter kannte er alle. Es hatte der Legende nach eine italienische Geigerin gegeben, deren Spiel er über alles liebte und in die er auch sonst vernarrt war. Er erkannte jede Cremoneser Geige an ihrem Klang und hörte, welcher Hände Werk sie war. Deshalb wußte er, daß sie auf einer Guarneri *filius Andreae* spielte. Es verging kaum ein Tag, an dem er nicht eine Platte von ihr auflegte. Eines Tages erfuhr er, daß sie die Geige bei einem Händler in Boston gekauft hatte. Er zerschlug all ihre Platten mit einer Axt und riß die Fotos von ihr in tausend Stücke. Alle sagten: Er ist verrückt, aber es gibt niemanden auf diesem Planeten, der mehr von Cremoneser Geigen versteht.

Van Vliet fragte nach Datum und Ort der Versteigerung. Sie sollte in drei Tagen sein und um Mitternacht beginnen. Das Haus hatte keine Nummer, war aber an der blauen Haustür zu erkennen. Daß Sr. Buio nur Bargeld akzeptierte: Hieß das, daß die Leute mit Geldkoffern anreisten? So recht wußte das niemand, aber es mußte wohl so sein.

Es kam Van Vliet vor, als hätte er eine Droge genommen, die ihn gleichzeitig aufputschte und schrecklich müde machte. Er schloß die Bürotür ab und legte sich auf die Couch. Die Traumfetzen waren vage und erloschen schnell, aber stets ging es irgendwie um den dunklen Mann, der von ihm Geld wollte, das er nicht bei sich hatte. Er hörte das schadenfreudige Kichern des Alten nicht, aber es war da.

Er wachte auf, als Ruth Adamek an der Tür rüttelte. Sie sah ihn mit einem merkwürdigen Blick an, als er mit verschlafenem Gesicht und zerzaustem Haar öffnete. Wieder fragte sie nach dem Paßwort. Wieder lehnte er ab. Jetzt waren sie nur noch Gegner, und es fehlte nicht viel bis zur Feindschaft. Er löschte das Paßwort, das sie unter Umständen erraten konnte, und ersetzte es durch ein neues, auf das sie unmöglich kommen konnte: DELGESÙ. Dann fuhr er nach Hause.

24

»WENN LEA, als ich heimkam, nicht mit diesem Blick auf dem Bett gesessen hätte – vielleicht hätte ich es nicht getan«, sagte Van Vliet.

Wir hatten unsere Hotelzimmer für eine weitere Nacht gemietet und saßen in meinem. Je mehr sich seine Erzählung der Katastrophe näherte, desto öfter brauchte er eine Pause. Am See waren wir manchmal eine halbe Stunde gegangen, ohne daß er ein Wort gesagt hatte. Hin und wieder hatte er einen Schluck aus dem Flachmann genommen, aber nur einen Schluck. Es war unmöglich, jetzt nach Bern zu fahren; es hätte ihn erstarren und das erzählerische Erinnern versiegen lassen. Und so lotste ich ihn zurück zum Hotel. Als ich ihm seinen Schlüssel gab, warf er mir einen scheuen und dankbaren Blick zu.

»Sie saß da mit angezogenen Beinen, um sich herum lauter Fotos von ihren Auftritten«, fuhr er jetzt fort. »Bilder, wo sie spielte, andere, wo sie sich verbeugte, noch andere, wo der Dirigent ihr die Hand küßte. Es waren so viele, und sie lagen so dicht, daß sie wie eine zweite Bettdecke wirkten, in der es nur die Lücke für ihren kauernden Körper gab, eine kleine Lücke, denn sie aß ja kaum noch etwas und wurde immer dünner. Ihr Blick war leer und weit weg, so daß ich dachte: So sitzt sie schon seit Stunden.

Sie sah mich mit einem Blick an, der mich sofort an Carolines Worte erinnerte: *daß es Ihnen recht ist.* Wenn es wenigstens ein wütender Blick gewesen wäre! Ein Blick, der einen Kampf hätte eröffnen können, wie ich ihn nachts im Büro mit ihr geführt hatte. Doch es war ein Blick fast ohne Vorwurf, nur voller Enttäuschung, ein Blick ohne Zukunft. Ob ich etwas kochen solle, fragte ich. Sie schüttelte unmerklich den Kopf, fast war es nur das Zitat eines Kopfschüttelns. Als ich dann in der Küche stand, wo mich ihr Blick verfolgte, dachte ich etwas, das ich noch nie gedacht hatte, und es tat mir so weh, daß ich mich festhalten mußte. Was ich dachte, war: *Sie wünschte sich einen anderen Vater.* Verstehen Sie jetzt, daß ich nach Cremona mußte? Daß ich einfach MUSSTE?«

Ich hatte ihm kein Zeichen gegeben, daß ich es nicht verstünde, im Gegenteil. Doch je näher wir der Tat kamen, mit der er eine Grenze überschritten hatte, desto mehr wurde ich, wie mir schien, in ihm auch zum Richter, einem Richter immerhin, um dessen Verständnis man werben und den man für sich gewinnen konnte. Er saß auf meiner Bettkante, die Hände, die sich um den Flachmann krampften, zwischen den Knien. Er sah mich kaum an, sprach auf den Teppich hinunter. Doch jede Bewegung, die ich im Sessel machte, irritierte ihn, die Konzentration flackerte, ein Anflug von Ärger huschte über die müden Züge.

Leise hatte er damals die Wohnungstür hinter sich geschlossen und war zurück ins Institut gegangen. Er schloß sich im Büro ein und überwies die Hälfte der eingegangenen Forschungsgelder per Mausklick auf sein Konto in Thun. »Dieser eine Druck des Fingers auf der Maustaste«, sagte er heiser, »ein Druck unter Hunderttausenden, ununterscheidbar von allen anderen und doch herausgehoben aus ihnen – ich werde ihn nie vergessen. Auch die Gesichtsmuskeln dabei werden mir für immer in Erinnerung bleiben, sie krampften sich zusammen und waren ganz heiß.«

Martijn van Vliet, der als Junge auf dem Bett gelegen und sich gewünscht hatte, Geldfälscher zu werden. Martijn van

Vliet, der im Schach jede Herausforderung annahm und keiner Versuchung widerstehen konnte, ein tollkühnes, dem Gegner unverständliches Gambit zu spielen. Jetzt, unmittelbar nach dem verhängnisvollen Mausklick, hatte er Angst. Es muß eine höllische Angst gewesen sein. Sie war als Schatten in seinem dunklen Blick noch jetzt zu erkennen.

Doch er fuhr. Zunächst nach Thun und dann, mit einem Koffer voller Banknoten, nach Cremona.

Ich sah ihn an, wie er auf der Bettkante saß und vom italienischen Zöllner erzählte, der am Abteil vorbeiging, ohne ihn eines Blickes zu würdigen. Unter einem klaren, blauen Himmel war er durch die Poebene gefahren, schwindlig vor Aufregung. Es war auch Angst dabei, die Angst des Mausklicks, aber je weiter es nach Süden ging, desto mehr wich sie dem Fieber des Spielers.

»Ich rauchte, ich hielt den Kopf in den Wind, ich rauchte und trank aus dem Pappbecher den miesen Kaffee des Getränkewagens.« Er krampfte die Hände um den Flachmann, die Knöchel waren weiß.

Es war sonderbar: Da war die Kraft, ja die Gewalt der großen Hände, in der das schlechte Gewissen und die Wut auf das schlechte Gewissen zum Ausdruck kamen. Dort, zwischen seinen Knien, fand der Kampf mit dem inneren Richter statt. Und darüber, auf der Höhe von Blick und Stimme, kamen nun all die Worte, in denen man den Fahrtwind spürte, den Wind einer Fahrt, die ihn in das verrückteste Abenteuer seines ganzen Lebens getrieben hatte. Ich sah von den weißen Knöcheln weg, ich wollte nicht, daß er sich zerfleischte, er sollte leben, leben. Ich dachte an Liliane und andere Gelegenheiten, wo ich nicht gelebt hatte, was ich hätte leben können und vielleicht hätte leben sollen.

»Es war verrückt, vollständig irre, um Mitternacht mit einem Koffer voller veruntreuten Geldes zu der Auktion eines verschrobenen Greises von krankhaftem Geiz zu gehen, um eine der teuersten Geigen der Welt zu ersteigern. Eigentlich konnte es gar nicht wahr sein, daß ich dahin ging. Doch es stimmte, ich hörte meine Schritte auf dem Pflaster, und als ich auf ihr leises Echo in der menschenleeren Gasse horchte, sah ich auf einmal wieder die Straße vor mir, die Lea entlanggegangen war, als sie von Marie kam und die falsche Richtung einschlug. Auch jetzt blich die endlose, schnurgerade Straße aus, der Schein jenes fernen Ausbleichens legte sich über den trüben Schein der nackten Glühbirnen, die die Gasse in Cremona an Stelle von Laternen kärglich erleuchteten. Und auch jetzt spürte ich wieder, wie gut die Wirklichkeitsferne meines nächtlichen Gangs der Wirklichkeitsferne entsprach, die sich in Lea ausbreitete.«

Van Vliet schloß die Augen. Vor der Tür gingen lärmende Gäste vorbei. Er wartete, bis es wieder still war.

»Ich wünschte, ich hätte es nicht getan. Es hat so vieles, es hat alles zerstört. Und doch: Ich möchte den Moment nicht missen, als ich durch die blaue Tür trat, zwischen feuchten Wänden die Treppe hochstieg und bei dem Alten an die Tür klopfte. Es war, als ob ich im Zustand höchster Wachheit einen vollständig luziden Traum durchlebte und schwerelos, von nichts anderem gehalten als von der Absurdität, in einem imaginären Raum stünde, der der Raum auf einem Bild von Chagall hätte sein können, märchenhaft und schrecklich schön. Und auch die folgenden Stunden möchte ich nicht missen; diese verrückten, aberwitzigen Stunden, in denen ich sie alle aus dem Rennen warf.«

Der Alte wohnte in zwei Zimmern, getrennt durch eine

Schiebetür. Die Tür stand offen, damit die sieben Männer, die mitboten, auf ihren wackligen Stühlen Platz hatten. Trotzdem war es so eng, daß sie sich unweigerlich berührten. Es muß stickig gewesen sein, überall lagen Staubmäuse, und aus jedem Winkel kam der säuerliche Geruch nach Greis. Einer der Männer, dem man die Übelkeit ansah, stand wortlos auf und ging.

Signor Buio, ganz so gekleidet, wie die Legende sagte, saß in einem schmierig aussehenden Lehnstuhl in der Ecke. Von dort konnte er alles überblicken und den Blick seiner hellen Augen, die im Laufe der Nacht immer mehr auszubleichen und immer irrer zu werden schienen, auf jeden einzelnen richten. Niemand war beim Eintreten begrüßt worden, die Tür war wie von Geisterhand von einem unscheinbaren Mädchen geöffnet worden, das dastand, als stünde niemand da. Keiner schien den anderen zu kennen, niemand stellte sich vor, man sah sich befremdet, kalkulierend und mißtrauisch an.

Van Vliet erzählte es so, daß ich dachte: Er hat sie genossen, diese surrealistische Situation.

»Ein bißchen war es wie eine Versammlung von Fledermäusen, wir sahen uns gar nicht richtig, sondern hörten und spürten uns nur«, sagte er. Es war, denke ich, diese absolute, gespenstische Fremdheit, die er genoß. Nicht so, wie man etwas Angenehmes genießt. Eher so, wie man sich darauf stürzt und sich daran klammert, wenn sich herausgestellt hat, daß eine rabenschwarze, verzweifelte Vermutung der Wahrheit entspricht.

Bei ihm war es die Vermutung einer letzten, unüberbrückbaren Fremdheit zwischen den Menschen. Und eigentlich ist es falsch, es eine Vermutung zu nennen. Eher war es in ihm wie eine abgelagerte Erfahrung, der Bodensatz aller anderen Gefühle. Ich habe das Wort *Fremdheit* aus seinem Munde nicht gehört. Doch wenn ich die Augen schließe und in seine Erzählung hineinhöre wie in ein Musikstück, so wird mir klar, daß er die ganze Zeit von nichts anderem sprach als von dieser Fremdheit. Er kannte sie schon als Gassenjunge und Schlüsselkind. Dann kam der Lehrer, der ihm die Bücher von Louis Pasteur und Marie Curie schenkte. Es kamen Jean-Louis Trintignant und Cécile. Und vor allem kam für einige Jahre Lea, die er als Bollwerk gegen die Fremdheit erlebte oder doch erleben wollte, bis sie im Rosengarten *à très bientôt* zu Lévy sagte und er sie einige Zeit danach tablettentrunken durch die Wohnung schleppen und sich ihre ordinären Ausbrüche anhören mußte, um schließlich von Caroline zu erfahren, daß sie ihn derart unbegreiflich mißverstand. Und dann brach dieser Mann mit Millionen von gestohlenem Geld zu einer Reise auf, um mit einer Guarneri del Gesù denjenigen Gegenstand – einen wahrhaft magischen Gegenstand – in seinen Besitz zu bringen, der als einziger, wie ihm schien, das Mißverständnis beseitigen und die Fremdheit überwinden könnte, und landete in einer Versammlung von Fledermäusen, die ihm die ganze Fremdheit in roher, unmißverständlicher Form vor Augen führte. *Das*, diese fulminante, himmelschreiende Paradoxie, war es, was er genoß. Es muß eine schwindelerregende Erfahrung gewesen sein, ein Vertigo der Einsamkeit, eine rasende Abwärtsspirale selbstzerfetzender Einsicht. Und ja: Martijn van Vliet war genau der Mann, der das genießen würde.

Ich fragte mich, wie es sein würde, wenn die Fremdheit zwischen ihm und mir aufbrach. Und sie würde aufbrechen. Ich schloß die Augen, hörte zu und stellte mir vor, wir führen wieder durch die Camargue, rechts und links Reisfelder und Wasser, in dem sich ziehende Wolken unter hohem Himmel spiegelten. *Le bout du monde.* Wir hätten dort unten bleiben sollen, lachend vor der weißen Wand und trinkend im Gegenlicht, und das Ende hätte sein müssen wie ein eingefrorenes Bild am Schluß eines Films.

»Die Geigen kamen aus einer großen Schiffstruhe, die neben dem Sessel des Alten stand«, fuhr Van Vliet fort. »Aufgemalte Anker an der Seite, abblätternde Farbe. Ein riesiges Ding, sicher ein Meter hoch und mindestens doppelt so lang. Darin und nicht im Schrank oder unter dem Bett, wie man sich erzählte, lagen die Geigen, und sie waren vorsichtig geschichtet, mit weichen Tüchern dazwischen. Die enormen Messingverschlüsse quietschten, als der Alte die Kiste öffnete und die erste Geige herausnahm.

Es war eine Geige von Pietro Guarneri, dem ältesten Sohn von Andrea und Onkel von del Gesù, ich erinnere mich, weil ich von ihm am wenigsten wußte, in dem Buch, das ich damals aus Mailand mitgebracht hatte, konnte man über ihn am wenigsten lesen.

›Mille milioni!‹ rief der Alte, es war ja damals noch die Zeit der Lira. Zu einer der weniger wertvollen Guarneris paßte dieser Preis. Doch je weiter die Nacht fortschritt, desto besser verstand ich, daß diese Worte für den Alten viel mehr waren als Worte für einen nüchternen Preis. Es waren Worte, die natürlich viel Geld bedeuteten, doch darüber hinaus standen sie für eine abgerundete, leuchtende Einheit von Reichtum, für die Ureinheit des Reichtums, für die Idee des Geldes überhaupt. *Mille milioni* – das war die ultimative Geldsumme, hinter der es keine größere geben konnte. *Due mila milioni, tre mila milioni* – das wäre, obgleich ein Vielfaches, weniger.

Die Geige wurde von einem Mann in einem Anzug gekauft, der von Armani sein mußte und zu dem schäbigen Ort
paßte wie die Faust aufs Auge. Bis auf mich und einen Fran-
zosen waren die Männer alle Italiener, zumindest der Sprache nach. Doch dann fiel einem von ihnen, als er etwas in seinen Papieren suchte, der Paß auf den Boden, praktisch vor
die Füße des Alten. Es war ein amerikanischer Paß. ›*Fuori!*‹
schrie er, ›*fuori!*‹ Der Mann wollte erklären, sich verteidigen,
doch der Alte wiederholte seinen Schrei, und schließlich ging
der Mann. Es war eisig in dem Raum, obgleich wir schwitz-
ten.

Das unscheinbare Mädchen, das lautlos hereingekommen
war und sich an den Tisch in der Ecke gesetzt hatte, schrieb
alles auf. Die Geigen gingen von Hand zu Hand, die anderen
hatten alle kleine Lämpchen in der Form von Füllfederhal-
tern, mit denen sie hineinleuchteten, um den Geigenzettel zu
sehen. Diese Männer waren erfahrene Leute, die man nicht
leicht würde übertölpeln können, das sah man an der Art,
wie ihre Hände die *C*-Bügel und *f*-Löcher entlangfuhren, die
Schnecken abtasteten und den Lack prüften. Und trotzdem
füllte Mißtrauen den Raum. Die meisten, bevor sie boten,
lehnten sich zurück und betrachteten den Alten aus halb geöffneten Augen mit abschätzendem Blick. Was mit Echtheits-
zertifikaten sei, fragte jemand. ›*Sono io il certificato*‹, *ich* bin
das Zertifikat, sagte der Alte. Eigentlich kaufe er nie, ohne die
Geige vorher gehört zu haben, sagte ein älterer Herr von vor-
nehmem Aussehen, den man sich in einem venezianischen
Palazzo vorstellen konnte. Niemand werde gezwungen zu
kaufen, erwiderte der Alte trocken und endgültig.

Die Guarneri del Gesù kam als neunte oder zehnte. Ich
lieh mir ein Lämpchen. JOSEPH GUARNERIUS FECIT CREMO-

NAE ANNO 1743†IHS stand auf dem vergilbten Geigenzettel. Es mußte eine seiner letzten Arbeiten sein, er war 1744 gestorben, unweit von hier. Konnte man einen solchen Zettel fälschen und nachträglich hineinpraktizieren? Es war ein kleineres Format, das Meßband machte die Runde. Geringe Boden- und Deckenwölbung, offene *C*-Bügel, kurze Ecken, lange *f*-Löcher, prachtvoller Lack. Die typischen Merkmale. Dazu gab es einen hellen Fleck, wo die Kinnstütze gesessen hatte, ähnlich wie bei *Il Cannone*, die Paganini gespielt hatte.

›*Mille milioni e mille milioni e mille milioni!*‹ krächzte der Alte. Wie er diese Worte liebte und genoß! Ich begann ihn zu mögen. Trotzdem war ich auch mißtrauisch. Das Krächzen, da war ich inzwischen sicher, war Show, eine Show für uns arme Irre, die wir mitten in der Nacht bei ihm antanzten, um unsere Gier nach Guarneris zu befriedigen. Was alles war sonst noch Show?

Drei Milliarden Lire. Das war fast soviel, wie ich dabeihatte. Die teuerste del Gesù hatte bei Sotheby's in London 6 Millionen Pfund gebracht. Damit verglichen war diese hier billig. Ich wollte sie haben. Ich dachte daran, wie ich mit Lea am Küchentisch gesessen und *Il Cannone* betrachtet hatte. Zuerst hatte der helle Fleck sie gestört, dann hatte sie gesagt: ›Eigentlich ist es ganz gut, irgendwie echt und lebendig, man kann fast die Wärme von Niccolòs Kinn spüren.‹ Ich wollte wieder mit ihr am Küchentisch sitzen. Sie mußte die Augen schließen, ich legte diese Geige hier vor ihr auf den Tisch, dann durfte sie die Augen öffnen. Sie stand auf, und unsere Wohnung verwandelte sich in einen Dom aus sakralen Guarneri-Tönen. Aus ihren leuchtenden Augen war alles Trübe und alle Leerheit verschwunden, die schlimmen Dinge der letzten Zeit waren mit einem Schlag vergessen, Lévy war ferne Vergangenheit, Maries ›*Nein!*‹ wie nie gewesen, die fotografierten Szenen auf dem Bett zu Schatten herabgesunken. *Ich mußte die Geige haben.* Fortan würde es nur noch die offene, glückliche Zukunft von LEA VAN VLIET geben, die viel strahlender war als die Vergangenheit von Mademoiselle Bach. Und diese Lea van Vliet würde sich mit einer Geige zurückmelden, welche die Amati von früher bei weitem übertraf. *Ich mußte sie haben, um jeden Preis.*«

Er warf mir einen scheuen, fragenden Blick zu: ob ich verstünde. Ich nickte. *Natürlich* verstand ich, Martijn. Niemandem, der dich davon sprechen hörte, wäre es anders gegangen. Jetzt, wo ich es aufschreibe, kommen die Tränen, die ich damals unterdrückte. Du saßest wieder hinter dem Steuer des Rennwagens, den Jean-Louis Trintignant von der Côte d'Azur nach Paris fuhr, ein Mann, der *alles gegeben hatte, einfach alles,* wie du sagtest, und du suchtest noch einmal die ganze Stadt ab, um das Parfum von Dior zu finden, das Cécile benutzt hatte.

Warum hast du mich nicht angerufen.

»Ich fing an zu bieten. Es war das erste Mal, bisher hatte ich nur schweigend zwischen den anderen gesessen, im Rückblick kommt es mir vor, als hätte ich auf meinem unbequemen Stuhl in einem imaginären Raum geschwebt, in einem Raum wie bei Chagall, irgendwo auf halber Höhe, gehalten von nichts außer der Absurdität der Situation. Und nun trat ich in den wirklichen, heißen Raum ein, in dem die Luft zum Schneiden und der Geruch zum Erbrechen war.

Ich hatte die Geige so lange in Händen gehalten, daß die anderen unruhig geworden waren. Als mein Blick nun das Gesicht des Alten streifte, dachte ich: Er hat gemerkt, wieviel sie mir bedeutet. War es ein Lächeln, das aus den hellen Augen und dem ausgemergelten Gesicht sprach? Ich wußte es nicht, aber der Ausdruck brachte mich dazu weiterzubieten, immer weiter, die Summe war inzwischen viel höher als der Betrag in meinem Koffer, doch das Gesicht des Alten gab mir den verzweifelten Mut dazu. Er würde mir die Differenz stunden, dachte ich vage, während ich die Fünf-Milliarden-Grenze überschritt. Fünf Milliarden Lire, an die vier Millionen Franken – nun war jede andere Summe auch möglich. Ich war in einem anderen imaginären Raum angekommen, dem Raum des federleichten Spielgeldes, das alles und nichts wert ist. Den sorgenvollen Gesichtern der anderen sah man die horrenden Summen an. Ich aber wurde entspannter und entspannter, es war eine rasende Achterbahnfahrt, ich lehnte mich zurück und genoß die Aussicht, bald aus der Kurve getragen zu werden, weit hinaus, wo die Dinge ausblichen. Am Schluß war ich der einzige, der noch bot. Sechs Milliarden Lire, gut viereinhalb Millionen Franken. Das Mädchen blickte in die Runde, dann schrieb sie die Summe auf.

Der Alte sah mich an. Sein Blick war nicht schneidend wie früher in der Nacht. Auch ein Lächeln war nicht im Blick. Aber etwas Sanftes war in den Augen, ein Wohlwollen, das schwer zu deuten war, und darüber blickten die hellen Augen plötzlich ganz normal in die Welt. Das Irre im Blick war verschwunden, so daß ich dachte: Der irre Blick, er ist wie das Krächzen nur Show, der Alte mag verschroben sein, die Kiste mit den Geigen beweist es, aber verrückt ist er nicht, und er hält uns alle zum Narren.

›I violini non sono in vendita‹, die Geigen sind nicht verkäuflich. Der Alte sagte es leise und doch sehr deutlich. Danach büschelte er die Lippen zu einem spöttischen, verächtlichen Grinsen. Ich weiß nicht, für mich kam es nicht völlig überraschend. Der Alte war mir mehr und mehr wie ein Spieler, ein Clown, ein Scharlatan vorgekommen. Die anderen aber saßen da wie geohrfeigt. Keiner sagte ein Wort. Ich sah zu dem Mädchen hinüber: War sie eingeweiht gewesen, angestellt, der Show den Anschein der Echtheit zu geben?

Der Mann im Anzug von Armani erwachte als erster zum Leben. Er war bleich vor Wut. ›*Che impertinenza ...*‹, murmelte er, stieß beim Aufstehen den Stuhl um und stürmte hinaus. Zwei andere erhoben sich, blieben eine Weile stehen und sahen den Alten an, als würden sie ihm am liebsten den Hals umdrehen. Der Herr, den ich mir im venezianischen Palazzo vorgestellt hatte, war sitzen geblieben und rang mit seinen Gefühlen. Wie er aussah, mußte Rage dabei sein, aber auch der Versuch, die Sache mit Humor zu sehen. Schließlich ging auch er, der einzige, der sich zu einem *Buona notte!* aufraffen konnte.

Ich war sitzengeblieben, ich weiß nicht warum. Vielleicht wegen der Art, wie mich der Alte zuletzt angesehen hatte. Er tat, als sei auch ich nicht mehr da, stand mit überraschend elastischen Bewegungen auf und öffnete die Fenster. Kühle Nachtluft strömte herein, über den Dächern war ein erster Lichtschein zu erkennen. Ich wußte nicht, was ich sagen oder tun sollte, wußte eigentlich nicht, was ich überhaupt wollte. Gerade hatte ich mich entschieden zu gehen, da trat der Alte vor mich hin und bot mir eine Zigarette an. ›*Fumi?*‹ Keine Spur von Krächzen mehr, und die Anrede mit *du* klang wie ein unbestimmtes Versprechen.

Er war einfach ein Kauz, der es genoß, ein Kauz mit einem Haufen Geld zu sein. Ich hatte den Eindruck: Das war das einzige, was er in seinem Leben hatte genießen können. Nicht, daß er etwas über sich gesagt hätte. Und ihm Fragen zu stellen – das verbot sich durch das Spannungsfeld, das ihn umgab und ihn, wenn er falsch behandelt wurde, gefährlich machen konnte. Statt dessen fragte er mich, warum ich die del Gesù um jeden Preis haben wolle.

Was sollte ich machen? Entweder erzählte ich ihm von Lea, oder ich ging. Und so erzählte ich in den frühen Morgenstunden, in denen ich die Turmuhr schlagen hörte, einem verschrobenen, steinreichen italienischen Greis, der in einem schäbigen Loch in Cremona saß, eine Truhe voller Geigen neben sich, das ganze Unglück meiner Tochter.«

Damals, im Hotelzimmer, habe ich es nicht gemerkt, doch jetzt spüre ich: Ich war eifersüchtig auf den Alten und enttäuscht, daß ich nicht der einzige war, dem Van Vliet vom Unglück seiner Tochter erzählt hatte. Ich war froh, daß Signor Buio das, was danach kam, nicht hatte hören können.

»Der Alte deutete auf den Tisch, an dem das Mädchen geschrieben hatte. Erst jetzt sah ich, daß es auch ein Schachtisch war. ›Spielst du?‹ Ich nickte. ›Wir schließen einen Handel‹, sagte er. ›Eine Partie, nur eine. Du gewinnst – du bekommst die del Gesù umsonst; du verlierst – du zahlst mir *mille milioni* dafür.‹ Er holte Figuren und stellte sie auf.

Es würde die wichtigste Partie werden, die ich jemals zu spielen hatte.

Ich will gar nicht zu beschreiben versuchen, was ich fühlte. Ich könnte das ganze Geld in Thun wieder einzahlen und zurücküberweisen, das Paßwort löschen. Alles wie nie gewesen. Und trotzdem würde Lea am Küchentisch die Augen öffnen, die Geige nehmen und aus der Wohnung eine Guarneri-Kathedrale machen. Es war irre, mein Gott, es war so irre, daß ich alle paar Minuten auf die Toilette mußte, obwohl schon längst nichts mehr kam. Der Alte dagegen saß die ganze Zeit beinahe regungslos vor dem Brett, die Augen halb geschlossen.

Er eröffnete sizilianisch, wir spielten neun oder zehn Züge, dann war er erschöpft und mußte ins Bett, wir verabredeten uns für den Abend. Damit begannen drei vollständig verrückte Tage. Tage der Schach-Trance, der Euphorie und der Angst, Tage, die ganz auf den nächsten Abend hin gelebt wurden, wo die Partie weiterging. Ich kaufte Brett und Figuren, wechselte in ein ruhigeres Hotel, besorgte mir ein Schach-Lehrbuch und ging alles durch, was mir helfen könnte, diese verrückte Partie zu gewinnen, die der Alte mit enormer Raffinesse und Übersicht herunterspielte, als sei es nichts. Nach der zweiten Nacht nahm ich ein Schlafmittel und schlief zwölf Stunden, dann ging es wieder.

Ich ging in den Dom, ich war auf einmal hungrig nach geistlicher Musik. Ich sah, wie Marie das Kreuz auf Leas Stirn zeichnete. Wenn ich die Augen schloß und den riesigen Raum durch seine herbe Kühle und den Geruch nach Weihrauch spürte, kam es mir vor, als säße ich mitten in der Kathedrale, die sich Lea jedesmal, wenn sie den Bogen ansetzte, mit ihren klaren, warmen Tönen baute – eine Kathedrale, die ihr Schutz bot gegen das Leben und die zugleich auch Leben war.

Es gab eine Platte zu kaufen, auf der Musik von Bach auf berühmten Cremoneser Geigen gespielt wurde, damit man vergleichen konnte. Ich lag auf dem Bett und hörte die verschiedenen Klänge: Guarneri, Amati, Stradivari. Man braucht Zeit, bis man unterscheiden kann. Natürlich wußte ich, daß nicht alle Guarneris gleich klingen, auch nicht alle del Gesù. Trotzdem reiste ich mit dem Guarneri-Klang der Platte in unsere Küche und ließ Lea die Kathedrale bauen.

Die Töne hatten die Farbe Sepia, das schien mir offenkundig, auch wenn ich es niemandem hätte erklären können.

Es war am Ende der zweiten Nacht, daß ich spürte: Ich werde verlieren. Dabei sah es, als ich ging, nicht eindeutig aus. Aber die Züge des Alten hatten etwas Zwingendes, dem ich mich nur entgegenstemmte, ohne den Duktus seines Angriffs brechen zu können. Ich habe die Partie im Hotel stundenlang analysiert, und auch später habe ich sie Dutzende von Malen nachgespielt, ich könnte sie Ihnen aufsagen wie einen Kinderreim, den man nicht nur im Kopf, sondern im ganzen Körper hat. Grobe Fehler habe ich keine gemacht, aber einen Einfall, der das Ganze hätte drehen können, hatte ich auch nicht. Wir spielten mit Figuren aus Jade, der einzige Luxus weit und breit. Und es gab etwas Irritierendes an ihnen: Es mischte sich in ihnen die gewöhnliche grüne Jade mit der seltenen rötlichen Jade, rötliche Adern durchzogen die grünen Körper der Figuren. Das stiftete Unruhe für die Augen und irgendwie auch für die Gedanken, ich hatte die ganze Zeit das Gefühl, daß mir die letzte Konzentration fehlte, die sich vor einem Brett sonst einstellte. Aber eigentlich kann es das nicht gewesen sein, denn ich kam auch vor dem Brett im Hotel nicht auf die Lösung. Irgendwann gingen mir meine Parisiennes aus, und alle anderen Zigaretten, die ich probierte, brachten mich durcheinander. Trotzdem war es auch zu Hause, mit einer Parisienne zwischen den Lippen, nicht besser. Er war einfach zu gut für mich.

Gegen vier Uhr in der letzten Nacht sah ich ihn an. Er las die Kapitulation in meinem Blick. ›Ecco!‹ sagte er und lächelte matt, auch er war erschöpft. Er holte zwei Gläser und schenkte Grappa ein. Unsere Blicke begegneten sich.

Wenn ich denke, daß ich ihn in diesen Minuten vielleicht

hätte umstimmen und dazu bringen können, mir die Geige zu schenken! Drei Nächte mit jemandem am Brett, Ewigkeiten des Wartens auf den nächsten Zug, das Eindringen in die Gedanken des anderen, in seine Pläne und Finten, in die Gedanken über die eigenen Gedanken, der andere als Zielscheibe der Hoffnung und der Angst – all das hatte eine große Intimität geschaffen, aus der heraus es vielleicht möglich gewesen wäre. Ein anderes Wort von mir, eine andere Betonung, und alles hätte anders kommen können. Etwas an meiner Geschichte über Lea hatte den Alten berührt. Wenn ich an ihn denke, dann als einen Mann, in dem es viele abgelagerte Gefühle gab, viel Bodensatz, dicke Schichten davon, und etwas davon war aufgewirbelt worden, vielleicht wegen seiner vergötterten Tochter, die es dem Gerücht nach gab, vielleicht auch einfach so. Vielleicht hätte ich ihn dazu bringen können, die Geige nicht mir, sondern sozusagen Lea zu schenken, er hatte sehr still dagesessen, als ich ihm von dem Abend erzählte, da sie ohne die Amati aus Neuchâtel gekommen war.

Aber ich habe es verpfuscht, ich habe es, verdammtnochmal, verpfuscht. *Du mußt dich mehr öffnen, Martijn,* sagte Cécile oft, *du kannst nicht erwarten, daß die Leute hinter dir herlaufen, um dich in deinen Gefühlen zu erraten. Auch mir mußt du dich mehr öffnen, sonst geht es schief mit uns*, sagte sie. Gegen Ende sagte sie es besonders oft. Als ich bei meinem letzten Besuch durch den langen Krankenhausflur auf ihr Zimmer zuging, nahm ich mir fest vor, ihr zu sagen, wieviel sie mir bedeutete. Doch dann kamen jene Worte: ›Du mußt mir versprechen, daß du gut auf Lea …‹. Nun konnte ich nicht mehr, ich konnte einfach nicht. *Merde.* Wo hätte ich es auch lernen sollen. Meine Mutter war Tessinerin, es gab Wutausbrüche, aber die Sprache der Gefühle, die Fähigkeit zu sagen, wie es einem geht – das hat mir niemand gezeigt.«

Er warf mir einen fragenden Blick zu. »Mir auch nicht«, sagte ich. Und dann fragte ich ihn, warum er dem Alten nicht von dem Betrug erzählt habe, das hätte ihn vielleicht beeindruckt.

»Ja, das habe ich mich auf der Rückfahrt auch gefragt. Eigentlich war er genau der Mann dafür. Es muß gewesen sein, weil die Sache zentnerschwer auf mir lastete und mich in den Schlaf hinein verfolgte. Immer wieder fragte mich Ruth Adamek im Traum nach dem Paßwort, und an ihrem Gesicht war klar zu erkennen: Sie wußte *alles*. Deshalb. Ich habe erwogen, in Mailand den Zug zurück zu nehmen und noch einmal mit ihm zu sprechen. Aber zu bitten, daß er mir das Geld zurückgebe – nein, das ging nicht. Daß er das Geld jetzt hatte, machte es unmöglich.«

Van Vliet nahm einen Bissen von dem Essen, das wir uns aufs Zimmer hatten bringen lassen. Man sah: Er schwankte zwischen Hunger und Widerwillen.

»Die Sache mit dem Geld müßte einer mal aufschreiben. Einfach alles erzählen: Armut, Reichtum, die Euphorie des Goldes, Verlust, Betrug, Beschämung, Demütigung, ungeschriebene Regeln – alles. Geradlinig. Ungeschminkt. Die ganze verdammte Geschichte über das Geldgift. Darüber, wie es die Gefühle verätzt.«

Er hatte Signor Buio das Geld auf den Tisch gezählt, *mille milioni*, ein gutes Geschäft, nüchtern betrachtet. Ein Haufen Scheine, der da auf dem Tisch lag. Der Alte hatte nicht gierig danach gegriffen, das Geld vielmehr liegen lassen und in einer Haltung betrachtet, die deutlich machte: Es war egal, ob er es hatte oder nicht, er brauchte es nicht.

»Das war der allerletzte Moment«, sagte Van Vliet, »und ich habe ihn verstreichen lassen.«

Beim Umsteigen in Mailand verfolgte ihn der Gedanke, jemand könnte an die Geige stoßen und sie kaputtmachen. Ängstlich nahm er den Kasten unter den Arm und preßte ihn an sich. Es war ein schäbiger Kasten, der zu dem Alten paßte. Er hatte Van Vliet angesehen, daß er ihn schäbig fand. »*Il suono!*« sagte er spöttisch. Auf den Klang kommt es an!

Die anderen Leute im Zug schenkten weder der Geige noch dem Geldkoffer besondere Aufmerksamkeit. Trotzdem war sein Hemd schweißnaß, als er in Thun ausstieg. Er zahlte das übriggebliebene Geld ein, dann fuhr er nach Bern und ging auf direktem Weg zu Krompholz, um die Geige mit neuen Saiten bespannen zu lassen.

Katharina Walther warf einen verwunderten Blick auf den schäbigen Kasten, dann machte sie ihn auf.

»Ich glaube nicht, daß sie sofort wußte, daß sie eine Guarneri vor sich hatte. Doch daß es ein kostbares Instrument war – das sah sie. Sie sah mich an und sagte nichts. Dann ging sie nach hinten. Als sie zurückkam, war ein sonderbarer Ausdruck auf ihrem Gesicht. ›Eine del Gesù‹, sagte sie, ›eine echte *Guarneri del Gesù*‹. Ihre Augen verengten sich ein bißchen. ›Sie muß ein Vermögen gekostet haben.‹

Ich nickte und sah zu Boden. Sie war nicht Ruth Adamek im Traum, sie konnte es nicht wissen. Im Traum dieser Nacht freilich wußte sie es. Und deshalb hatten ihre Worte etwas Richterliches und Bedrohliches, als sie sagte: ›Das sollten Sie auf keinen Fall tun, auf keinen Fall.‹ In Wirklichkeit sagte sie etwas anderes: ›Um sie die Amati vergessen zu lassen, ich verstehe. Trotzdem … ich weiß nicht … meinen Sie nicht, es könnte sie … sagen wir: überfordern? Daß sie dann meint, sie müsse unbedingt zurück in diese Umlaufbahn, diese verrückte Umlaufbahn? Ich will mich nicht einmischen, aber meinen Sie nicht, sie sollte erst einmal zu sich kommen? Wie lange ist es jetzt her, daß Sie die erste Geige für sie kauften, die kleine? Zwölf, dreizehn Jahre? Alles ein bißchen atemlos, fand ich immer, und dann haben Sie mir ja von dieser Krise erzählt … Aber natürlich bespannen wir Ihnen die Geige bis heute abend, es wird dem Kollegen eine Ehre sein, er ist ganz aus dem Häuschen.‹

Warum habe ich nicht auf sie gehört!«

Van Vliet fuhr ins Büro und überwies das restliche Geld zurück auf das Forschungskonto. Auf dem Flur ging Ruth Adamek wortlos an ihm vorbei. Er legte sich auf die Couch, um kurze Zeit danach mit klopfendem Herzen aufzuwachen. Zum ersten Mal hatte er das Gefühl, das Herz könnte ihn eines Tages im Stich lassen.

Katharina Walther brachte ihm die Geige in einem neuen, eleganten Kasten. Ein Geschenk des Hauses, wie sie sagte. Und sie entschuldigte sich für die Einmischung. Der Kollege kam. Er hatte darauf gespielt. »Dieser Klang«, sagte er nur, »dieser Klang.«

Van Vliet fuhr nach Hause. Bevor er hinaufging, setze er sich in das Café an der Ecke. Nach zwei, drei Schlucken ließ er den Kaffee stehen. Das Herz hämmerte. Er konzentrierte sich aufs Atmen, bis es besser wurde. Dann ging er hinauf und betrat die Wohnung mit einer der kostbarsten Geigen der Welt, die alles wieder in Ordnung bringen sollte.

25

LEA HATTE GESCHLAFEN. Sie schlief zu den unmöglichsten Zeiten, dafür geisterte sie nachts durch die Wohnung und scheuchte den Hund auf. Jetzt sah sie den Vater verwirrt an, mit schlaftrunkenem, unstetem Blick. »Du bist so lange … Ich habe nicht gewußt …«, sagte sie mit schwerer Zunge. In der Küche fand der Vater später leere Weinflaschen.

»Ich dachte an jene fernen Nächte zurück, in denen ich am Rechner gesessen hatte, bis ich ihre ruhigen Atemzüge hörte«, sagte Van Vliet. »Verglichen mit heute: Was war das für eine glückliche Zeit gewesen! Seitdem waren mehr als zehn Jahre vergangen. Ich stand da, sah meine verschlafene und ein bißchen verwahrloste Tochter vor mir, und wünschte mir mehr als alles andere, daß ich die Zeit zurückdrehen könnte. Schon seit längerem, wenn ich nachts wachlag, feilschte ich mit dem Teufel, damit er mir diesen einen Wunsch erfülle: mit Lea zurückreisen zu können bis vor den Tag, an dem wir Loyola de Colón im Bahnhof gehört hatten. Meine Seele hätte er dafür haben können. Ich stellte mir diese Reise in der Zeit so lebhaft vor, daß es mir für Augenblicke gelang, daran zu glauben. Dann durchlebte ich im Halbschlaf erlöste, glückliche Augenblicke. Davon wollte ich immer mehr haben. So wurde ich süchtig nach diesen tagträumenden Zeitreisen.«

Doch jetzt galt es, den anderen Tagtraum wahrzumachen: daß Lea die Guarneri nähme, aufstünde und die Wohnung mit ihren sakralen Tönen fülle. Sie war inzwischen wach und warf einen fragenden Blick auf den Geigenkasten. Van Vliet machte Kaffee, während sie sich anzog. Als sie dann, wie befohlen, mit geschlossenen Augen am Küchentisch saß, legte er die Geige vor sie, setzte sich ihr gegenüber und gab das Kommando.

Lange Zeit sagte sie kein Wort, fuhr mit den Fingern stumm die Konturen des Instruments entlang. Als sie mit der Hand über den hellen Fleck der Kinnstütze strich, hoffte Van Vliet auf ein Zeichen des Erkennens, eine Bemerkung über *Il Cannone*. Doch Leas Gesicht blieb ausdruckslos, der Blick stumpf. Er trat hinter sie und leuchtete mit einer Taschenlampe hinein. Sie stellte die Geige schräg und las den Zettel. Ihr Atem ging schneller. Sie nahm ihm die Taschenlampe aus der Hand und richtete den Lichtstrahl selber hinein. Je länger es dauerte, desto mehr Hoffnung schöpfte Van Vliet: Die Buchstaben mit dem großen, dem heiligen Namen würden tief in sie eindringen, und dann würden Überraschung und Freude sie explodieren lassen. Doch es dauerte und dauerte, und plötzlich schoß die Angst in ihm hoch, dieselbe Angst wie damals, als er durch den Türspalt gehört hatte, wie sie Nikki Niccolò nannte. War sie schon zu sehr in sich versunken, um vom Zauber des magischen Namens noch erfaßt werden zu können?

Van Vliet muß das Schweigen nicht mehr ertragen haben, ging ins Schlafzimmer und schloß die Tür. Ein Verbrechen und eine verrückte Reise für nichts. Die Müdigkeit überspülte ihn, betäubte Enttäuschung und Verzweiflung und ließ ihn einschlafen.

Als Lea mitten in der Nacht zu spielen begann, war er sofort hellwach und stürzte hinaus. Sie hatte im Musikzimmer alle Möbel an die Wand geschoben und stand in einem ihrer langen, schwarzen Konzertkleider, frisiert und geschminkt, mitten im Raum. Sie spielte die Partita in E-Dur von Bach.

Für einen Augenblick muß Van Vliet ein Gefühl des Unheils gespürt haben, denn das war die Musik, die Loyola de Colón gespielt hatte. Es war, dachte er vage, nicht gut, daß der Neubeginn in einer Reminiszenz bestand, einer Rückkehr zu jener Erweckungsmusik. Es haftete dem etwas Rituelles an, etwas Unpersönliches, dessen bloße Trägerin sie war, statt daß sie in der Wahl der neuen Töne ganz sie selbst gewesen wäre. Doch dann wurde er überwältigt von den warmen, goldenen Tönen, die mit ihrer Kraft und Klarheit die Wände zu sprengen schienen. Und noch viel mehr überwältigte ihn die Konzentration auf Leas Gesicht. Nach Monaten, in denen dieses Gesicht alle Spannkraft verloren hatte und vorzeitig gealtert war, war es jetzt wieder das Gesicht von Lea van Vliet, der strahlenden Geigerin, die die Konzertsäle füllte.

Und doch gab es auch etwas, das ihn beunruhigte, als er sich im Flur auf einen Stuhl setzte und ihr durch die offene Tür zusah.

»Warum hatte sie es nötig gehabt, sich zurechtzumachen, als stünde sie im Konzertsaal? Sie hatte sich die Nägel geschnitten, es war eine große Erleichterung, das zu sehen. Es ist schrecklich, eine Botschaft purer Verzweiflung, wenn eine Geigerin die Nägel so lange wachsen läßt, bis sie damit nicht mehr spielen kann. Aber das Kleid, der Puder, der Lippenstift – und all das mitten in der Nacht?

Monatelang hatte sie zusammengekauert gelebt, innerlich und oft auch äußerlich. Nun hatte sie sich wieder aufgerichtet und Verbindung mit derjenigen Schicht ihrer selbst aufgenommen, mit der sie sich der Welt früher gezeigt hatte. Als ich ihr damals zusah und zuhörte, beunruhigt wegen des gespenstischen Charakters der nächtlichen Szene, nahm dieser Gedanke in mir Gestalt an: Meine Tochter, sie ist ein geschichtetes Wesen; sie besteht aus seelischen Schichten, lebt auf verschiedenen Plateaus, die sie betreten und verlassen kann, und nun hat sie wieder auf dasjenige Plateau zurückgefunden, das lange Zeit leer und unbeleuchtet geblieben war, ein bißchen wie der verlassene Perron eines stillgelegten Bahnhofs.

Ich betrachtete ihr Mienenspiel, das noch nicht so flüssig war wie früher und in seinem gelegentlichen Stocken die Spuren der vorherigen Erstarrung in sich trug. Und da dachte ich zum ersten Mal einen noch anderen Gedanken, den ich in der kommenden Zeit oft denken und über den ich jedesmal von neuem erschrecken sollte: Sie hat keine Kontrolle über diesen Wechsel der Schichten, sie führt nicht Regie in diesem Drama; wenn sie ein inneres Plateau betritt oder verläßt, ist das ein pures Geschehen, vergleichbar einer geologischen Umschichtung, hinter der es auch keinen Akteur gibt.

Vielleicht werden Sie denken, und ich selbst dachte es manchmal auch: So ist es bei uns allen. Und das stimmt ja auch. Doch in dem inneren Drama, das sich von nun an in Lea entfaltete, gab es Brüche und abrupte, ruckartige Veränderungen, die ein besonders grelles Licht auf die Tatsache warfen, daß die Seele viel mehr ein Ort des Geschehens als des Tuns ist.«

Van Vliet schwieg eine Weile und sagte dann etwas, das mir besonders in Erinnerung geblieben ist, weil eine Furchtlosigkeit des Denkens daraus sprach, die Teil seines Wesens war: »Das Erlebnis der inneren Fugenlosigkeit – es verdankt sich der quecksilbrigen Flüssigkeit des Wechsels und der Virtuosität, mit der wir alle Brüche sofort wegretouchieren. Und diese Virtuosität ist um so größer, als sie nichts von sich weiß.«

Ich betrachte das Bild an der Lampe, den Schattenriß des trinkenden Mannes im Gegenlicht. Aus dem rotzigen Straßenbengel, dem anarchistischen Schüler und dem verschlagenen Schachspieler war ein Mann geworden, der wußte, wie zerbrechlich das seelische Leben ist und wie vieler Notbehelfe und Täuschungen es bedarf, damit wir es mit uns selbst irgendwie schaffen. Ein Mann, der aus dieser Einsicht heraus mit allen anderen eine große Solidarität empfand – obwohl ich dieses Wort von ihm nie gehört habe und er es wohl auch zurückgewiesen hätte. Ja, ich glaube, er hätte es zurückgewiesen, es wäre ihm zu betulich erschienen. Trotzdem: Es ist das treffende Wort für das, was er in jener Nacht in sich wachsen spürte und was ihn von nun an, über alle Zuneigung und Bewunderung hinaus, mit seiner Tochter verband, die in jener Nacht mit ihren Guarneri-Tönen das ganze Haus verzauberte.

Als erstes hatte der Mann, der über ihnen wohnte, wütend geklingelt. Er war erst vor kurzem eingezogen und wußte nichts von Lea. Van Vliet tat etwas Entwaffnendes: Er zog ihn herein und bot ihm einen Stuhl an, von dem aus er Lea sehen konnte. Dort saß er in seinem Schlafanzug und wurde immer stiller. Durch die offene Tür drang die Musik ins ganze Treppenhaus, und als Van Vliet nachsah, saßen die anderen Mieter, die von Lea wußten, auf den Treppenstufen und legten den Finger an die Lippen, wenn jemand ein störendes Geräusch machte. Der Applaus füllte das Treppenhaus. »Zugabe!« rief jemand.

Van Vliet zögerte. Durfte man Lea in ihrem imaginären Konzertsaal stören? War, was sich in ihr aufgebaut hatte, nicht viel zu zerbrechlich? Doch Lea hatte das Klatschen gehört und trat nun von sich aus mit raschelndem Kleid ins Treppenhaus. Sie verbeugte sich, begann zu spielen und hörte nicht mehr auf, bis eine weitere Stunde vergangen war. Inzwischen war ihr Mienenspiel lebendig und flüssig wie früher, man sah und hörte, wie sie von Minute zu Minute mit dem Instrument vertrauter wurde, sie wählte Stücke von wachsendem Schwierigkeitsgrad, die alte Virtuosität war wieder da, und obwohl die Leute zu frösteln begannen, blieben sie sitzen.

»Es war das erste Konzert nach dem Zusammenbruch«, sagte Van Vliet. »In gewissem Sinne das schönste. Meine Tochter, sie trat aus dem Dunkel hinaus ins Licht.«

MADEMOISELLE BACH IST ZURÜCK! titelten die Zeitungen. Die Agenten rissen sich um sie, Lea konnte sich vor Angeboten kaum retten. War es das, was Van Vliet gewollt hatte?

Er hatte es gedacht. Bald jedoch merkte er, daß er seine Tochter nicht, wie erhofft, zurückgewonnen hatte. Sie feierte Erfolge, daran lag es nicht. Doch sie schien nicht bei sich selbst zu sein. Porzellan – das war das Wort, das er immer wieder benutzte, wenn er über diese Zeit sprach. Sie und ihr Tun schienen ihm wie aus durchschimmerndem Porzellan zu bestehen: filigran, kostbar und sehr zerbrechlich. Er hegte die Hoffnung, dahinter möge es einen festen Kern geben, der bliebe, wenn das Porzellan zerbräche. Immer mehr aber machte die Hoffnung der Befürchtung Platz, daß sich, sollte es zu einem Zerbrechen kommen, dahinter nur eine Leere auftäte, eine Leere, in der seine Tochter für immer verschwände.

Leas Haut, die schon immer sehr weiß gewesen war, wurde noch bleicher, fast durchsichtig, und an der Schläfe zeigte sich immer öfter eine bläuliche Ader, in der es pochte, seltsam unregelmäßig, ein rhapsodisches Zucken, Vorbote eines

Geschehens, in dem alle Ordnung verlorenginge. Und auch wenn ihre neuen Töne viel Lob ernteten: Etwas, fand der Vater, stimmte mit ihnen nicht. Schließlich kam er dahinter: »Jetzt, wo die Musik nicht mehr eingefaßt war in die Liebe zu Marie und Lévy, wo sie davon nicht mehr gehalten und getragen wurde, klang sie für meine Ohren unpersönlich, gläsern und kalt. Manchmal dachte ich: Es klingt, als stünde Lea vor einer hellen, trockenen Wand aus hartem, kaltem Schiefer. Dagegen konnte auch Joseph Guarneri nichts ausrichten. Es lag nicht an der Geige. Es lag an ihr.«

Es gab Ausnahmen, Abende, da alles wie früher klang, von innen heraus gespielt. Doch dann gab es etwas anderes, das Van Vliet quälte: Es schien ihm, als spiele Lea in Gedanken auf Lévys Amati – als sei die Guarneri zum Kristallisationspunkt des Wahns geworden, daß mit Lévy wieder alles in Ordnung sei. Aus der neuen Geige, die ein befreiendes Gegengewicht zur Vergangenheit hatte werden sollen, war – dachte er in solchen Momenten – ein neues Gravitationszentrum für die alten Phantasien geworden.

Obwohl es anders vereinbart war, verriet ihr Agent der Presse, um was für eine Geige es sich handelte. Van Vliets Mitarbeiter lasen es, und man konnte in ihrem Blick die Frage lesen, woher er das Geld dafür hatte. Durch die offene Tür von Ruth Adameks Büro sah er, daß sie die gleiche Internetseite studierte, mit der auch er sich über Geigen der Familie Guarneri informiert hatte. In der Nacht änderte er das Paßwort für die Datei mit seinen Forschungsgeldern. Aus DEL-GESÙ machte er ÙSEGLED und später ÙSEDEGL.

Er spürte: Es war eine Zeitbombe. Er konnte die Finanzlücke ein paar Monate vertuschen, vielleicht ein Jahr, länger nicht. Er dachte an Rechnungen einer Scheinfirma. Er begann, Lotto zu spielen. Eine Art Bankenphobie stellte sich ein und zeigte sich daran, daß er beim Internetbanking gedankliche Blockaden hatte und bei kinderleichten Operationen Fehler machte. Der Name THUN irrlichterte oft durch die Träume.

Wenn es ganz schlimm kam, sagte er sich, konnte er immer noch die Geige verkaufen. Eigentlich war es unvorstellbar, sie Lea wieder wegzunehmen, und wenn er an die Worte dachte, die er sagen müßte, wurde ihm schwindlig. Aber sie war Millionen wert, und der Gedanke daran vermochte ihn trotz allem zu beruhigen.

Es kamen Konzerte im Ausland. Paris, Mailand, Rom. Die Veranstalter und Agenten mochten es nicht, daß der Vater dabei war. Nicht, daß sie etwas gesagt hätten. Doch der Händedruck war kühl, reserviert, und sie wandten sich demonstrativ nur an die Tochter. Es war ein Wechselbad der Gefühle: Bald schien Lea dankbar für seine Gegenwart, bald gab sie ihm das Gefühl, sie wäre lieber ohne ihn unterwegs. Es gab glückliche Momente, wenn sie den Kopf an seine Schulter legte. Es gab demütigende Momente, wenn sie ihn einfach stehenließ, um mit dem Dirigenten zu plaudern.

In Rom wäre er mit ihr gern zu der Kirche an dem kleinen Platz gegangen, aus der damals die Musik gekommen war, die das Eis gebrochen und die Gefühle für Marie begradigt hatte. Das war zehn Jahre her.

»Ich wäre gern mit ihr auf der Bank gesessen und hätte über all die Dinge geredet, die inzwischen geschehen waren«, sagte er. »Ich habe nicht gemerkt, daß das der Wunsch eines Mannes in den Fünfzigern war, der einem jungen Mädchen fremd sein mußte. Erst als ich dann allein dort saß, dämmerte es mir. Es tat trotzdem weh, die Zeit nämlich hätte sie gehabt. Auch die Musik in der Kirche tat weh, so daß ich floh und mich in einem Stadtteil, in dem wir damals nicht waren, in eine Bar setzte. Ich war zu betrunken, um ins Konzert zu gehen. Es sei mir danach gewesen, den Abend allein zu verbringen, sagte ich beim Frühstück. Nun war sie es, die traurig blickte.«

26

UND DANN KAM DIE REISE nach Stockholm, eine Reise, die auf Van Vliets innerer Landkarte ganz Skandinavien auslöschen sollte.

Sie begann mit Leas Flugangst, einer Angst, die sie bisher nicht gekannt hatte. Sie war bleich, zitterte und mußte auf die Toilette.

»Nachträglich will sie mir wie eine besonders kluge Angst erscheinen«, sagte Van Vliet. »Die Schwerkraft war ihre Verbündete im Kampf gegen die inneren Zentrifugalkräfte. Würde sie aufgehoben, bestand die Gefahr, daß Lea zerspränge, sie verlöre das innere Zentrum, die Fetzen ihrer Seele würden durcheinanderwirbeln, und sie müßte es wie eine Vernichtung erleben.

Das war mein Gedanke, als wir auf der Rückfahrt an Deck der Fähre saßen. Als Hälsingborg in der Dämmerung zurücksank, wünschte ich, es würde dort nie mehr hell werden.«

»Und wenn ich plötzlich nicht mehr weiter weiß?« fragte Lea im Flugzeug. Und dann tat sie, was sie noch nie getan hatte: Sie erzählte von einem Gespräch mit David Lévy. Sie muß zu ihm von ihrer Angst gesprochen haben, das Gedächtnis könnte sie im Stich lassen. Van Vliet zuckte zusammen, als er das hörte. Er dachte an jenen Moment zurück, den er nie vergessen hatte: als Lea in der Aula der Schule, bei ihrem ersten öffentlichen Auftritt, den Bogen ansetzte und er sich, ohne jeden Anlaß, gefragt hatte, ob ihr Gedächtnis der Belastung standhielte. Lévy hatte Lea stumm angesehen, war dann aufgestanden und im Musikzimmer hin und her gegangen. Und dann hatte er ihr von den Empfindungen erzählt, die im schrecklichsten Moment seines Lebens, als er mitten in der Oistrach-Kadenz des Beethoven-Konzerts nicht mehr weiterwußte, über ihn hereingebrochen waren. Die Panik sei wie ein eiskaltes, lähmendes Gift durch ihn hindurchgeflossen, muß er gesagt haben. Und das Gift habe noch Stunden danach jede andere Empfindung vernichtet. Daß und wie er von der Bühne geflohen sei, wisse er nicht mehr, all diese Bewegungen seien, wenn er sie überhaupt gespürt habe, sofort aus der Erinnerung gelöscht worden. In der Garderobe hatte er die Amati angesehen und gewußt: *nie wieder*.

Dort oben, über den Wolken, hatte Van Vliet plötzlich verstanden, daß diese Angst seine Tochter auf eine Weise mit Lévy verbunden hatte, die seine eigene Eifersucht lächerlich und schäbig aussehen ließ. Es war die Solidarität derer gewesen, die wissen, daß der Verlust von Gedächtnis und Selbstvertrauen sie unter dem grellen Scheinwerferlicht, aus dem inneren Dunkel heraus, jederzeit anspringen kann. Jetzt begriff der Vater plötzlich auch, wie bedeutungsschwer das Geschenk der Amati gewesen war: Lévy hatte Lea die Geige geschenkt, um jenes gefährliche Dunkel in ihr für immer zu versiegeln; und auch, damit sie aus dieser versiegelten Gewißheit heraus in unantastbarer, unzerstörbarer Sicherheit seine, Lévys Töne, die damals einfach abgebrochen und von der inneren Leere verschluckt worden waren, weiterspinnen und so zur Heilung der damaligen Verwundung beitragen möge. Und dann hatte sie dieses Instrument, das soviel Schmerz und Hoffnung in sich barg, vor seinen Augen zerschlagen wollen!

Van Vliet nahm ihre kalten, feuchten Hände in die seinen, seit langem zum ersten Mal. Dabei dachte er an die angstvollen Tage und Nächte, die auf den Ausbruch des Ekzems gefolgt waren. Es war alles viel zuviel für sie, ganz einfach zuviel. Als sie in die Ankunftshalle hinaustraten, wollte er ihr vorschlagen, das Konzert abzusagen und per Schiff und Bahn nach Hause zu fahren. Doch da stand schon der Chauffeur.

»Warum habe ich ihn nicht einfach weggeschickt!« sagte Van Vliet. »Einfach weggeschickt!«

Die Dämmerung hatte eingesetzt. Ob ich Licht machen solle, fragte ich. Van Vliet schüttelte den Kopf. Er wollte kein Licht auf seinem Gesicht, wenn er nun von der Katastrophe sprach, die mir, als ich sie später vor Augen hatte, wie die Klimax einer Tragödie vorkam, auf die alles, was ich bisher gehört hatte, mit eherner, unbeugsamer Zwangsläufigkeit zulief.

»Als ich im Dunkel des Zuschauerraums saß, wünschte ich, Lea hätte im Flugzeug nicht über den Zusammenbruch von Lévys Gedächtnis gesprochen. Denn nun wartete ich jeden Moment auf den ihren, mein Blick hing an ihren Zügen, ihren Augen, stets bereit, Vorboten zu erkennen. Es war ein Violinkonzert von Mozart, sie wollte weg von der Festlegung auf Bach. Sie hatte inzwischen ein solches Gefühl für die Guarneri entwickelt, daß die Töne noch eine ganze Kategorie voller und zwingender klangen als damals im Treppenhaus. Die Zeitungen hatten über die del Gesù geschrieben, eine von ihnen hatte einen ganzen Essay darüber gebracht, in dem auch von Paganini und *Il Cannone* die Rede war. Ich meine, die ehrfurchtsvolle Stille der Zuhörer war noch ein bißchen größer als sonst, und der Applaus wollte nicht enden.

Wie immer störte mich das Vorhersehbare, Gestanzte an der Art, wie Lea die Ovationen entgegennahm. Doch da war noch etwas anderes, und ich glaube, ich bin darüber tief im Inneren erschrocken, ohne es zu merken: Leas Bewegungen beim Kommen und Gehen auf der Bühne hatten nicht ihre gewohnte Flüssigkeit, überhaupt flossen sie nicht so, wie menschliche Bewegungen gewöhnlich fließen. Auch waren sie nicht bloß zähflüssig und verzögert. Vielmehr haftete ihnen etwas Ruckartiges an, etwas Geschobenes, ein Staccato, unterbrochen durch winzige Hiate der Bewegungslosigkeit. Es erinnerte mich an die Bewegungsprobleme bei Robotern, die ich aus der Forschung von Kollegen kannte. Aber es war *meine Tochter!*«

Es war, als würde sich das stille Entsetzen, das er damals gar nicht richtig bemerkt hatte, erst jetzt, mit einer Verzögerung von Jahren, richtig entfalten. Van Vliets Stimme veränderte sich und bekam die Rauheit einer menschlichen Stimme, in der sich die kochende Lava der Gefühle verrät. Und wenn ich an die Erzählung der nächsten Stunde denke, dann höre ich diese Rauheit, die besser als alle Tränen den Schmerz zum Ausdruck brachte, der seine Seele versengt hatte.

»Was die Feier nach dem Konzert betrifft, erinnere ich mich nur an weniges. Leas Bewegungen waren wieder normal, so daß ich das frühere Erschrecken fast vergaß. Bis ich den abgespreizten kleinen Finger sah, als sie die Tasse nahm. Ich weiß nicht, wie ich es begründen soll, aber es war nicht das affektierte Abspreizen im feinen bürgerlichen Salon, beim Nachmittagstee. Eher war es wie eine fehlgeleitete, zwecklose Bewegung, ein nervlicher Irrläufer. Ich ging auf die Toilette und schaufelte kaltes Wasser ins Gesicht. Doch statt daß das Wasser die Beobachtung wegwischte, kam die Erinnerung an einen mißlungenen Triller während des Konzerts. Triller waren ja Leas Schwäche, und beim einen hatte es einen Moment gegeben, wo es war, als machte der Finger bizarre, unkontrollierbare Bewegungen. Ich preßte die Stirn an die Wand, bis es weh tat. Ich mußte diese verdammte Hysterie loswerden!«

Van Vliet sank in sich zusammen, die Rauheit verschwand aus der Stimme. »Wenn es doch Hysterie gewesen wäre! Eine unsinnige, grundlose Aufregung!« sagte er leise.

Noch etwas anderes war ihm beim Essen aufgefallen: Leas Gereiztheit. »Sie war ja in letzter Zeit oft gereizt gewesen, vor allem in der Zeit nach dem Bruch mit Lévy. Doch was ich jetzt sah und spürte, war anders, umfassender und von körperlicher Aufdringlichkeit: als brenne sie.« Auch im Wagen, der sie zum Hotel brachte, spürte er dieses Brennen, diese unterdrückte Wut, die aus ihr herausdrängte wie Schweiß.

»Sie war gegen mich gerichtet und auch nicht, verstehst du, *verstehst du*?« sagte er.

Die beiden letzten Worte waren wie ein rauher Schrei. Es kam mir vor, als versuchte er mit Jahren der Verspätung, einen Teil von Leas Wut an mich weiterzugeben, damit sie aufhöre, ihn zu würgen. Gleichzeitig war das *du* wie der letzte, heisere Hilfeschrei von einem, den die unbarmherzige Strömung unwiderruflich hinaustreibt.

Gegen mich gerichtet und auch nicht – das war die Formel für seine tiefste Verzweiflung, für Schuld und Einsamkeit, die eine schreckliche, eine tödliche Verbindung eingegangen waren. *Und auch nicht* – man spürte, wie er mit der Logik und Unlogik kämpfte, ein großer, schwerer Buster Keaton, der niemanden mehr zum Lachen brachte. Er sagte die Formel nur ein einziges Mal, aber ich hörte und höre noch das tausendfache Echo, das die Worte in ihm hatten. Sie waren die Melodie, die seit Stockholm alles andere übertönte, einfach alles. Ein Gedanke, der nie schwieg, am Tag nicht und auch nicht in der Nacht. Ein Gefühl, in das sich alles eingeschrieben hatte, was nun geschah.

»Ob sie etwas für ihn spielen würde, nur ein paar Takte, fragte der Angestellte am Empfang des Hotels; er habe ja leider nicht dabeisein können. Er hatte einen unnötig geraden Scheitel und trug eine Brille mit häßlichem Gestell, ein linkischer Junge, der sich sicher seit Stunden auf diese Bitte vorbereitet hatte. Vielleicht, wenn er nicht … Aber nein, ich muß aufhören, mir etwas vorzumachen. Sonst wäre es später geschehen. Es war in ihr – was immer es war, ja, was immer es war. Wenn ich denke, daß sie es während des Konzerts getan hätte … Wie oft habe ich seither davon geträumt! Der Traum hat in mir gewütet, hat alles verbrannt und niedergewalzt, ich bin wie ausgehöhlt.

Was ich in dem Traum stets spüre: die Kühle der gußeisernen Spitze auf dem Pfosten, mit dem das Treppengeländer unten abschloß. Schon bei der Ankunft hatte ich das körnige Metall berührt und gedacht: wie oben an einer Treppe in die Pariser Métro. Jetzt fiel mein Blick wieder auf die metallene Spitze, die wie der Kopf einer gewundenen Schlange aus einem konischen Aufbau von Metallwülsten herauswuchs. Und von nun an, verstehen Sie, weiß ich nicht mehr zwischen echter Erinnerung und inneren Bildern zu unterscheiden, die manipuliert und verformt sind, wer weiß, durch welche Kräfte. Die Metallspitze kommt mir, wenn ich die Augen schließe, mit der Heftigkeit eines rasenden Zooms entgegen. Dabei habe ich das Gefühl, ihr das Unheil schon in dem Moment angesehen zu haben, als Lea zögernd und mit unwirschem Gesicht den Geigenkasten öffnete, um der Bitte des Jungen zu entsprechen. Scheu trat er zu ihr, um die berühmte Geige aus der Nähe zu sehen. Lea ließ sie nicht los, aber er durfte über den Lack streichen. Inzwischen waren noch andere Angestellte gekommen, und auch ein paar Gäste standen erwartungsvoll in der Halle. Lea stimmte kurz, es waren nachlässige Bewegungen, Routine ohne Sorgfalt. Ich dachte, sie würde dort, mitten in der Halle, zu spielen beginnen. Doch es kam anders, und die folgenden Minuten sind in mir wie ein gedehnter Film, gedehnt bis zum Zerreißen. Einmal habe ich geträumt, ich würde ihn mir aus dem Kopf schneiden, diesen Film. Wenn ich den Kopf dabei verlöre – es wäre immer noch besser, als den Film immer wieder ansehen zu müssen.

Lea ging zur Treppe, hob das lange Kleid an, um nicht zu stolpern, und blieb auf der dritten Stufe stehen, ja, es war die dritte, genau die dritte. Sie drehte sich um und wandte sich dem Publikum zu, sozusagen. Doch sie sah uns nicht an, der Blick war gesenkt, dunkel und zerstreut, wie mir schien. Es gab keinen Grund, warum sie nun nicht gleich zu spielen begann. Keinen Grund, den man erkennen konnte. Neben mir klickte ein Feuerzeug. Heftig wandte ich mich um und verbot dem Mann mit einer herrischen Geste, die Zigarette anzustecken. Lea sah vor sich hin, einer seelenlosen Statue gleich. In diesen Sekunden muß es sich vorbereitet haben.

Endlich nahm sie die Geige und begann zu spielen. Es waren Takte aus dem Anfang des Mozart-Konzerts vom Abend.

Urplötzlich, praktisch mitten in einem Ton, brach sie ab. Der Abbruch war so abrupt, daß die folgende Tonlosigkeit fast weh tat. Für einen kurzen Augenblick dachte ich, das sei es gewesen, sie habe genug und wolle ins Bett. Oder dachte ich es wirklich? Selbst für eine kurze Kostprobe war der Abbruch zu abrupt, bizarr, ohne jedes Gefühl für musikalische Gestalt. Und die Entfremdung, die darin lag, fand ihre Entsprechung auf Leas Gesicht. Schon auf der Fahrt ins Konzert hatte ich gefunden, daß sie sich sehr bleich gepudert hatte. Das tat sie manchmal, wir konnten uns nie einigen. Und als sie nun wieder zu spielen begann, wurde aus dem hellen Puder die weiße Maske von Loyola de Colón.

Denn Lea spielte, wie vor einiger Zeit zu Hause im Treppenhaus, die Musik, die wir damals im Berner Bahnhof gehört hatten. Sie spielte sie so, wie ich sie von ihr noch nie gehört hatte: wütend, mit Bogenstrichen, die so heftig waren, daß sie kratzten, ein Bogenhaar nach dem anderen riß, die weißen Haare wischten übers Gesicht, es war ein Anblick von Trotz, Verzweiflung und Verwahrlosung, unter den geschlossenen Lidern quollen Rinnsale von Wimperntusche hervor, jetzt sah man auch die Tränen, Lea kämpfte dagegen, ein letzter Kampf, noch war sie eine Geigenspielerin, die sich gegen den inneren Ansturm mit festen Fingergriffen wehrte, sie preßte die Lider gegen die Augäpfel, preßte und preßte, der Bogen geriet ins Schlittern, die Töne verrutschten, eine Frau neben mir sog entsetzt die Luft ein, und dann ließ Lea, die Augen voller Tränen, die Geige sinken.

Es hatte weh getan, und auch jetzt tat es weh, sie dort auf der Treppe stehen zu sehen, erschöpft, geschlagen, vernichtet. Doch noch war es keine Katastrophe. Ein paar wenige Leute hatten es gesehen und würden es der Erschöpfung nach dem Konzert zuschreiben. *¡Pobrecita!* flüsterte jemand hinter mir.

Erst als Lea den Bogen fallen ließ und die Geige mit beiden Händen am Hals faßte, wußte ich: Das ist das Ende.«

Van Vliet stand auf und trat ans Fenster. Er hob die Arme, lehnte sich nach vorn und preßte die offenen Handflächen gegen die Scheibe. In dieser sonderbaren Haltung, die ein Stützen war und zugleich wie der Versuch wirkte, sich durch die Scheibe hindurch in die Tiefe zu stürzen, beschrieb er rauh und stockend das Geschehen, das er mit aller Gewalt aus seinem Kopf hatte entfernen wollen.

»Sie riß die Geige hoch über den Kopf, schwang sie noch ein bißchen nach hinten, um besseren Anlauf zu haben, und dann ließ sie sie mit der Rückseite auf die Metallspitze des Treppenpfostens hinuntersausen. Ich wünschte, sie hätte wenigstens die Augen geschlossen, als Zeichen dafür, daß es ihr in einem Teil ihrer selbst auch leid tat, das kostbare Instrument zu zerstören. Doch ihr Blick begleitete alles, den Schwung und das Splittern, ein Blick aus weit geöffneten, verstörten Augen. Und das war erst der Anfang. Der Rücken der Geige war aufgeplatzt, die Metallspitze hatte sich im Splitterrand der Öffnung verfangen, Lea zog und hebelte, es knirschte und splitterte, hilflose Wut verformte ihre Züge zu einer Fratze, jetzt war die Geige wieder frei, da riß sie sie abermals hoch, und jetzt knallte sie mit dem Steg auf die Metallspitze, die Saiten sirrten und summten, der Steg war zerborsten, das Metall hatte sich in eines der *f*-Löcher gebohrt und es aufgerissen.

Ein Mann in Kellnerjacke trat auf sie zu und wollte sie aufhalten. Er war der erste, der die allgemeine Lähmung überwand. Ich kann es mir nicht verzeihen, daß nicht ich als erster bei ihr war. Sie hatte die Geige wieder frei bekommen und schwang sie dem Mann wie eine Waffe entgegen. Er wich zurück und ließ die Arme hängen. Dann fuhr Lea mit dem Werk der Zerstörung fort, immer wieder ließ sie die kaputte Geige auf das Metall sausen, von vorne und von hinten, das Haar stand ihr wirr vom Kopf ab, nein, wie eine Furie sah sie jetzt nicht mehr aus, das war nur für einen Moment gewesen, immer mehr war sie ein verzweifeltes kleines Mädchen, das aus Wut und Trauer das Spielzeug kaputtschlägt, geschüttelt von Anfällen des Schluchzens, die man nicht mitanhören konnte, so daß die Leute weggingen.

Die Geige blieb auf dem Metall stecken, als Lea schließlich zusammensank, eine Stufe hinunterglitt und mit kraftlosen Armen nach dem Pfosten tastete. Jetzt erst war ich bei ihr, umfaßte sie und strich ihr übers Haar. Das Schluchzen hörte auf. Ich hoffte, sie könnte wenigstens einige Momente der entspannten Erschöpfung durchleben. Aber ihr Körper hatte sich bereits wieder versteift, ich spürte, wie sie an dem Geschehenen bereits zu ersticken begann, eine Erstickung, die sich immer weiter nach innen fraß. Als ich sie in Saint-Rémy hinter dem Brennholz sah – und auch sonst, wenn sie im Fernglas erschien –, spürte ich diesen erstarrenden, erstickenden Körper in meinen Armen.«

Gegen mich gerichtet und auch nicht. Er sagte es nicht, doch die Stille im Zimmer war voll davon. Erst jetzt verstand ich ganz, wie es für ihn geklungen haben muß, als der Arzt sagte: *C'est de votre fille qu'il s'agit,* und: *Sie ziehen nicht nach Saint-Rémy.*

In der Nacht versuchte ich, etwas von dem Drama in mir nachzubilden. Leslie hatte für eine Weile gemalt, ziemlich gut, und ich hatte ihr Malzeug ins Internat gebracht, auch eine Staffelei. Als sie erlahmte, drängte ich sie weiterzumachen und fragte am Telefon danach. Ich stellte mir vor, wie es gewesen wäre, wenn sie eines Tages das Küchenmesser genommen und ihre Bilder zerfetzt hätte, vor allem diejenigen, die ich mochte und im Büro in der Klinik aufgehängt hatte. Es war nur Phantasie, nur ein Schatten, ein Hauch, verglichen mit den Bildern, die Van Vliet aus dem Hotel in Stockholm mitgenommen hatte. Und doch fröstelte mich.

Kein Alkohol mehr, sagte ich zu ihm und gab ihm später eine Schlaftablette. Wie der schwedische Arzt, der Lea eine Beruhigungsspritze gab. Van Vliet hatte an ihrem Bett gesessen, die ganze Nacht. *Das ist das Ende.* Immer wieder dieser Gedanke, dieser innere Rhythmus, dieser Klang der Endgültigkeit. Das Ende von Leas Leben mit der Musik. Das Ende seines beruflichen Lebens, denn nun hatte er keine Möglichkeit mehr, das veruntreute Geld zurückzuzahlen. Das Ende der Freiheit, denn irgendwann käme es an den Tag. War es auch das Ende ihrer Zuneigung zu ihm?

Sie saßen bei Marie auf dem Sofa mit den Kissen aus Chintz. Er ging mit ihr durch Rom. Er saß mit ihr am Küchentisch und hörte sie fragen, ob sie nicht nach Genua fahren und Paganinis Geige ansehen könnten. Er hielt sie in den Armen, bevor sie in die Maturitätsprüfung ging. Er dachte auch daran, daß sie keine Liste zusammenbekamen, als sie die erste ganze Geige mit einem Fest feiern wollten. *Ich will lieber üben.* Auch diesen Satz, den er später in den dunklen Blick des Maghrebiners hineinstoßen wollte, holte er hervor, zusammen mit Leas Freudentränen auf dem Jahrmarkt, als sie den goldenen Ring zog. Was hatte er falsch gemacht? Was mußte er sich vorwerfen? Falsches Tun? Falsches Empfinden? *Gab* es das überhaupt: richtiges und falsches Empfinden?

Empfindungen – waren sie nicht einfach, wie sie waren, Punkt?

Er hatte in Stockholm einen Wagen gemietet und war mit Lea nach Hause gefahren. Sie nahm Medikamente und schlief viel. Wenn sie wach war und sich ihre Blicke begegneten, erschien dieses Lächeln auf ihrem Gesicht.

»So, wie man jemanden anlächelt, dem gegenüber man eine Schuld hat, die nie getilgt werden kann, eine Schuld, die alles unter sich begräbt, und man gibt in dem Lächeln zu verstehen, daß man das weiß. Ein Lächeln, das dort beginnt, wo alles Bitten um Vergebung aufhört. Das Lächeln als einzige Lösung, um nicht zu versteinern.«

Manchmal dachte er, sie führen in die falsche Richtung; besser wäre der Norden, Lappland, Dunkelheit, Flucht. Dann wieder wollte er vergessen, daß es Skandinavien überhaupt gab. Die Trümmer der Geige zusammenfügen, Splitter für Splitter, und wenn der letzte in die alte, makellose Gestalt eingefügt und mit dem magischen Lack, dessen Zusammensetzung ja bekannt sein mußte, überzogen war: Alles vergessen, was mit dem Treppenpfosten und seiner Schlangenspitze zu tun hatte. Vergessen, einfach vergessen. Sie waren ins Hotel zurückgekommen und ruhig die Treppe hinaufgegangen, *bonne nuit*, hatte Lea gesagt, das sagte sie auf Reisen immer.

Der Junge mit dem lächerlichen Scheitel und der häßlichen Brille war, wie man ihm erzählte, stundenlang auf dem Boden herumgekrochen und hatte nach jedem Splitter Ausschau gehalten, auch nach den kleinsten, die zwischen den Fäden des Teppichs verschwunden waren. Er hatte den Gedanken, daß eine Geige von Guarneri del Gesù unwiderruflich zerstört war, schlechterdings nicht ausgehalten.

Ab und zu warf Van Vliet einen Blick auf die Rückbank: Die Trümmer hatten nicht recht in den Geigenkasten gepaßt und lagen in einer großen Plastiktüte daneben. Auf Rastplätzen fiel sein Blick regelmäßig auf die Müllcontainer. Der Name eines Stockholmer Kaufhauses war auf der Tüte. Diese Spur mußte verschwinden. Doch es war unmöglich. Signor Buio war mit seiner knochigen, von Altersflecken übersäten Hand über die Geige gefahren, bevor er den Deckel schloß und Van Vliet den schäbigen Kasten zuschob. *Ecco!*

»*Le violon*«, murmelte Lea manchmal, halb im Schlaf. Dann fuhr er ihr mit der Hand stumm über Schulter und Arm. Seit der Katastrophe war es ihm nicht gelungen, sie zu umarmen, nicht einmal übers Haar war er ihr gefahren. Dabei sehnte er sich danach und war verzweifelt über die Lähmung, die es verbot. Als er ihr in der Nacht den Schweiß von der Stirn gewischt hatte, war es die Bewegung eines Krankenpflegers gewesen. Einmal hatte er sich zu ihr hinuntergebeugt, um sie auf die Stirn zu küssen. Er hatte es nicht geschafft.

Als er gegen Morgen eindöste, suchte ihn ein Traumbild heim, das er bis heute nicht losgeworden war: Der Junge vom Hotelempfang versuchte vergeblich, die aufgespießte Geige vom Treppenpfosten zu lösen. Er zog und zerrte und drehte, es knarrte und knirschte und splitterte. Er schaffte es nicht, er schaffte es einfach nicht.

Lange hatte er an der Reling der Fähre gestanden und in die Nacht hinaus geblickt, bevor er zum Telefon griff und seine Schwester Agnetha anrief. Drei Tage waren wir nun zusammen, drei lange Tage des Erzählens, in denen wir durch dreizehn Jahre geglitten waren, und er hatte die Schwester mit keinem Wort erwähnt, stets hatte es geklungen, als sei er Einzelkind gewesen.

»Warum, verdammt, muß sie ausgerechnet diesen schwedischen Namen haben! Die Leute sagten: ABBA! Dabei gab es die Gruppe 1955 noch gar nicht. Es war eine Modefee in einer Illustrierten, die Mutter auf die Idee brachte, sie war süchtig nach Illustriertenklatsch. ›Stell dir vor: nicht Agnes und nicht Agatha, nein: *Agnetha*!‹ sagte sie.

Das war, bevor die Ehe zerbrach und die Liebe aus den Sternen in den Staub stürzte. Wenn der Vater die Episode später erzählte, nahm er die gichtverformte Hand der Mutter, und dann konnte man spüren, daß es die Sterne einmal gegeben hatte. Und deshalb lag immer ein Schimmer Sternenlicht auf Agnetha, ein bißchen Goldstaub, als hätte sie eine feine, unsichtbare Goldsträhne im Haar. Dabei ist nichts Strahlendes an ihr, sie war stets eher ein braves, phantasieloses, fleißiges Mädchen, das meinen Anarchismus und meine Maßlosigkeit nicht mochte. ›Du bist eine Dampfwalze‹, sagte sie. Natürlich hielt sie mich für einen unfähigen Vater, so daß ich ihr das Gegenteil beweisen wollte.

Deshalb war es schwer, sie jetzt anzurufen. Von der Geige sagte ich nichts. Zusammenbruch – das genügte.

›Dr. Meridjen‹, sagte sie sofort, ›wir müssen Lea außer Landes bringen, weg von der Presse, er ist gut, sehr gut, und die Klinik hat einen ausgezeichneten Ruf, außerdem ist sie dann in der französischen Sprache, der Sprache von Cécile, ich denke, das ist wichtig.‹

Sie ist klinische Psychologin und hat mit dem Maghrebiner in Montpellier gearbeitet, sie hat ihn immer bewundert, vielleicht auch mehr.

Sie hatte sich gut in der Gewalt, als sie Lea sah, doch sie war erschrocken. Sie ließ sich die Medikamente des schwedischen Arztes zeigen und schüttelte ärgerlich den Kopf. Ich hatte sie seit Jahren nicht gesehen, meine Schwester, und war erstaunt über die Reife und Kompetenz, die aus allem sprach. Sie wollte alles wissen. Ich sagte nur, daß es eine wertvolle Geige gewesen sei.

Lea schlief, wir saßen in der Küche. Agnetha sah meine Erschöpfung nach der langen Fahrt; ein paar Stunden in einem Motel war alles gewesen.

›Verstehst du es?‹ fragte sie.

›Was wissen wir von diesen Dingen schon!‹ sagte ich.

›Ja‹, sagte sie. Dann trat sie hinter mich, ihren Bruder, der mit seiner Überheblichkeit alles niederwalzte, und legte mir die Arme um den Hals.

›Martijn‹, sagte sie. Sie war später die einzige, die zu mir stand.«

Was wissen wir schon! Vorhin, als Teil der Erzählung, waren die Worte in der kontrollierten Distanz des Berichterstatters aufgehoben gewesen. Jetzt brachen sie rauh und ungestüm aus ihm hervor.

»Was, verdammtnochmal, wissen wir schon! Alle tun sie, als wüßten sie, was passiert ist. Agnetha, der Maghrebiner, selbst von Kollegen habe ich diesen Schwachsinn gehört. Nichts wissen wir von diesen Dingen! *Nichts!*«

Er saß in einem Sessel. Jetzt beugte er sich nach vorn, stützte die Ellbogen auf die Knie und ließ den Kopf tief hinunterhängen, wie ins Leere. Ein trockenes Schluchzen schüttelte ihn, bisweilen klang es wie Husten. Die Verzweiflung entlud sich in einem unkontrollierbaren, animalischen Schütteln und Zucken. Ich wollte etwas tun wie Agnetha, als sie hinter ihn getreten war. Ich wußte nicht, was es sein könnte. Doch es war unmöglich, nichts zu tun. Schließlich kniete ich vor ihm auf den Boden und zog seinen Kopf in meine

Arme. Es dauerte Minuten, bis das Schütteln sanfter wurde und schließlich verebbte. Ich richtete ihn an den Schultern auf, bis er gerade saß. Ich habe viele kranke und erschöpfte Menschen gesehen. Doch das – das war noch etwas ganz anderes. Ich wünschte, ich könnte das Bild seines Kopfes, wie er gegen die Rückenlehne des Sessels fiel, auslöschen.

27

ICH LIESS DIE VERBINDUNGSTÜR ANGELEHNT und das Licht an. Dann ging ich, wie gestern nacht, in die Hotelbibliothek hinunter. *I have been one acquainted with the night./ ... I have outwalked the furthest city light./I have looked down the saddest city lane.* Neben Whitman und Auden war Robert Frost der dritte Dichter gewesen, den mir Liliane gezeigt hatte. *And miles to go before I sleep.* Sie war wütend gewesen, daß alle diese Zeile im Munde führten wie die ausgeleierte Phrase eines Popsongs. »*Poetry*«, hatte sie gesagt, »*is a strictly solitary affair; solipsist even. I ought not to talk to you about it. But ... well ...*«

Eine Krankenschwester, die das Wort *solipsist* kannte. Warum, Liliane, mußtest du verunglücken, du hättest mir den Schweiß doch auch in Indien von der Stirn wischen können. Ich versuchte, mit ihr durch die winterliche Morgendämmerung von Boston zu gehen und ihr *grand* zu hören, den irischen Akzent. Es ging nicht. Alles war blaß, ohne Leben, weit weg. Statt dessen spürte ich Martijn van Vliets Kopf in meinen Armen und roch den bitteren Geruch seines wirren Haars.

Ich fürchtete mich vor dem, was noch kommen mußte. *Sie*

war später die einzige, die zu mir stand. Als sie ihn vor Gericht stellten; anders konnte man das nicht verstehen.

Und dann Leas Tod. War nicht Stockholm schon genug? Mehr, als einer ertragen konnte? *Das war meine letzte Fahrt nach Saint-Rémy … Ja, ich denke, das war die letzte Fahrt.* War die Deutung immer noch offen?

Ich mußte es verhindern. *Mußte* ich? *Durfte* ich überhaupt? Bei unheilbaren Krankheiten – da hatte ich eine klare, unerschütterliche Meinung. Eine Frage der Würde. Doch wie war es hier?

Es ging auf Mitternacht. Trotzdem rief ich Paul an. »Wenn einer einfach nicht mehr kann«, sagte ich, »einfach nicht mehr kann …« Ich spräche in Rätseln, meinte er. Ob alles in Ordnung sei?

Warum hatte ich keine Freunde? Menschen, die ohne Anleitung in meine Gedankenwelt zu gleiten wußten und ohne Erklärung verstanden? Was hätte Liliane gesagt? *I hate patronizing.* Aber um Bevormundung ging es ja nicht. Worum *genau* ging es?

Ich rief Leslie an. Sie hatte geschlafen und wollte erst einen Kaffee trinken. Sie hatte angestrengt geklungen, und ich hatte es für Ärger gehalten. Doch als sie zurückrief, klang sie aufgeräumt, und einen Moment dachte ich, sie sei glücklich über meinen Anruf.

Wenn einer einfach nicht mehr könne, sagte sie, müsse man ihn gewähren lassen, ihm sogar helfen. Sie sprach von Patienten, und es freute mich, daß wir unabhängig voneinander zur selben Ansicht gekommen waren. Aber hier ging es ja um etwas anderes. Tragödie … nun ja, meinte sie, man könne jemandem helfen, sie zu bewältigen … aber das wisse ich natürlich selbst …

Wie hatte ich erwarten können, daß jemand etwas dazu sagen könnte, das über Platitüden hinausging? Jemand, der Van Vliets Kopf nicht gehalten hatte?

Leslie war unglücklich, als sie meine Enttäuschung spürte. »Vorgestern die Fragen nach Internat und Instrument, und jetzt ...«

Ich sei froh, daß wir wieder öfter miteinander sprächen, sagte ich.

28

OHNE LEA WAR DIE WOHNUNG LEER, und im Treppenhaus kam sie Van Vliet manchmal entgegen, diese Leere. Dann drehte er um und ging essen. Und trinken.

Auch die Stille hielt er kaum aus. Trotzdem hörte er keinen Ton Musik, ein ganzes Jahr lang. Filme waren ebenfalls unmöglich, sie hatten Musik. Den Fernseher ließ er meist ohne Ton laufen. Die Leere und die Stille – das spürte er, ohne daß er es hätte erklären können – waren dem Ausbleichen verwandt, in das Lea nach dem letzten Besuch bei Marie hineingelaufen war und das er wieder vor sich gesehen hatte, als er durch das nächtliche Cremona zu Signor Buio ging. Manchmal blich jetzt auch sein Büro aus, meistens wenn die Dämmerung einsetzte. Das war vom Licht her gar nicht möglich, aber es war trotzdem so. Wenn in solchen Momenten jemand hereinkam, hätte er schießen mögen. Das war nur eines von vielen Dingen, durch die er sich fremd wurde. Langlauf im Oberland tat gut. Doch er fuhr nur hin, wenn er sicher war: Er würde es nicht tun. Es war ausgeschlossen, Lea im Stich zu lassen. Trotz des Maghrebiners. Auch wegen ihm.

Beim Frühstück merkte man Van Vliet von dem, was in der Nacht gewesen war, nichts mehr an. Er war frisch rasiert, trug einen dunkelblauen Seemannspullover und sah darin gesund und sportlich aus, wie ein Urlauber, leicht gebräunt. Überhaupt nicht wie einer, der das Steuer lieber einem anderen überließ. Er hatte das entspannte Gesicht von jemandem, der den Sorgen im tiefen Schlaf hatte entfliehen können. Ich wußte nicht, ob das Schlafmittel auch die Erinnerung an den Zusammenbruch weggespült hatte. Ob er noch wußte, wie ich ihn gehalten hatte.

Nachher saßen wir wieder am See. Heute würden wir fahren, das spürten wir beide. Aber erst, wenn er mit der Erzählung in der Gegenwart angekommen war. Über dem See lag ein Winterlicht ohne den Glanz und das Versprechen der Provence. Ein Licht, in dem grauer Schiefer war, kaltes Weiß und unbarmherzige Nüchternheit. In Richtung Martigny begann der Nebel, locker zuerst, weiter hinten kompakt, undurchdringlich. Es nahm mir den Atem, wenn ich mir vorstellte, ich müßte hineinfahren.

Van Vliets Sätze waren jetzt knapp, lakonisch. Manchmal verfiel er in einen analytischen, fast akademischen Ton, als spräche er über einen anderen. Vielleicht, dachte ich, war es auch, um die nächtliche Auflösung, den Verlust aller Konturen, vergessen zu machen. Ich war nicht unglücklich darüber. Doch es lag auch etwas Bedrohliches in dieser Beherrschtheit, etwas Beklemmendes, das zum Nebel paßte, der immer näher kam.

Agnetha hatte Lea nach Saint-Rémy gefahren. Er war froh darüber und unglücklich über diese Empfindung. Ihre Augen waren trübe gewesen und die Lider schwer, als er ihr zum Abschied übers Haar gefahren war. Als das Auto anfuhr, saß sie wie eine Puppe aus Gips auf ihrem Sitz, den leeren Blick streng geradeaus gerichtet.

Er holte Nikki aus dem Tierheim. Der Hund freute sich, sprang an ihm hoch. Doch er vermißte Lea, wollte nicht recht fressen. Langsam gewöhnte er sich an den neuen Lebensrhythmus. Er durfte neben Van Vliets Bett schlafen. Nur die vielen Stunden allein vertrug er nicht, so daß Van Vliet ihn ins Institut mitnahm. Ruth Adamek haßte Hunde. Wenn sie etwas zu besprechen hatten, telefonierten sie über den Flur hinweg. Eine andere Mitarbeiterin dagegen war vernarrt in Nikki. Wenn der Hund ihr die Hand leckte, gab es Van Vliet einen Stich.

Nach einem halben Jahr fuhr er zu Lévy nach Neuchâtel und erfuhr, wie Lea damals versucht hatte, die Amati zu zerschlagen, als er ihr seine Braut vorstellte.

Knapp und nüchtern erzählte Van Vliet von Stockholm.

»Damals, das galt mir«, sagte Lévy, »aber jetzt …«

Die beiden so ungleichen Männer tasteten sich aneinander heran. Van Vliet dachte an die Oistrach-Kadenz.

»Ich habe keine Schülerin gehabt, die begabter gewesen wäre als Lea«, sagte Lévy. »Ich habe der Versuchung nicht widerstehen können, mit ihr zu arbeiten. Die Gefahr – ich wollte sie nicht sehen. Glauben Sie …?«

Tagelang dachte Van Vliet darüber nach, was Lévy hatte fragen wollen. Er mochte den Mann immer noch nicht, kam sich neben ihm schwerfällig und ungehobelt vor. Aber er war nicht mehr der Gegner von einst. »Je suis désolé, vraiment désolé«, hatte er unter der Tür gesagt. Van Vliet hatte ihm geglaubt. Sie hatten sich zugewinkt, knapp nur, fast verschämt. Auf dem Perron hatte Van Vliet die absonderliche Empfindung gehabt: Jetzt ist auch Neuchâtel leer.

Er mied Krompholz. Doch dann ergab es sich, daß er Katharina Walther auf der Straße traf. »Mein Gott«, sagte sie immer wieder, »mein Gott.« Er sah sie nicht an, sprach auf ihre Schuhe hinunter.

»Sie hatten ...«, sagte er am Schluß.

»Aber das konnte doch niemand ahnen!« unterbrach sie ihn.

Zum Abschied umarmte sie ihn, ihr Chignon wischte über seine Nase.

Viel später, als sie von der Veruntreuung erfahren hatte, begegnete er ihr wieder. Sie verhinderte, daß er an ihr vorbeischlüpfte. Es war ein sonderbarer Blick, den sie auf ihn richtete, er sollte sich lange Zeit daran festhalten.

»Als ich es las: Mein Gott, dachte ich, er hat alles für sie getan, wirklich *alles*. Ich ... ich hätte auch gern jemanden gehabt, der ... Ich spüre sie noch heute in der Hand, die del Gesù.«

»Ich auch«, hatte er gesagt.

Danach hatten sie sich erst auf dem Friedhof wiedergesehen.

29

ETWAS ÜBER EIN JAHR ließ es sich noch verheimlichen. Van Vliet verschleppte Projekte, sabotierte Experimente, zögerte Anschaffungen hinaus und ließ unbezahlte Rechnungen liegen. Wenn die Geldgeber sich meldeten, log er hemmungslos. Als er davon erzählte, bekam er dieses Gesicht, das ich inzwischen kannte: der Spieler, der Junge, der Geldfälscher hatte werden wollen. Gezielte Obstruktion, geplanter

Pfusch – es war ein Tanz über dem Abgrund gewesen. In den Nächten zeigte sich der Abgrund. Trotzdem hatte es ihm auch gefallen. Ein Hauch dieser Lust war sogar jetzt in der Stimme. Als ich es spürte, dachte ich an die inneren Schichten und Plateaus, von denen er bei Lea gesprochen hatte.

Ich wünschte, Martijn, der Spieler in dir hätte dich gerettet. Hätte in dir eine Plattform aufgebaut, auf der du hättest weiterleben können.

Mehr Angst als Lust war im Spiel, als Van Vliet merkte, daß ihm Ruth Adamek auf den Fersen war. Als er einmal überraschend zu ihr ins Zimmer trat, sah er, daß sie Paßwörter für sein Forschungskonto ausprobierte. IRENRAUG stand auf dem Bildschirm. Als Schüler hatte er alle Rekorde gebrochen, wenn es darum ging, Wörter rückwärts zu lesen. Früher oder später würde sie es so auch mit DELGESÙ probieren. Das würde nicht reichen. Aber einmal begonnen, würde sie die Buchstaben weiter und weiter vertauschen. So hatten sie es damals gemacht, im ersten Jahr ihrer Zusammenarbeit, als es galt, ein vergessenes Paßwort zu rekonstruieren, bei dem sie nur noch den Ausgangspunkt wußten. Es war Sommer gewesen, sie hatte mit kurzem Rock auf seiner Schreibtischkante gesessen. Das Buchstabenspiel war zu einem Wettrennen geworden, das sie gewonnen hatte. Aus dem Augenwinkel hatte er gesehen, wie sie sich langsam mit der Zunge über die Lippen fuhr. Jetzt oder nie. Er hatte angestrengt auf den Bildschirm geblickt, bis der Moment vorbei war. »Übrigens«, hatte sie am nächsten Tag gesagt, »du bist ein lausiger Verlierer.«

Er veränderte das Paßwort zu ANOMERC, später wurde daraus CRANEMO, doch das lag vom Klang her zu dicht an CREMONA, und so wurde es zu OANMERC.

»Warum mußte ich beim Thema bleiben, warum habe ich nicht etwas ganz Entlegenes genommen! Oder wenigstens BUIO, OIUB oder so, auf das sie unmöglich kommen konnte.«

»Was wir über Zwangshandlungen wissen«, sagte Agnetha, »ist, daß ihnen der verdeckte Wunsch zugrunde liegt, das Befürchtete möge eintreten.«

Das fand er oberschlau. Doch es blieb die Verwunderung darüber, daß er bei dem verräterischen Thema geblieben war, als klebe er daran.

Vor drei Jahren dann kam der Brief, in dem die Geldgeber eine detaillierte Abrechnung verlangten, sonst sähen sie sich außerstande, die zugesagten Gelder weiterhin fließen zu lassen. »Ich habe ihn aus Versehen aufgemacht«, sagte Ruth Adamek, als sie ihm den Brief überreichte. Er sah auf den Absender. Es war der Showdown. »Leg ihn dorthin, irgendwo«, sagte er nonchalant und ging.

Im Bahnhof stand er eine Weile auf dem Fleck, von dem aus sie Loyola de Colón zugehört hatten. Fünfzehn Jahre waren seither verflossen. Mit dem Zug fuhr er ins Oberland. Es sah nach Schnee aus, doch es fiel keiner. Auf der Rückfahrt fragte er sich, was er getan hätte. Sie war beim Maghrebiner, hinter dem Brennholz, was machte es da schon für einen Unterschied. Der Arzt hatte ihn stumm angesehen, als er fragte, ob sich Lea nach ihm erkundigt habe. Dieser schwarze, versiegelte Blick, diese ärztliche Selbstgefälligkeit. Er hätte ihm die Fresse polieren mögen.

Er meldete sich krank und ging eine Woche lang nicht ins Institut. Mochten sie alle den Brief lesen, das war jetzt auch egal.

In diesen Tagen räumte er die Wohnung auf, nahm jeden Gegenstand in die Hand. Er holte das Foto hervor, das Céciles Zimmer zeigte, bevor sie daraus *la chambre de musique* gemacht hatten. Die Vergangenheit, die ihm da entgegenkam, traf ihn mit unerwarteter Wucht. Zum ersten Mal fragte er sich, was Cécile über den Betrug gedacht hätte. *Martijn, der romantische Zyniker! Ich dachte nicht, daß es das wirklich* gibt! Und nun war er durch halb Europa gefahren, nicht zu der geliebten Frau, sondern mit der kranken Tochter neben sich. Im Motel hatten sie getan, als sei sie seine Geliebte. Als er neben ihr aufwachte, zerschlagener noch als vorher, hatte sie ruhig geatmet, doch die Lider hatten unruhig gezuckt. »Wo sind wir denn«, hatte sie gesagt, »warum hat mir die Agentur kein besseres Zimmer besorgt, sonst habe ich doch eine Suite.«

Leas Zimmer war das letzte, das er aufräumte. Er hatte es gemieden. Jetzt nahm er auch hier alles in die Hand, wie zum letzten Mal. Schichten ihrer Lebensgeschichte. Stofftiere, die ersten Zeichnungen, Schulzeugnisse. Ein Tagebuch mit Schloß. Er fand den Schüssel. Er entschied sich dagegen, schob das Buch in der Schublade ganz nach hinten. Der Maghrebiner hatte nach so etwas gefragt. »*Absolument pas*«, hatte er gesagt.

LEAH LÉVY. Er warf das Notizbuch weg. Berge von Portraits, sie war in letzter Zeit viel fotografiert worden. Er setzte sich mit den Bildern an den Küchentisch. LEA VAN VLIET. Hinter der Fassade hatte es zu bröckeln begonnen, lautlos und unaufhaltsam. Er holte Bilder von früher und maß den Abstand. Das eine hatte er kurz nach Loyolas Auftritt im Bahnhof gemacht. Lea sah darauf aus, wie sie ausgesehen hatte, als sie ihn stumm durch die Stadt zog, getrieben von jenem neuen Willen, der nachher in die Frage mündete: *Ist eine Geige teuer?* Die meisten Bilder von Lea, der glanzvollen

Geigerin, warf er weg. Er verstand nicht, warum, aber er schloß Leas Zimmer ab und tat den Schlüssel in den Küchenschrank, hinter das selten gebrauchte Geschirr.

Als er entschieden hatte, was er tun würde, bat er Caroline zu sich. Sie atmete schwer und schloß manchmal die Augen, während er erzählte. Irgend jemand würde sich um die Wohnung kümmern müssen, sagte er. Sie nickte und streichelte Nikki. »Du kommst mit mir«, sagte sie. Tränen standen ihr in den Augen. »Sie darf es nie erfahren«, sagte sie. Er nickte.

Er spürte, daß sie ihm noch etwas sagen wollte. Etwas, das sich nur Freundinnen sagen. Er hatte Angst davor.

Es habe diesen Jungen gegeben, Simon, zwei Klassen über ihr, trotz Zigaretten bester Sportler seines Jahrgangs, ein Angeber, James Dean im Westentaschenformat, aber der Schwarm vieler Mädchen.

Van Vliet spürte Panik. Ob er, der Vater, im Wege gestanden habe. Er hing an ihren Lippen.

Da nahm Caroline, die mehr als dreißig Jahre jünger war als er, seine Hand.

»Aber nein«, sagte sie, »aber nein. Doch nicht Sie. Es war ihre Unberührbarkeit, um es so zu sagen. Die Aura ihrer Begabung und ihres Erfolgs. Ob im Klassenzimmer oder in der Pause: Es gab immer diesen kühlen Lichtschein um sie herum. Ein bißchen Neid, ein bißchen Angst, ein bißchen Unverständnis, alles zusammen. Sie wußte nicht, wie sie aus diesem Lichtschein hätte hinaustreten können, hinaus zu Simon zum Beispiel. Der Schein folgte ihr wie ein Schatten. Und Simon – er sah sie nie an, sah ihr aber nach, es gab Gekicher. Aber selbst für ihn, den Hahn im Korb, war sie außer Reichweite, einfach zu weit weg. ›Weißt du‹, sagte sie, ›manchmal wünschte ich mir, der ganze Glitter und Glamour verschwände über Nacht; damit die anderen ganz normal zu mir wären, ganz normal.‹«

Van Vliet zögerte. Und Lévy? fragte er schließlich.

»Davíd – das war etwas anderes, etwas *ganz* anderes. Ich weiß nicht, es war der Griff nach den Sternen.«

Simon und Lévy?

»Hatten in ihr nichts miteinander zu tun. Das waren zwei Welten, würde ich sagen.«

Noch etwas wollte Van Vliet wissen, etwas, das er sich seit langem fragte.

»Erst war die Musik mit Marie verbunden, dann mit Lévy. Immer hatte sie zu tun mit … mit Liebe. Mochte Lea die Musik eigentlich auch so, ich meine: um ihrer selbst willen?«

Das hatte sich Caroline noch nie gefragt. »Das weiß ich nicht«, sagte sie, »nein, das weiß ich einfach nicht. Manchmal … nein, keine Ahnung.«

Noch einmal blickte sie vor sich hin, als wolle sie ihm etwas über Lea sagen, das er nicht wissen konnte. Doch dann sah sie ihn an und sagte etwas, das Van Vliet, denke ich, vieles erspart hat: »Ich frage Papa, ob er Ihre Verteidigung übernimmt. Gerade in solchen Fällen ist er gut, sehr gut.«

Zum Abschied umarmte er sie und hielt sie einen Moment zu lange, als sei sie Lea. Caroline wischte sich die Tränen aus den Augen, als sie hinausging.

Am nächsten Morgen ging er zur Staatsanwaltschaft.

30

VON DER UNTERSUCHUNG und dem Prozeß hat er nicht viel erzählt. Zwischen den sparsamen Sätzen warf er den Schwänen Brotkrumen zu. Ein Mann wie er auf der Anklagebank: Da gab es nicht viel zu erklären. Während er die Krumen warf, hatte ich das Gefühl: Er paßt auf, daß er nicht in den Sog der Erinnerung gerät; daß er unbeschadet darüber hinweggleitet.

Dem Untersuchungsrichter, der die Glaubwürdigkeit des Geständnisses zu prüfen hatte, machten zwei Dinge zu schaffen: das Motiv und der Umstand, daß weder die Geige noch eine Quittung für den Kauf vorgelegt werden konnten. »Es gab Momente, da sah er mich mit einem Blick an, als sei ich ein Irrer oder ein dreister Lügner.« Lange weigerte sich Van Vliet, die Überreste der Geige herauszurücken. Was er nicht erzählte, auch vor Gericht nicht, war die wahre Geschichte ihrer Vernichtung. Er selbst sei im Dunkeln darauf getreten – mehr war ihm nicht zu entlocken.

Ich sehe dich im Gerichtssaal sitzen, Martijn – ein Mann, der der Welt sein Schweigen entgegenhalten konnte wie eine Mauer.

Der Untersuchungsrichter wollte Lea vernehmen. Da muß Van Vliet die Fassung verloren haben. Dr. Meridjen schrieb ein Gutachten. Van Vliet träumte, der Arzt habe Lea davon erzählt. Danach saß er auf der Bettkante und hämmerte sich mit den Fäusten die Einsicht in den Kopf, daß kein Arzt so etwas tun würde, keiner.

Carolines Vater erreichte ein mildes Urteil, auch weil Van Vliet sich gestellt hatte. Achtzehn Monate auf Bewährung.

Der Richterin muß es leichter gefallen sein, das Motiv zu verstehen. Zu ihrer Aufgabe – muß sie gesagt haben – gehöre es zu beurteilen, wie schwer es für ihn gewesen wäre, nicht zu tun, was er getan habe. Van Vliet sagte ein einziges Wort: *unmöglich*.

Irgendwann muß das Stichwort einer psychiatrischen Begutachtung gefallen sein. Die beiden Wörter klangen heiser, als Van Vliet davon sprach. Eine gefährliche Heiserkeit. Danach schob er stumm die Lippen vor und zurück, vor und zurück. Für eine Weile vergaß er, die Brotkrumen zu den Schwänen zu werfen und zerbröselte sie zwischen den Fingern.

Natürlich verlor er die Professur. Die Geldgeber erreichten, daß die Bezüge, die ihm blieben, gepfändet wurden. Was man ihm ließ, reichte für die Zweizimmerwohnung, in der er jetzt lebte, und auch das Auto konnte er behalten. Carolines Vater half ihm im Kampf mit der Versicherung. Am Ende erreichte er, daß sie die Kosten für Leas Aufenthalt in Saint-Rémy übernahm.

Die Zeitungen schrieben in großen Lettern, an jeder Ecke kamen sie ihm entgegen, fett und brutal. Er lief im Traum durch die Stadt und kaufte alle Exemplare auf, damit Lea keines zu sehen bekäme.

»In jener Zeit habe ich gegen den Alten in Cremona gespielt, wieder und wieder. Endlich fand ich eine Lösung. Das Problem war: Ich nehme kein Opfer an, halte jedes Gambit von vornherein für eine Falle, über die man gar nicht weiter nachdenken muß. So war es auch damals. Ich hätte den verdammten Läufer nehmen sollen, der Alte hatte sich verrechnet, und ich entdeckte auch, warum. Ich hätte ihn mit dem Bauern schlagen sollen. Jetzt zog ich den Bauern hinüber und dachte: Diese eine Bewegung, zwei, drei Zentimeter – und ich stünde nicht vor Gericht.

Mutter pflegte zu lachen, wenn Vater bei heftigen Selbstvorwürfen davon sprach, daß er sich *hintersinnen* könnte; sie fand den Ausdruck zu komisch. Jetzt fiel er mir ein, der Ausdruck: Manchmal hatte ich vor Ärger über mich selbst tatsächlich den Eindruck, fast den Verstand zu verlieren. Am schlimmsten war es, wenn ich mir sagte: Du hast es im Grunde gar nicht für Lea getan, sondern für dich selbst, du bist zu dem Alten gefahren, weil du dir in der Rolle des Hasardeurs gefallen hast, aus Selbstverliebtheit also.«

Er wolle ein paar Schritte allein gehen, sagte er und sah mich entschuldigend an. Ich wußte: Danach kam das Schwerste.

31

»ALS KLEINES KIND war Lea beeindruckt von den braunen Glasbehältern mit den handgeschriebenen Etiketts, die in der Apotheke auf den Regalen standen. Sie zeichnete die Gläser sogar, sie müssen für sie eine geheimnisvolle Anziehungskraft gehabt haben; vielleicht, weil man hinter dem dunklen Glas helles Pulver sah, das wie versteckt wirkte, vielversprechend oder auch gefährlich. Später einmal sah sie, wie Cécile im Krankenhaus den Schrank mit den besonderen Medikamenten abschloß. ›Das ist der Giftschrank‹, erklärte Cécile. Das Wort muß Lea sehr beeindruckt haben, denn beim Abendessen fragte sie: ›Warum braucht man im Krankenhaus Gift?‹

Daran dachte ich, als ich von ihrem Tod erfuhr. Sie hat es während der Nachtschicht getan.«

Vor einem Jahr war sie aus Saint-Rémy zurückgekommen. Sie hatte nicht ihn angerufen, sondern Agnetha. Das hatte weh getan; auf der anderen Seite war er auch froh, daß sie seine schäbige Wohnung nicht sah. Er hatte sich dafür mehrere Erklärungen zurechtgelegt, wenn er wach lag. Keine klang glaubwürdig. Doch von selbst würde sie nicht auf die Wahrheit kommen. Mit Entsetzen stellte er fest, daß er sich vor der Begegnung mit seiner Tochter fürchtete.

Sie begann eine Lehre als Krankenschwester und wohnte im Schwesternheim. Das lag am anderen Ende der Stadt. Er lebte in der Stadt, in der auch seine Tochter lebte, und noch immer hatte er sie nicht gesehen. Agnetha gab ihm die Nummer. »Ich würde warten, bis sie sich meldet«, sagte sie.

Aus Angst, ihr zu begegnen, traute er sich in den ersten Wochen nicht ins Zentrum. »Ich habe gelebt, als drückte mich etwas nach innen, ich glaube, ich atmete nur noch ganz flach. Wie einer, der sich seines bloßen Daseins schämt. Erst langsam wurde mir klar: Die Scham wegen Betrug und Verurteilung hatte sich hinter meinem Rücken in eine Empfindung der Schuld Lea gegenüber verwandelt. Aber es *gab* doch keine solche Schuld!

Ich wurde wütend: auf den Maghrebiner, der ihr wer weiß was eingeredet hatte; auf Agnetha wegen ihrer Bemerkung; sogar auf Caroline, die es besser fand, Lea den Hund nicht zurückzugeben. Und ich wurde wütend auf Lea, mit jedem Tag mehr. Warum, verdammtnochmal, meldete sie sich nicht? Warum verhielt sie sich, als hätte ich ihr etwas angetan?«

Es war im vergangenen Herbst, daß sie sich schließlich begegneten. Ein warmer Tag, die Leute waren leger gekleidet. Deshalb fiel ihm als erstes ihr steifes, keusches Kostüm auf, darüber ein Kopf mit strenger Frisur. Er erkannte sie erst mit Verzögerung. Es stockte ihm der Atem: Seit er sie in Saint-Rémy das letzte Mal durch das Fernglas beobachtet hatte, waren keine zwei Jahre vergangen, und sie sah aus, als sei mindestens die doppelte Zeit verstrichen. Klare Augen hinter einer randlosen Brille, die ganze Erscheinung nicht ohne Eleganz, aber unnahbar, schrecklich unnahbar.

Langsam gingen sie die letzten Schritte aufeinander zu. Sie gaben sich die Hand. »Papa«, sagte sie. »Lea«, sagte er.

Van Vliet trat ans Ufer, schöpfte eine Handvoll Wasser und ließ es übers Gesicht laufen.

Ich spürte, wie ich zusammensank. Ich wollte nichts mehr von diesem Unglück hören. Ich hatte keine Kraft mehr.

Sie waren zusammen auf die Münsterterrasse hinausgetreten und hatten eine Weile schweigend nebeneinander gestanden.

»Ich kann das nie mehr wiedergutmachen«, sagte sie auf einmal.

Ein Stein fiel ihm vom Herzen, das erste Mal seit Monaten konnte er tief Atem holen. *Deshalb*, nur deshalb hatte sie ihn gemieden. Und sie wußte nichts von Betrug und Verurteilung, sie sprach nur von der Geige. Er wollte sie umarmen, stockte, bevor es dazu kam. Ihre Stimme hatte wie immer geklungen. Doch sonst kam sie ihm fremd vor; nicht abweisend, auch nicht kalt, eher welk; wie jemand, der auf Sparflamme lebt.

»Es ist doch in Ordnung«, sagte er, »alles ist doch ganz in Ordnung.«

Sie sah ihn an wie jemanden, der zur Beruhigung etwas Bemühtes, Unglaubwürdiges gesagt hat.

Auf einer Bank sitzend gelang ihnen dann noch ein kurzes

Gespräch darüber, wo und wie sie jetzt wohnten. Er muß gelogen haben.

Ob die Zeitungen damals etwas gebracht hätten, fragte sie. Es freute ihn, denn es zeigte, daß sie zurück war in der wirklichen Welt und der wirklichen Zeit. Er schüttelte den Kopf.

»Stockholm«, sagte sie, und nach einer Weile: »Danach Dunkel, vollständiges Dunkel.«

Er nahm ihre Hand. Sie ließ es geschehen. Später spürte er ihren Kopf an seiner Schulter. Das öffnete die Schleusen. In einer unbeholfenen Umarmung verschlungen, ließen beide ihren Tränen freien Lauf.

Danach wartete er auf ihren Anruf. Er kam nicht. Er ließ es bei ihr klingeln, immer wieder. Er hätte gerne gewußt, wie Saint-Rémy für sie gewesen war. Damit diese Zeit nicht weiß und leer blieb, was sie betraf. Und damit sich die Bilder von ihr hinter dem Brennholz und auf der Mauer, die Arme um die Knie geschlungen, die ihm zu Ikonen der Einsamkeit und Verzweiflung geronnen waren, verflüssigen und zu Episoden werden könnten, die in der Vergangenheit verwischten und ihren Schrecken verloren.

Der Anruf aus dem Krankenhaus kam in den frühen Morgenstunden. Vor drei Tagen hatte ihr eine Schwesternschülerin aus dem Wohnheim die damaligen Zeitungsberichte über den Prozeß gezeigt. Danach war sie wie immer zur Arbeit erschienen, wortkarg, aber das war sie eigentlich immer. Jetzt lag sie da, ihr weißes Gesicht unwiderruflich still wie damals das Gesicht von Cécile.

»Seither«, sagte Van Vliet, »ist alles leer. Leer und ausgeblichen.«

Er wartete, ohne zu wissen, worauf. Schließlich lieh er sich von Agnetha Geld, um diese Reise zu machen.

32

AUF DER FAHRT NACH BERN dachte ich ständig an die Worte, die er hinzugefügt hatte: »Und nun bin ich Ihnen begegnet.«

Es konnte eine dankbare Feststellung sein, weiter nichts. Und es konnte mehr sein: die Ankündigung, daß er sich an diesem Rettungsanker festhalten und weiterleben wollte.

Wie schon die ganzen Tage, hatte ich Angst vor der Ankunft. Würde sie die Entscheidung zwischen den beiden Deutungen bringen? Hätte ich die Kraft und Festigkeit, sein Anker zu sein? Ich spürte, wie ich Paul das Skalpell gereicht hatte. Konnte so einer der Anker für einen anderen sein – für einen, der seinen Händen auch nicht mehr traute?

Wir hielten bei meiner Wohnung. Wortlos betrachtete Van Vliet die elegante Fassade. Wir gaben uns die Hand. »Wir hören voneinander«, sagte ich. Dürre Worte nach allem, was gewesen war. Doch auch auf der Treppe fielen mir keine besseren ein.

Ich zog die Jalousien hoch und öffnete die Fenster. Dabei sah ich ihn. Er war wenige Häuser weitergefahren und hatte geparkt. Jetzt saß er ohne Licht in der Dämmerung. *La nuit tombe.* Er liebte diese Worte, sie verbanden ihn noch immer mit Cécile. Es gab keine Lastwagen, die er zu fürchten hatte. Er wollte nicht nach Hause. Ich dachte daran, wie ihm die Leere entgegengekommen war, als er in der Zeit nach Leas Abreise die Treppen hochstieg.

Eigentlich würde ich doch gerne sehen, wo er wohne, sagte ich, als er das Fenster herunterkurbelte. »Es ist nicht eine Wohnung wie die Ihre«, sagte er, »aber das wissen Sie ja.«

Über die Schäbigkeit der Räume erschrak ich dann doch. Er hatte nicht das Geld gehabt, sie neu streichen zu lassen, es gab Spuren früherer Bilder an den Wänden. In der Küche Rohre, die aus der Wand traten und anderswo wieder hineinführten, abblätternde Farbe, ein vorsintflutlicher Herd. Nur die Sitzmöbel und Teppiche erinnerten an die Wohnung eines gut verdienenden Wissenschaftlers. Und die Bücherregale. Ich suchte und fand sie, die Bücher über Louis Pasteur und Marie Curie. Er sah meinen Blick und lächelte dünn. Fachliteratur bis unter die Decke. Ein Gestell mit Schallplatten. Viel Bach mit Yitzhak Perlman. »Das war für Lea der Maßstab«, sagte er. Die Platte aus Cremona mit den verschiedenen Geigenklängen. Miles Davis. In einer Ecke ein Geigenkasten. »Daran haben sie nicht gedacht. Ich könnte sie dem Geigenbauer in St. Gallen wieder verkaufen. Doch dann bliebe ja gar nichts mehr von ihr.«

Er stand wie gelähmt in der eigenen Wohnung, unfähig, sich auch nur zu setzen. Als er Lea gesehen hatte, wie sie still am Fenster ihres Zimmers in Saint-Rémy stand und ins Land hinausblickte, hatte er gedacht, daß sie sich ganz und gar fremd fühlte auf diesem Planeten. Daran mußte ich denken, als ich ihn da stehen sah.

Ich legte Miles Davis auf. Er löschte das Licht. Als der letzte Ton verklungen war, stand ich im Dunkeln auf, berührte ihn an der Schulter und ging ohne Worte aus der Wohnung. Nie habe ich größere Nähe erlebt.

33

ZWEI TAGE DANACH rief er an. Wir gingen an der Aare entlang, wortlose Erinnerung an den Strand von Saintes-Maries-de-la-Mer und an das Ufer des Genfer Sees. Er stellte Fragen nach meinem Beruf, nach Leslies Tätigkeit in Avignon, und schließlich, zögernd, erkundigte er sich, wie das Leben jetzt für mich sein werde.

Ich hätte mich gefreut über die Fragen, wären sie nicht so distanziert gewesen. *Detached* nannte Liliane das. So waren auch sein Händedruck beim Abschied und sein abwesendes Nicken, als ich von einem weiteren Spaziergang sprach. Hatte er bereits abgeschlossen? Oder ist das nur der Schatten, den das spätere Wissen auf das frühere Geschehen wirft?

Im Bus nach Hause stellte ich mir die Reisfelder der Camargue vor und die ziehenden Wolken. Wären wir nur dort unten geblieben, dachte ich, und hätten uns treiben lassen, zwei Schatten im Gegenlicht. Ich druckte die Fotos aus und lehnte das Bild von Martijn, auf dem er trinkt, an die Lampe.

Am Tag darauf schneite es. Ich dachte an seine Fahrten ins Oberland. Ich hatte Angst und rief immer wieder an, vergeblich. Am nächsten Morgen blätterte ich in der Zeitung. Ein roter Peugeot mit Berner Kennzeichen war auf einer Straße im Seeland auf die Gegenfahrbahn geraten und frontal auf einen Lastwagen geprallt. Der Fahrer war sofort tot gewesen. »Es war eng, er muß gebremst haben, um mich vorbeizulassen, dabei kam er ins Rutschen«, hatte der Fahrer ausgesagt. »Er saß merkwürdig ruhig hinter dem Steuer, er muß vor Schreck wie gelähmt gewesen sein.«

Den ganzen Tag sah ich seine Hände vor mir: zitternd

am Pferdekopf, über dem Steuer schwebend, auf der Bett-decke.

Am Grab war ich mit Agnetha allein. »Martijn macht keine Fahrfehler«, sagte sie.

Es war trotziger Stolz in der Stimme, und er reichte weit übers Autofahren hinaus. Schnee habe er geliebt, sagte sie. Schnee und das Meer, am besten beides zusammen.

34

VOM FRIEDHOF ging ich zu dem Haus, in dem Marie Pasteur gewohnt hatte. Das Messingschild hing nicht mehr, man sah nur noch die Spuren am schmiedeeisernen Tor. Ich blickte die Straße entlang, die Lea nach ihrem letzten Besuch irrtümlich genommen hatte und die im Geist des Vaters zu einer endlosen, ausbleichenden Geraden geworden war.

Die Metallspitze auf dem Treppenpfosten in Stockholm war Van Vliet mit der Heftigkeit eines rasenden Zooms entgegengekommen. Das Bild begann mich zu verfolgen. Ich ging ins Kino, um es zu besiegen. Die Filmbilder halfen, aber ich wollte diese Filmbilder nicht sehen und ging bald.

Danach mußte ich fahren, das Rollen spüren, das machte es leichter. Ich fuhr im Bus kreuz und quer durch die Stadt, vom einen Ende zum anderen und zurück, dann dasselbe auf der nächsten Strecke. Ich dachte an *Thelma and Louise* und die beiden Frauenhände, die Van Vliet in ihrer tollkühnen Anmut geliebt hatte. Wenn der Bus sich leerte, schloß ich die Augen und stellte mir vor, ich säße am Steuer und führe bis nach Hammerfest und Palermo auf der Suche nach diesen Bildern einer letzten Freiheit. Mit jedem Bus war ich weniger sicher, daß ich nur zu den Bildern fuhr. Immer mehr kam es mir vor, als steuerte ich den Bus auf den Rand des Canyons zu.

Während ich zu Hause vergeblich auf den Schlaf wartete, spürte ich, daß ich mit meinem Leben nicht einfach weitermachen konnte. Es gibt Unglück von einer Größe, daß es ohne Worte nicht zu ertragen ist. Und so begann ich in der Morgendämmerung aufzuschreiben, was ich erfahren hatte seit jenem hellen, windigen Morgen in der Provence.

Dieses Buch handelt von einer Erfahrung, die wir uns ungern eingestehen: Auch diejenigen Menschen, mit denen wir durch große Intimität verbunden sind, können uns fremd werden. Ein unerwartetes Ereignis, eine unmerkliche Veränderung der Situation, eine überraschende Bemerkung: Mit einemmal erscheint eine Person, mit der wir uns eng verbunden fühlten, fremd, und wir haben das Gefühl, sie zu verlieren. Die gleiche Erfahrung können wir mit uns selbst machen; auch uns selbst können wir als fremd erleben. Das kann geschehen, wenn wir merken, daß wir nicht unser eigenes Leben leben, sondern das Leben, das andere von uns erwarten. Oder es kann geschehen, wenn wir feststellen, daß wir Dinge denken, fühlen und tun, die nicht zu dem Bild passen, das wir von uns selbst haben. Sowohl im Fall der anderen als auch im eigenen Fall ist es eine verstörende Erfahrung, die mit dem Gefühl der Zerbrechlichkeit einhergeht: Keine menschliche Beziehung, keine Vorstellung von den anderen und uns selbst ist jemals sicher, fest und gegen Entfremdung gefeit.

Dieses Thema war in meinen Romanen stets gegenwärtig, doch eher auf indirekte Weise. In diesem Buch nun war es meine Absicht, es auf möglichst geradlinige und furchtlose Weise zur Sprache zu bringen. Die Erfahrung, um die es geht, sollte den Leser mit ihrer vollen Wucht erreichen.

Wie ließ sich das Thema am besten instrumentieren? Ich traf zwei wichtige Entscheidungen. Die eine hatte mit Musik zu tun. Ich bin mit klassischer Musik aufgewachsen und habe sie stets als Gegenbewegung zu jeder Art von Entfremdung erlebt. Mein Thema, dachte ich, müßte eine besondere Eindringlichkeit erhalten, wenn sich die Figuren in und durch die Musik fremd würden. Die zweite Entscheidung: Die Intimität, in der die Fremdheit aufbrechen würde, sollte die ursprüngliche, natürliche Intimität zwischen Kind und Eltern sein. Auch dadurch bekäme das Thema eine besondere Schärfe. So entstand ein Drama, in dem ein Mädchen, dessen Geist sich langsam, aber unaufhaltsam verdunkelt, dem Vater und sich selbst im Geigenspiel fremd wird.

Es lag nahe, der Erzählung die Form einer Tragödie zu geben: Jemand handelt aus bester Absicht und führt gerade dadurch eine Katastrophe herbei. Der Duktus des Erzählens sollte alles weglassen, was nicht zur Logik des tragischen Verlaufs beitrug. Diese erzählerische Strenge ist gemeint, wenn ich von einer Novelle spreche.

Aus welcher Perspektive sollte die Geschichte erzählt werden? Zunächst probierte ich es mit der kühlen, analytischen Stimme eines allwissenden Erzählers. Es funktionierte nicht: Die Wucht, die das Drama haben sollte, ließ sich so nicht erreichen. Es mußte eine Erzählung aus der Perspektive einer ersten Person sein. Konnte sie das Mädchen selbst sein? Die Geschichte hätte erkennbar die Erzählung von jemandem sein müssen, dessen Geist sich verdunkelt, ohne für den Leser ihre Transparenz zu verlieren. Die Aufgabe war zu schwierig. Also wählte ich den Vater als Erzähler. Es geschah etwas Interessantes: Die Erzählung bekam einen wehleidigen Ton, einen Klang des Selbstmitleids, den ich vermeiden wollte. Ich arbeitete am Wortschatz und an der Melodie der Sätze. Doch es war etwas anderes verantwortlich für den falschen Klang: Der Vater, weil er direkt zum Leser sprach, kam dem Leser zu nahe.

Die Lösung war, eine neue Figur einzuführen, die dem Vater zuhörte. Das war ein entscheidender Schritt. Dieser Zuhörer nämlich, der den Bericht des Vaters nun wiedergab, bekam ein eigenes Leben und begann mich als er selbst zu interessieren. Es wurde etwas möglich, was mich zunehmend fesselte: Ich konnte sein Erleben ausloten, indem ich ihn das Drama des Vaters nachvollziehen ließ. Und mehr noch: Ich konnte die Geschichte einer unerwarteten, ungewöhnlichen Intimität zwischen zwei Männern erzählen, die sich als Fremde begegnet waren. Intimität als Ergebnis einer Geschichte über Fremdheit. Auf diese Weise kam ein Buch zustande, das sich auf zwei Ebenen bewegt: Es gibt den Bericht des Vaters über die Tragödie seiner Tochter, und es gibt daneben den Bericht des Zuhörers, der von der erstaunlichen Intimität zwischen zwei Männern erzählt, die das Vertrauen in sich selbst verloren haben.

Die beiden Männer sind Naturwissenschaftler, die von sich sagen, sie hätten die Sprache der Gefühle nicht gelernt. Das bedeutete eine Herausforderung für die Wahl der Worte, für Metaphern und Stil. Ich wollte, daß der Leser Zeuge würde, wie die beiden mit den Wörtern kämpften, nun, da sie über ihre Gefühle zu sprechen versuchten. Es ging darum zu zeigen, wie Wörter für Gefühle klingen können, wenn Ungeübte nach ihnen greifen, um der Gewalt ihrer Empfindungen Ausdruck zu verleihen, und wie sprachliche Unsicherheit und stilistisches Schwanken Ausdruck sein können für eine noch tiefere Unsicherheit der Welt und sich selbst gegenüber.

Berlin, im März 2009   P.M.